LA
RECONNEXION

LA RECONNEXION

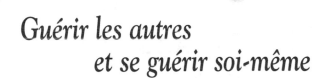

Guérir les autres
et se guérir soi-même

DR ERIC PEARL

RIANE

Titre original anglais :
The Reconnection
© 2001 par Eric Pearl
Publié et distribué aux États-Unis par :
Hay House, P.O. Box 5100, Carlsbad, CA 92018-5100 • (800) 654-5126
www.hayhouse.com

© 2002 pour l'édition française
Ariane Éditions inc.
1209, av. Bernard O., bureau 110, Outremont, Qc, Canada H2V 1V7
Téléphone : (514) 276-2949, télécopieur : (514) 276-4121
Courrier électronique : info@ariane.qc.ca
Site Internet : ariane.qc.ca

Tous droits réservés

Traduction : Annie J. Ollivier
Révision linguistique : Monique Riendeau
Graphisme : Carl Lemyre

Première impression : février 2002

ISBN : 2-920987-57-7
Dépôt légal : 1er trimestre 2002
Bibliothèque nationale du Québec
Bibliothèque nationale du Canada
Bibliothèque nationale de Paris

Diffusion
Québec : ADA Diffusion – (450) 929-0296
Site Web : www.ada-inc.com
France : D.G. Diffusion – 05.61.000.999
Belgique : Rabelais – 22.18.73.65
Suisse : Transat – 23.42.77.40

Imprimé au Canada

Commentaires élogieux consacrés au livre
La reconnexion

« *Quand j'ai eu en main cet ouvrage, je me suis installée dans un fauteuil et l'ai lu d'un bout à l'autre et d'un trait en une soirée. Il m'a emballée, car il se lisait comme un bon roman. Mais, à l'inverse d'un roman, cet ouvrage traite de vérité, de la vérité concernant une façon révolutionnaire et nouvelle de guérir et de se guérir, et surtout accessible à tout le monde. Débordant d'humour, de perspicacité et du discernement et de l'humilité qui viennent seulement avec la maturité du clinicien et du scientifique avisé, Eric Pearl raconte comment l'énergie de "reconnexion" l'a transformé et comment elle peut tous nous transformer. Si la santé et la guérison vous tiennent vraiment à cœur, alors vous devez lire ce livre.* »

Christiane Northrup, professeur adjoint en obstétrique et en gynécologie au collège médical de l'université du Vermont, auteur de *Women's Bodies, Women's Wisdom* et de *Wisdom of Menopause*.

« *En tant que médecin et neurologue, j'ai été formée pour savoir comment et pourquoi un traitement fonctionne. En ce qui a trait à la guérison par la "reconnexion", je ne sais pas comment cela agit, mais mon expérience personnelle de la chose me fait simplement reconnaître que cela fonctionne. Le travail d'Eric Pearl est un grand cadeau dans ma vie et j'espère que par le truchement de ce bouquin, il en sera aussi un pour vous.* »

Mona Lisa Schulz, auteure du *Réveil de l'intuition*, aux éditions Ariane

« *Bien des gens attendent depuis des décennies ce que Eric Pearl nous offre dans son premier livre, une approche unique, nouvelle*

et simple pour enseigner la guérison et la transformation. *La grande révélation dans tout cela, cependant, c'est qu'il diffuse son secret ! Non seulement ce livre est-il agréable à lire, mais son auteur drôle et curieux nous montre l'aise avec laquelle on peut reconnaître et activer la véritable énergie de guérison à l'intérieur de nous tous. Il était temps !* »

Lee Carroll, auteur des livres Kryon et coauteur de l'ouvrage *Les enfants indigo*, aux éditions Ariane

« *Eric a écrit un merveilleux et provocant livre sur la guérison, pratique de surplus. Il nous fait non seulement part de ses intuitions et de ses expériences personnelles grâce à la guérison, mais nous donne également des techniques fort utiles pour provoquer les guérisons dont nous avons tous besoin dans nos vies, et ce, pas seulement pour nous, mais aussi pour les autres. L'humour d'Eric ainsi que sa sincérité font que ce livre est à lire absolument.* »

Ron Roth, auteur de *Holy Spirit for Healing*

« *Cet ouvrage propose un regard nouveau et intéressant sur le phénomène de la guérison.* »

Deepak Chopra, auteur de *Comment connaître Dieu,* Éditions du Rocher

✧✧✧✧✧

« *Ce livre, qui raconte une histoire vécue et qui est bien écrit, pourrait vraiment inspirer les gens à entreprendre leur cheminement spirituel et à devenir des guérisseurs.* »

Doreen Virtue, auteure de *The Lightworker's Way* et *Healing with the Angels*

À mes parents, pour m'avoir donné la vie et le courage d'en vivre sa réalité.

À Aaron et Salomon, pour m'avoir donné l'intuition ainsi que la confirmation que je devais aller de l'avant.

À Dieu, à l'amour et à l'univers, par ce qu'ils donnent.

TABLE DES MATIÈRES

Partie I : LE CADEAU

Partie II : LA GUÉRISON PAR LA « RECONNEXION » ET SA SIGNIFICATION

TABLE DES MATIÈRES (suite)

Partie III : LA GUÉRISON PAR LA « RECONNEXION » ET VOUS

✧ AVANT-PROPOS ✧

Vous vous apprêtez à lire l'ouvrage d'Eric Pearl, un praticien courageux et bienveillant qui a découvert que la clé de la santé et de la guérison est ce qu'il appelle la « reconnexion ». Quand nous avons pour la première fois entendu cet homme parler de cette découverte à l'université de l'Arizona, dans le cadre du programme de médecine interactive du docteur Andrew Weil, nous avons immédiatement été impressionnés par son honnêteté et son ouverture. Nous avions sous les yeux un être qui était disposé à renoncer à une lucrative carrière de chiropraticien à Los Angeles pour entreprendre un périple spirituel et aborder certaines des questions les plus essentielles et les plus controversées actuellement dans les domaines de la médecine et de la guérison.

Est-ce que l'énergie, ainsi que l'information qu'elle transmet, joue un rôle charnière dans la santé et la guérison ?

Nos esprits peuvent-ils établir un contact avec cette énergie ?

Pouvons-nous apprendre à la maîtriser pour nous guérir nous-mêmes ainsi que les autres ?

Existe-t-il une réalité spirituelle plus vaste, faite d'énergie vivante, que nous pouvons contacter et qui peut non seulement amener chacun vers la guérison, mais aussi susciter la guérison de la planète tout entière ?

Nous nous sommes demandés si Eric Pearl avait perdu la tête ou bien s'il avait rétabli le contact avec la sagesse innée de son cœur et celle de l'énergie cosmique.

À dire vrai, nous ne pouvions répondre à cela lors de notre première rencontre avec lui. Par contre, Eric était déterminé à aller au fond des choses, y compris à soumettre ses revendications et ses talents à un laboratoire dont le leitmotiv est : « Si une chose est réelle, elle sera révélée. Dans le cas contraire, nous trouverons la faille. »

La vocation du Human Energy Systems Laboratory (Laboratoire des systèmes énergétiques humains) de l'université d'Arizona est de marier la médecine psychospirituelle, la médecine éner-

gétique et la médecine spirituelle. Le travail de collaboration avec
Eric ne visait pas à prouver que la guérison par la « reconnexion »
fonctionne, mais plutôt à permettre au phénomène qui l'anime de
faire ses preuves.

Premiers contacts avec le phénomène de « reconnexion »

Mon premier contact (*dixit* Gary) avec le concept de la « reconnexion » remonte à l'époque de mes études de troisième cycle à
l'université Harvard, vers la fin des années 60. En effet, grâce à
l'un des plus éminents physiciens des années 30, je fus amené à
participer à la recherche fondamentale en cours sur l'autorégulation et la guérison.

En 1932, le professeur Walter Cannon, de l'université Harvard,
publiait *The Wisdom of the Body*, qui devait devenir un classique
dans le domaine. Cannon y décrivait la façon dont le corps
conservait sa santé physiologique par le truchement d'un phénomène qu'il appelait « homéostasie ». Selon l'auteur, la capacité du
corps à maintenir son intégralité homéostatique nécessite absolument la présence de systèmes de rétroaction actifs dans le corps
ainsi qu'une circulation fluide et précise de l'information grâce à
ces systèmes de rétroaction.

Par exemple, si vous branchez un thermostat à une chaudière et
que, chaque fois que la température de la pièce baisse en deçà du
degré de température choisi sur le thermostat, le signal donné par
le thermostat commande à la chaudière de se mettre en marche ou
de s'arrêter, la température de la pièce sera maintenue. Le thermostat constitue dans ce cas le système de rétroaction, qui résulte d'un
phénomène d'homéostasie entre vous et la pièce.

Ce qui facilite le bon fonctionnement des choses, c'est qu'il y
a dans ce système tous les contacts voulus. Si vous éliminez le
phénomène de rétroaction, la température ne pourra pas être stable.
Voici, en quelques mots, ce qu'est la rétroaction par le contact.

En tant que professeur adjoint à la faculté de psychologie et des
relations sociales de l'université Harvard, je me suis attaché à
trouver la logique qui mena à la découverte selon laquelle la rétroaction par le contact est essentielle non seulement à la santé et à

l'intégralité du plan physiologique, mais aussi à la santé et à l'intégralité de tous les autres plans. Cette rétroaction est fondamentale pour assurer l'intégralité, que ce soit sur le plan énergétique, physique, émotionnel, mental, social, mondial ou même de l'astrophysique.

J'ai alors avancé que le concept de la « sagesse du corps » de Cannon était le reflet d'un principe universel plus vaste. J'ai nommé ce concept « sagesse inhérente à un système » ou plus simplement « sagesse du contact ».

Quand il y a contact, qu'il s'agisse

1. du contact chimique entre l'oxygène et l'hydrogène pour former l'eau
2. du contact entre le cerveau et les organes physiologiques par des mécanismes hormonaux, nerveux ou électromagnétiques du corps, ou bien
3. du contact entre le Soleil et la Terre par les phénomènes de la gravité et de l'électromagnétisme dans le système solaire...

et que l'information et l'énergie circulent librement, n'importe quel système peut rester en santé, entier et évoluer.

Alors que j'étais professeur de psychologie et de psychiatrie à l'université Yale, de 1975 jusqu'à la fin des années 80, j'ai publié des articles scientifiques sur l'application de ce principe concernant non seulement l'intégralité et la guérison psychocorporelle, mais l'intégralité et la guérison sur tous les plans dans la nature. Mes collègues et moi avançâmes l'hypothèse qu'il existe cinq étapes de base pour atteindre l'intégralité et la guérison : *l'attention, le contact, l'autorégulation, l'ordre* et *l'aisance*.

Étape 1   *L'attention* volontaire. C'est-à-dire faire simplement l'expérience de votre corps et de l'énergie qui circule en lui et entre vous et votre environnement.

Étape 2   L'attention crée un *contact*. Lorsque vous permettez consciemment ou inconsciemment à votre esprit de faire l'expérience de l'énergie et de l'information, le processus même crée des contacts non seulement avec votre corps, mais entre votre corps et votre environnement.

Étape 3   Le contact engendre l'*autorégulation*. Une équipe sportive est un orchestre constitué de musiciens connaissant des sommets dans le domaine des sports ou de la musique en œuvrant de concert. Les contacts dynamiques qui existent entre eux donnent à l'équipe ou à l'orchestre la possibilité de s'organiser et de se contrôler (autorégulation), avec l'aide de l'entraîneur ou du chef d'orchestre.

Étape 4   L'autorégulation se traduit par l'*ordre*. Les choses dont vous faites l'expérience sous la forme de l'intégralité, du succès ou même de la beauté viennent refléter le processus organisateur rendu possible par les contacts qui assurent l'auto-régulation.

Étape 5   Et l'*aisance* est l'expression de l'ordre. Lorsque tout est bien en contact et que les parties (joueurs) peuvent enfin jouer leur rôle respectif, le processus peut alors se dérouler sans effort. Les choses coulent d'elles-mêmes.

Mais le contraire est aussi vrai. Il existe bel et bien cinq étapes de base menant à la désintégration et à la maladie : l'absence d'attention, l'absence de contact, l'absence de régulation, le désordre et la maladie comme telle. Si vous ne prêtez pas attention à votre corps (étape 1), il y a absence de contact avec votre corps et entre votre corps et son environnement (étape 2), ce qui entraîne un dérèglement dans le corps (étape 3), qui se traduit à son tour par un désordre dans le système (étape 4) et est vécu sous la forme d'une maladie (étape 5).

Au cours de la lecture de cet ouvrage, vous observerez à de multiples reprises que ces étapes surviennent dans la vie à tous les niveaux – énergétique, psychocorporel ou spirituel. La clé permettant de bien saisir cette nouvelle forme de guérison se trouve dans la *r*eprise : *r*eprise d'attention, *r*eprise de contact, *r*eprise de régulation, *r*eprise de l'ordre.

Découvrir la sagesse du phénomène de la « reconnexion »

Intitulée *Sunday in the Park with Georges* (Dimanche au parc avec Georges) et ayant pour thème la vie du peintre pointilliste Georges Seurat, la comédie musicale de Stephen Sondheim dépeint la création de la beauté comme étant un processus d'établissement de contact. Passé maître dans l'art d'organiser et de relier entre eux des points colorés, Seurat créa de magnifiques images qui nous laissent encore à ce jour béats. Sondheim nous remémore l'importance de ce processus dans ce refrain : « Relie, Georges, relie ! »

En lisant cet ouvrage, vous participerez au périple de la guérison par la « reconnexion ». Votre esprit et votre cœur prendront de l'expansion et s'unifieront à mesure qu'Eric Pearl reliera entre eux les divers points de sa vie. Vous aurez une fenêtre ouverte sur l'âme d'un guérisseur de talent qui a connu le doute et la souffrance tout en découvrant le phénomène de la « reconnexion ». Vous serez le témoin de la gratification et de la satisfaction qu'il a éprouvées lorsqu'il y a eu guérison chez ses patients.

Mais nous ne sous-entendons pas ici que la science reconnaît tout ce qui est écrit dans ces pages. Pas plus qu'Eric Pearl ne le prétend d'ailleurs. Il nous fait simplement part de ses expériences et nous propose ses conclusions personnelles pour ensuite laisser le lecteur tirer ses propres conclusions.

Eric Pearl est attaché depuis longtemps à la médecine empirique. Les recherches menées dans notre laboratoire jusqu'à ce jour correspondent de façon surprenante à ses prédictions et nous prévoyons entreprendre des études cliniques. Comme notre livre *The Living Energy Universe* l'avance, la sagesse propre à la guérison est peut-être à portée de la main, n'attendant qu'à être reçue pour pouvoir accomplir sa raison d'être supérieure.

Puissiez-vous être tous éclairés et inspirés par cet ouvrage autant que nous l'avons été.

Gary E. R. Schwartz et Linda G. S. Russek

Gary Schwartz est professeur de psychologie, de médecine, de neurologie, de psychiatrie et de chirurgie à l'université de l'Arizona, où il est également directeur du Laboratoire des systèmes énergétiques humains. Il est par ailleurs vice-président de la recherche et de l'éducation à la Living Energy Universe Foundation (Fondation de l'univers de l'énergie vivante). C'est en 1971, à l'université Harvard, qu'il a obtenu son doctorat et enseigné la psychologie comme professeur adjoint jusqu'en 1976. Jusqu'en 1988, il a aussi enseigné la psychologie et la psychiatrie à l'université Yale, et a occupé les postes de directeur du Yale Psychophysiology Center (Centre de psychophysiologie de Yale) et de directeur adjoint de la Yale Behavioral Medicine Clinic (Clinique de médecine comportementale de Yale).

Linda Russek est professeur adjoint en médecine clinique et codirectrice du Laboratoire des systèmes énergétiques humains à l'université de l'Arizona. Elle est également présidente de la *Living Energy Universe Foundation* et s'occupe des conférences *Celebrating the Living Soul* (Célébration de l'âme vivante) (www.livingenergyuniverse.com).

✧ PRÉFACE ✧

« Chacun a une raison d'être dans la vie unique, un talent
spécial dont il se doit de faire profiter les autres.
Et lorsque nous mettons ce talent au profit des autres,
notre esprit connaît l'extase et l'exultation,
le but ultime de tous les buts. »

Deepak Chopra

J'ai reçu bien des cadeaux dans la vie, entre autres le don étonnant de provoquer des guérisons. Mais comme vous pourrez le constater en lisant ces pages, je ne comprends pas encore totalement ce don, bien que je m'approche du but. Avoir découvert qu'il existe réellement d'autres mondes que celui-ci est un autre de ces cadeaux, tout comme d'avoir eu l'occasion d'écrire ce livre et de divulguer l'information que j'ai acquise jusqu'à maintenant.

Ce qui est merveilleux avec le don de provoquer des guérisons, c'est que j'ai compris qu'il était ma raison d'être dans la vie et que j'ai eu non seulement le bonheur de pouvoir le reconnaître mais également de le vivre activement et consciemment. De tous les bienfaits de la vie, c'est sans l'ombre d'un doute un des plus grands.

Ma reconnaissance de l'existence d'autres dimensions m'a permis de reconnaître mon être véritable, de comprendre que je suis un être spirituel et que mon expérience en tant qu'humain n'est justement qu'une expérience humaine parmi toutes les autres expériences de qui je suis. Quand je vois l'esprit en moi colorer tout ce que je fais, je le vois également accomplir cela chez les autres. Même si cette découverte fantastique s'est toujours trouvée sous mon nez, je ne l'avais jamais remarquée jusqu'à maintenant. C'est elle qui ajoute une certaine perspective à ma raison d'être.

Et la rédaction de ce livre m'a permis de donner un nouvel élan au don qui m'a été conféré et à la découverte de la spiritualité dans ma vie. En effet, jusqu'à très récemment, je n'avais pu faire profiter les autres de mon don de guérisseur qu'avec une personne à la fois. Même si j'adorais ce que je faisais dans mon cabinet, je savais pertinemment que cela devait servir à beaucoup plus de gens. Je ne rendais pas service à ce don en le gardant pour moi, même si je ne le faisais pas intentionnellement. Toutefois, ce que je considérais comme un don, et qui l'est effectivement, ne pouvait selon moi se transmettre à quiconque (mais je me trompais).

Ce don fut patient avec moi, car il savait qu'il ne me faudrait pas grand temps pour voir les choses avec du recul. Quand je compris qu'il pouvait se transmettre aux autres, j'entrepris d'organiser des ateliers où un nombre grandissant de gens purent y avoir accès en personne. Il fut amusant pour moi de constater que ce don de guérison pouvait aussi se transmettre aux autres par le truchement de la télévision. Et pour ce qui est de l'écriture, celle-ci semble également avoir des talents particuliers de transmission. Et il y a quelque chose de spécialement intéressant à communiquer par les médias écrits et radiophoniques : un nombre de gens encore plus grand peuvent voir ce don être amorcé en eux. Je réalisai alors qu'il était temps qu'un changement de conscience s'effectue chez les humains pour qu'ils puissent voir que – et je ne veux pas ici paraître trop religieusement présomptueux – lorsque deux personnes ou plus se retrouvent ensemble, elles peuvent rendre service à une autre. Elles peuvent provoquer une guérison chez une autre en fonction de dimensions qui ne nous ont jamais encore été accessibles.

J'en vins également à mieux saisir que le don qui m'a été conféré ne devait pas seulement aider les autres, mais les aider eux à venir en aide à d'autres. Ce faisant, je pouvais commencer à accomplir ma mission.

Cet ouvrage prend autant la forme du manuel d'utilisation dont je n'ai jamais disposé que d'un processus d'activation qui vous mettra sur les rails.

Si votre intention est de devenir guérisseur, d'améliorer vos talents à ce titre ou bien de simplement toucher les étoiles pour savoir qu'elles existent vraiment, alors ce livre a été écrit pour vous.

Mais il a également été rédigé pour moi. Il se veut l'expression de ma raison d'être dans la vie, que j'ai enfin trouvée. Ou peut-être devrais-je plutôt dire que c'est elle qui m'a trouvé. En définitive, j'espère qu'il vous aidera à trouver la vôtre.

Eric Pearl

✧ REMERCIEMENTS ✧

J'aimerais remercier

Sonny et Lois Pearl, mes parents, du soutien qu'ils m'ont procuré de toutes sortes de façons.

Debbie Luican, un grand soleil dans ma vie dont la détermination, la patience et le grand courage m'ont permis d'accoucher de ce livre. C'est elle qui m'a invité à entrer dans sa vie pour ensuite me donner avec grâce l'impression que c'était moi qui le faisais.

Chad Edwards, dont l'intégrité, l'énergie débordante et l'engagement indéfectible envers la vérité ont sauvé ce bouquin.

Hobie Dodd, dont l'extraordinaire force d'amour, la loyauté, l'amitié, la confiance et la capacité de prendre soin de ma vie personnelle et professionnelle m'ont permis de me ménager le temps nécessaire pour la rédaction de cet ouvrage.

Jill Kramer, qui a su réviser ces pages en en cernant l'essence, faisant ainsi en sorte que les autres ne pourraient passer à côté.

Robin Pearl-Smith, ma sœur, qui a entretenu mon site Web, révisé mon texte à de multiples reprises (de concert avec mes parents, Hobie et Chad avant que Jill ne le fasse) et apporté sa contribution pour que le phénomène de la « reconnexion » soit compris dans le monde.

John Edward, pour le soutien accordé en coulisse.

Lorane, Harry et Cameron Gordon, qui m'ont ouvert leur cœur, m'ont procuré une famille loin de la mienne et un foyer loin de mon foyer, et m'ont permis d'être tout ce que je pouvais être.

Lec et Patti Carroll, dont l'amitié et la confiance en moi m'ont soutenu tout au long de la rédaction de cet ouvrage.

John Altschul, qui essaya poliment d'ignorer tout ceci jusqu'à ce qu'il y ait une guérison chez lui.

Aaron et Salomon, pour leur compréhension hors de ce monde.

Fred Ponzlov, pour m'avoir accordé son temps et sa présence sans compter.

Mary Kay Adams, pour son soutien et ses encouragements déterminés.

Gary Schwartz et Linda Russek, pour le temps et l'énergie investis dans la recherche sur la guérison par la « reconnexion » et pour avoir rédigé l'avant-propos.

Reid Tracy, pour s'être occupé de ce livre et m'avoir traité avec amabilité et respect.

Toute l'équipe de la maison d'édition Hay House, dont Tonya, Jacqui, Jenny, Summer et Christy, pour avoir répondu à l'appel sans faillir.

Susan Shoemaker, pour m'avoir lu ces pages à haute voix deux fois tout en buvant un nombre incalculable de tasses de thé.

Joel Carpenter, qui m'a accueilli chez lui et s'est toujours assuré que je m'arrêtais d'écrire assez longtemps pour avoir le temps de prendre mes repas.

Steven Wolfe, qui a été une ancre stabilisante dans ma vie.

Craig Pearl, pour ne pas avoir ri.

Et Dieu, le seul et l'unique dans ce livre qui se moque bien de la façon dont j'épelle son nom.

PARTIE I

Le cadeau

« Pendant encore combien de temps allez-vous
laisser dormir votre énergie ?
Pendant encore combien de temps allez-vous
rester inconscients de l'immensité de ce que vous êtes ? »
Tiré de *Une tasse de thé*, de Bhagwan Shree Rajnesh (Osho)

CHAPITRE 1

Premiers pas

« Il n'y a que deux façons de vivre votre vie.
La première, c'est la vivre comme si rien n'était miraculeux ;
la deuxième, c'est la vivre comme si tout était miraculeux. »

Albert Einstein

Le miracle de Gary

Comment cette personne a-t-elle bien pu monter l'escalier ?
pensai-je en regardant par la vitre du bureau qui donne sur l'entrée.
Mon nouveau patient venait d'atteindre la dernière marche de la
cage d'escalier. Il se déplaçait en une série de mouvements avant
toujours exécutés du même pied et entrecoupés de pauses, pendant
lesquelles il fixait la prochaine marche afin de se préparer à l'effort
voulu qui lui permettrait d'avancer. À cet instant-là, je me demandai si cela avait été une bonne idée de ma part d'installer mon
cabinet de chiropraxie au second étage d'un édifice ne comportant
aucun ascenseur. N'était-ce pas un peu comme si un réparateur de
freins installait son atelier en bas d'un raidillon ?

À l'époque où je m'étais installé, en 1981, je n'avais pas
beaucoup d'options. Et j'en avais encore moins dans le moment,
me semblait-il, bien que les raisons à cela ne soient plus les
mêmes. Depuis douze ans que je m'étais établi ici, ma clientèle
avait en effet augmenté à un point tel, que mon cabinet était
devenu le plus important de Los Angeles. Comment pouvais-je

1

maintenant tout remballer et déménager ?

En observant cet homme monter l'escalier, je décidai de ne pas aller l'aider à gravir les dernières marches. Je ne voulais pas amoindrir son sentiment d'accomplissement. Je pouvais lire sur son visage la détermination absolue qui habite l'alpiniste escaladant la dernière paroi de l'Everest. Quand il arriva enfin sur le palier, titubant, je ne pus m'empêcher de penser au bossu qui avait grimpé sur le clocher de Notre-Dame de Paris.

Un regard dans le dossier de ce nouveau patient m'apprit qu'il s'appelait Gary. Ce qui l'amenait à moi, dit-il, c'était un mal de dos qui le tenaillait depuis toujours. Je n'en fus pas surpris, car j'avais remarqué sa posture particulière. Bien que cet homme fût jeune et en santé, son corps avait adopté une posture totalement déformée qui sautait d'emblée aux yeux. Sa jambe droite avait une dizaine de centimètres de moins que la gauche et sa hanche gauche était très surélevée par rapport à la droite. C'est ce déséquilibre qui l'obligeait à marcher avec une claudication exagérée. À chaque pas, il déplaçait sa hanche droite sur le côté, puis rattrapait le mouvement d'une poussée du haut du corps. Tourné vers l'intérieur, son pied droit venait alors se poser sur son pied gauche, faisant en sorte que ses deux jambes rassemblées constituent une seule jambe plus forte sur laquelle pouvait venir se reposer tout le poids de son corps. Pour ne pas tomber, il courbait le dos selon un angle de 30 degrés environ, donnant ainsi l'impression qu'il s'apprêtait à plonger dans une piscine. Depuis son enfance, ses maux de dos violents provenaient donc de sa posture et de sa démarche.

Gary me mit au courant de son histoire. Il s'avérait que, d'une certaine manière, il s'acharnait à gravir des escaliers depuis le moment où il était né. L'obstétricien avait coupé le cordon ombilical prématurément, interrompant ainsi l'approvisionnement en oxygène dans son cerveau de nourrisson. Et une fois que ses poumons eurent pris le relais, le dommage était déjà fait. Son cerveau avait été touché de façon telle, que tout le côté droit de son corps ne put se développer symétriquement avec le gauche.

À l'âge de 14 ans, m'expliqua Gary, il avait déjà consulté plus de vingt spécialistes dans l'espoir de remédier à sa situation. Il subit une opération chirurgicale pour aider à améliorer sa démarche et sa posture : on lui étira le tendon d'Achille du talon droit. Cela ne fonctionna pas. On lui fit porter des chaussures et des appareils orthopédiques. Cela ne fonctionna pas non plus. Lorsque les spasmes qui tenaillaient sa jambe droite devinrent de plus en plus violents, les médecins lui prescrivirent de puissants antispasmodiques, qui ne firent que redoubler les spasmes et plonger Gary dans un état d'abrutissement et de confusion.

Au bout du compte, celui-ci se retrouva dans le cabinet d'un grand spécialiste fort respecté. Si quelqu'un pouvait l'aider, c'était bien lui, s'était-il dit.

Après avoir procédé à un examen approfondi, le spécialiste s'assit, le regarda droit dans les yeux, lui annonça qu'il ne pouvait rien faire pour lui et que Gary aurait ce problème toute sa vie. Par ailleurs, ajouta-t-il, ce problème s'accentuerait avec les années, son squelette se détériorerait et il finirait par se retrouver dans un fauteuil roulant. En entendant cela, Gary n'avait rien pu faire d'autre que de regarder fixement le médecin.

Ayant mis tous ses espoirs et toutes ses attentes entre les mains de ce professionnel de la santé, il était reparti du cabinet se sentant plus abattu que jamais. Ce fut au cours de cette journée, me dit Gary, qu'il avait mentalement rayé de sa vie le corps médical traditionnel.

Treize années s'étaient écoulées depuis. Alors qu'il discutait avec une de ses amies, Gary mentionna par hasard qu'il avait des maux de dos particulièrement intenses. Chose étrange, cette femme était venue me consulter deux ans plus tôt à la suite d'un grave accident de moto. C'est elle qui m'envoya Gary.

Et il se trouvait maintenant dans mon cabinet.

L'esprit absorbé par son histoire, je finis de rédiger mes notes et relevai la tête pour lui demander : « Savez-vous ce qui se passe ici ? »

Il me regarda, quelque peu perplexe par ma question. « Vous êtes chiropraticien, n'est-ce pas ? »

J'acquiesçai d'un mouvement de tête, décidant consciemment de ne rien ajouter à cela. Mais je pouvais sentir une attente dans l'air. Étais-je le seul à la percevoir ?

Je conduisis l'homme dans une autre pièce, lui demandai de

s'installer sur une table et lui fis un ajustement du cou. Je lui dis ensuite que la visite était terminée et qu'il devait revenir dans 48 heures pour une évaluation, ce qu'il fit.

Je le priai de nouveau de s'allonger sur la table et la manipulation ne prit alors que quelques secondes. Mais cette fois-ci, je l'invitai ensuite à se détendre, à fermer les yeux et à ne pas les rouvrir avant que je ne le lui demande. Je positionnai mes mains, paumes vers le bas, à environ 30 centimètres au-dessus de son torse. Puis, alors que je les déplaçais lentement vers sa tête, je remarquai peu à peu les sensations inhabituelles diverses que j'y ressentais. Tournant mes mains, je continuai à les monter jusqu'à ce que les paumes arrivent près des tempes. Alors que je les maintenais dans cette position, j'observai le mouvement fort et rapide des globes oculaires de mon patient qui se déplaçaient d'un côté à l'autre comme des flèches, l'intensité du mouvement m'indiquant que celui-ci était tout sauf endormi.

D'instinct, je déplaçai mes mains vers ses pieds et tins délicatement mes paumes contre leur plante. J'eus la sensation que mes mains étaient suspendues à une structure invisible. En raison de sa déformation de naissance, sa jambe droite était en permanence tournée vers l'intérieur, même lorsqu'il était couché. Alors que mes yeux fixaient ses chaussettes, je n'avais pas la moindre idée de ce à quoi j'allais assister. C'était un peu comme si ses pieds redevenaient vivants. Pas comme nos pieds à tous le sont, mais comme s'ils étaient deux entités vivantes à part, distinctes l'une de l'autre et surtout de Gary. Totalement fasciné, j'observais les mouvements de ses pieds. On aurait dit qu'une conscience distincte à part entière était présente dans chacun d'eux.

Tout d'un coup, son pied droit se mit à faire un mouvement répétitif semblable à celui d'un pied pompant la pédale de l'accélérateur. En même temps que ce mouvement se poursuivait, un autre s'ajoutait à lui, celui d'un déplacement vers l'extérieur ramenant le pied dans une position où les orteils étaient dirigés vers le plafond, comme l'étaient ceux de son pied gauche, faisant ainsi en sorte que son pied droit ne reposait plus sur son pied gauche. J'en oubliais quasiment de respirer, regardant la scène en silence, les yeux grands comme des soucoupes. Par contre, les yeux de Gary continuaient à se déplacer dans leur orbite à la vitesse d'un métronome affolé. Puis son pied droit, pompant encore, se déplaça vers la gauche et revint à sa position initiale sur le pied gauche. Ce mouvement de gauche à droite et de droite à gauche se répéta plusieurs fois puis sembla vouloir cesser. J'attendis. Encore et encore. Rien d'autre ne semblait vouloir se produire.

Sans savoir pourquoi, je me déplaçai le long de la table jusque sur le côté droit de l'homme. Bien qu'il ne fût pas dans mes habitudes de toucher mes patients en faisant ce genre de choses, je sentis le besoin de déposer délicatement mes mains sur la hanche droite de Gary, ma main droite étant sur la gauche mais ne la recouvrant pas complètement. Puis je dirigeai mon regard vers ses pieds. De nouveau, son pied droit reprit le mouvement de pompe, puis celui de rotation répétitive vers le côté. De droite à gauche et de gauche à droite.

J'attendis encore, mais plus rien ne semblait vouloir se passer. Je retirai mes mains, puis tout doucement, de deux doigts, j'effleurai Gary sur la poitrine en lui disant : « Gary ? Je pense que nous avons fini. »

Ses yeux se démenaient toujours dans leur orbite, même si je le voyais essayer de faire des efforts pour les ouvrir. Environ 30 secondes plus tard, quand il réussit enfin, il avait l'air un peu groggy. « Mon pied a bougé », me dit-il comme si je n'avais rien vu. « Je le sentais bouger mais je ne pouvais pas l'arrêter. J'ai senti de la chaleur partout dans mon corps, puis comme une sorte d'énergie qui s'intensifiait dans mon mollet droit. Puis... vous allez penser que je suis fou, mais j'ai eu l'impression que deux mains invisibles tournaient mon pied, mais ce n'était pas des mains du tout. »

« Vous pouvez vous lever maintenant », lui dis-je, m'efforçant du mieux que je le pouvais de cacher ma perplexité et d'intégrer tout ce qui venait d'arriver. Gary se mit debout, pour la première fois depuis vingt-six ans, de toute la hauteur de son 1,80 m, bien campé sur ses deux jambes.

Médusé mais rempli de reconnaissance, je l'observai se tenir debout : sa colonne vertébrale était droite et ses hanches étaient au même niveau. Son expression signifiait qu'il était en train de saisir le sens de ce qui venait de se produire dans mon cabinet. Alors qu'il tentait quelques pas, je remarquai qu'il subsistait chez lui une légère claudication, mais ce n'était rien en comparaison de son mouvement latéral d'avant. Rien du tout.

Cet homme quitta mon cabinet avec un sourire radieux pendant que moi je le regardais descendre gracieusement les marches de l'escalier.

Signes avant-coureurs

Ce jour-là, l'énergie avait de toute évidence atteint un niveau totalement nouveau. Pourquoi ? Je ne saurais le dire. Et la même chose se reproduisit, parfois chaque semaine, parfois tous les quelques jours, parfois plusieurs fois au cours de la même journée. Mais même à cette époque, je savais que, bien que l'énergie passât par moi, ce n'était pas moi qui la générais ni la dirigeais.

Malgré toutes mes lectures du moment, ce qui se passait ne correspondait à rien de ce que je lisais sur les guérisons par l'énergie. Il s'agissait simplement de quelque chose de plus que de l'énergie. Ce phénomène était animé par une vie et une intelligence propres situées bien au-delà des multiples techniques que l'on retrouve en rayon et dans les magazines du Nouvel Âge. Ce phénomène était quelque chose de différent, mais de très réel.

Ce qui se produisit ce jour-là ne changea pas seulement la vie de Gary, mais aussi la mienne. Et cet homme n'était pas le premier patient sur lequel j'avais « travaillé » de cette façon, c'est-à-dire en déplaçant mes mains au-dessus de son corps. J'avais commencé à faire cela un an plus tôt. Et ce n'était pas non plus le seul de mes patients à avoir fait l'objet d'une guérison remarquable au cours d'une séance. Par contre, il représentait le cas le plus extrême, c'est-à-dire le patient qui était entré dans mon cabinet avec le plus grave handicap et qui en était ressorti avec les résultats les plus probants et frappants. Environ une vingtaine des plus grands médecins du pays avaient échoué dans leur tentative de corriger ou, à tout le moins, d'améliorer la posture, la démarche ou la rotation de sa hanche et de sa jambe. Et pourtant, cette anomalie, ainsi que les douleurs qui l'accompagnaient, avait pour ainsi dire disparu. En quelques minutes, plus rien.

Je me demandais une fois de plus pourquoi cette énergie avait choisi d'agir à travers moi. Soyons sérieux. Si j'étais assis sur un nuage en train de parcourir des yeux la planète pour trouver la personne idéale à qui je voudrais conférer un des dons les plus rares et les plus recherchés de l'univers, je ne sais si je tendrais le bras par-delà les distances éternelles pour pointer du doigt, parmi les multitudes, un gars comme moi et dire : « Lui ! C'est lui ! C'est à lui qu'il faut donner ce don. »

Bon, il faut peut-être convenir que cela ne s'est pas tout à fait produit ainsi, mais c'est l'impression que j'ai eue.

Avant cela, je n'avais certainement pas passé ma vie à méditer sur les sommets montagneux du Tibet ni à contempler mon nombril ou à avaler des bols de terre à l'aide de baguettes. J'avais passé les douze années précédentes à me monter une clientèle, à acquérir trois maisons, une Mercedes, deux chiens et deux chats. J'étais un homme qui abusait occasionnellement des bonnes choses, qui regardait plus la télévision qu'un jeune accro de 12 ans et qui pensait faire exactement tout ce qu'il était censé faire dans la vie. Bien sûr, j'avais eu mon lot de problèmes. En fait, ils étaient arrivés à un paroxysme juste avant que ces phénomènes bizarres ne commencent à se manifester. Toutefois, d'une façon générale, ma vie se déroulait selon le plan prévu.

Mais selon le plan de qui ? C'était la question que je devais me poser alors. Pourquoi ? Parce qu'il y avait eu au fil des années certains signes précurseurs sur mon chemin – de drôles de hasards, d'étranges coïncidences et de curieux événements – qui, pris un à un, ne signifiaient pas grand-chose, mais qui, dans l'ensemble et vus avec le recul des années, m'indiquaient que jamais je n'avais vraiment emprunté la route que je pensais avoir choisie.

Et quel fut ce premier signe précurseur ? À quand remontait-il ? Si vous le demandiez à ma mère, elle vous répondrait que cela remontait au moment où l'on me sortait d'elle. Selon ses dires, ma naissance s'était effectuée dans des circonstances pour le moins inhabituelles. La plupart des mères se souviennent bien entendu de leur premier accouchement comme quelque chose de spécial et d'unique. Et cela pour des raisons bien différentes. Pour certaines, le travail les a torturées pendant des jours entiers. Pour d'autres, cela a eu lieu dans la forêt ou sur le siège arrière d'un taxi. Quant à ma mère, elle est morte pendant l'accouchement.

Mais ce n'était pas tant la mort qui la préoccupait. C'était plutôt le fait qu'elle devait revenir à la vie.

CHAPITRE 2

Leçons de l'au-delà

« Tout ce qui survient dans ce monde et dans l'au-delà est d'une logique et d'une signification parfaites. Vous comprendrez un jour les desseins de Dieu. »

Lois Pearl

L'hôpital

« Quand ce bébé va-t-il enfin sortir ? » gémissait ma mère, au supplice. Installée dans la salle de travail, elle – Lois Pearl – continuait à faire ses exercices de respiration. Malgré cela, ses efforts pour pousser restaient vains. Il n'y avait ni bébé ni dilatation. Juste l'incessante douleur et le médecin (une femme) qui, entre deux accouchements, daignait bien se pointer le bout du nez pour s'enquérir de son état. Ma mère se retenait pour ne pas crier, bien résolue à ne pas se donner en spectacle. Après tout, elle était dans un hôpital, à proximité de gens malades.

Elle ne put cependant retenir ses larmes quand elle demanda au médecin, venue lui jeter un coup d'œil : « Quand ce supplice va-t-il finir ? »

Inquiète, la doctoresse appuya fermement sur le ventre de ma mère pour vérifier si j'étais suffisamment « descendu » pour procéder à l'accouchement. Ma mère put lire le scepticisme sur le visage de l'obstétricienne. En dépit de ses réserves, cette dernière, considérant la douleur extrême qu'éprouvait ma mère, ordonna à l'infirmière de l'admettre en salle d'accouchement.

Allongée sur une civière, ma mère y fut transportée. Le médecin continuait d'appuyer sur son ventre. C'est à ce moment précis que ma mère entendit des hurlements envahir la pièce. *Seigneur,* se dit-elle, *cette pauvre femme se ridiculise !* Mais elle remarqua aussitôt qu'outre le personnel médical, elle était seule dans cette salle et que ces cris de mort devaient nécessairement venir d'elle. Elle se donnait bel et bien en spectacle, après tout. Ce constat la dérangea profondément.

« Quand cela va-t-il finir, docteur ? »

La doctoresse lui lança un regard réconfortant qu'elle ponctua d'une petite bouffée d'éther. Aussi bien mettre un sparadrap sur le moignon d'un membre mutilé !

« Nous la perdons... »

Un vrombissement de moteurs empêcha presque ma mère d'entendre les paroles que le médecin venait de prononcer. Ce bruit, digne d'une usine et non d'un hôpital, avait commencé par un faible son jumelé à un fourmillement dans ses pieds. Plus s'accentuait cette sensation de moteurs grimpant le long de son corps, plus le bruit augmentait. À mesure que ces moteurs assourdissants déferlaient sur une nouvelle partie de son corps, ma mère perdait toute sensation. Elle n'éprouva finalement qu'un profond engourdissement.

Malgré tout ce boucan, les douleurs de l'enfantement demeurèrent intensément vives.

Ma mère sut à ce moment que cette souffrance serait à jamais gravée dans sa mémoire. Son obstétricienne, un être pragmatique et sans cérémonie, estimait que toute femme devait faire la « pleine » expérience du travail, autrement dit sans analgésiques. Cela valait aussi pour l'accouchement, à l'exception de la petite bouffée d'éther donnée au plus fort des contractions.

Ni les médecins ni les infirmières autour d'elle ne semblaient entendre ce tapage d'enfer. « Étrange », pensa-t-elle.

L'appesantissement qui s'emparait de son corps au passage des moteurs aurait dû la soulager. Au contraire, elle comprit brusquement que ces moteurs, partant du pelvis pour atteindre bientôt sa taille auraient un effet dévastateur sur son cœur.

« *Nous la perdons*... »

Non ! Prise d'un intense sentiment de refus, elle savait que, douleur ou pas, elle ne voulait pas mourir. Elle pensa au chagrin de ceux qu'elle laisserait dans le deuil. Sa lutte ne parvenait pas à stopper les moteurs. Leur ascension l'engourdissait peu à peu, anéantissant son existence même. Se sachant impuissante à renverser la vapeur, ma mère, malgré sa résistance à l'idée de mourir, se sentit soudainement enveloppée d'une grande paix.

... *la perdons*...

Le bruit des moteurs, rendus dans la région du thorax, lui résonnait dans la tête.

C'est à ce moment précis qu'elle commença à léviter.

Le périple

Ma mère savait que ce n'était pas son corps qui montait mais plutôt ce qu'elle appellerait son âme. Elle se sentait attirée vers le haut et se dirigeait résolument vers quelque chose. Plus du tout consciente du milieu environnant, elle quittait, sans même penser à se retourner, la salle d'accouchement et le bruit des moteurs. Elle s'élevait. Peu lui importait de n'avoir aucune connaissance de l'au-delà ou de toute chose divine. Quand l'essence fondamentale se sépare du corps et s'élève, nul besoin de grande formation spirituelle pour savoir ce qui se passe. Il ne pouvait s'agir que de cela.

Au moment de s'élever du lit d'accouchement, ma mère se rendit compte que, même si elle quittait tout ce qu'elle avait toujours connu, *elle ne s'en faisait plus*. De prime abord, cette prise de conscience l'étonna. Dès qu'elle cessa de résister et qu'elle « lâcha prise », elle entreprit son périple. Elle eut d'emblée un sentiment de grande paix, de quiétude et d'absence totale de responsabilités matérielles. Fondaient comme neige au soleil les menus détails de la vie quotidienne, les horaires à respecter, les tâches ménagères à accomplir, les espoirs à combler, les limites à établir, *la peur de l'inconnu*. Quel énorme soulagement elle en ressentait ! À mesure que la lourdeur des obligations d'ici-bas laissait place à la légèreté de l'au-delà, elle s'aperçut qu'elle *flottait* et qu'elle était légère au point de pouvoir atteindre des niveaux de conscience de plus en plus sublimes. Ainsi s'amorça l'ascension de ma mère, ascension qui ne ralentissait que pour lui permettre d'absorber de nouvelles connaissances.

Elle franchit ainsi une succession de paliers. Bien qu'elle n'ait aucun souvenir du « tunnel » que d'autres ressuscités ont déjà relaté avoir vu, elle se rappelle cependant avoir rencontré des entités durant son ascension. Il s'agissait « d'êtres », « d'esprits » ou « d'âmes » dont le passage sur terre était terminé. Ces « âmes » lui adressèrent la parole, quoiqu'il soit inexact de parler de paroles. La communication entre eux, de nature non verbale, était en fait un transfert immédiat de pensées dont le contenu était parfaitement limpide. Il n'y avait en ce lieu aucune équivoque possible.

Ma mère y apprit que le langage verbal que l'on connaît n'est pas un *outil* de communication mais bien un obstacle à celle-ci. C'est en effet un des obstacles que nous devons surmonter au cours de notre expérience terrestre. C'est aussi l'une des choses qui limitent la compréhension humaine et permettent aux êtres de tirer des leçons de leur propre expérience humaine.

Ma mère comprit en outre que l'âme, « l'essence » de la personne, est la seule chose qui demeure et qui importe. Les âmes expriment clairement leur nature. Car même si les êtres qu'elle rencontra n'avaient ni visage, ni corps, ni subterfuge, elle savait exactement qui ils étaient. Leur image physique, ils l'avaient léguée à leurs proches en souvenir du rôle qu'ils avaient joué dans leur vie, afin de se perpétuer dans leur mémoire. Ce reflet de leur forme physique était la seule chose qu'ils laissaient sur terre, leur essence véritable ayant transcendé l'expérience terrestre.

Ma mère comprit la futilité de l'apparence physique et des traits particuliers ainsi que celle de l'attachement humain à ces choses. La leçon qu'elle tira de son expérience, c'était de ne juger personne d'après les apparences, que ce soit la race, la couleur de la peau, les croyances ou le degré de scolarisation. La véritable nature de chacun reste à découvrir au-delà de l'apparence. Sous le coup de l'illumination divine, ce principe qu'elle connaissait déjà prit des dimensions infiniment plus subtiles et cosmiques.

Ayant perdu la notion du temps, ma mère savait cependant

qu'elle avait réussi à accéder à tous les niveaux de connaissance et que chacun d'eux comportait des leçons.

Le premier était peuplé d'âmes encore liées à la Terre, d'êtres qui ne sont pas prêts à partir et répugnent à abandonner le connu. Certains de ces esprits croient avoir à terminer quelque chose. Ils trouvent sans doute pénible de laisser dans le besoin les êtres chers dont ils s'occupaient. Ils s'attardent donc à ce premier palier jusqu'à ce qu'ils se sentent relevés de leurs obligations terrestres. D'autres encore sont morts si subitement ou si brutalement qu'ils n'ont pas pu saisir ce qui leur arrivait, ni su comment entreprendre leur ascension. Ils sont encore fortement attachés au monde des vivants et peu disposés à lâcher prise. À moins de comprendre qu'ils ne sont plus de ce monde, ils se maintiennent à ce premier échelon, la dimension la plus près de leur vie antérieure.

Ma mère n'a que de vagues souvenirs du deuxième niveau. Toutefois, elle se rappelle distinctement le troisième.

Rendue là, elle éprouva une sensation de lourdeur. Elle fut assaillie par la tristesse quand elle comprit que ce niveau était celui des suicidés. Sans boussole, ces âmes, prisonnières des limbes, semblaient ne pouvoir ni s'élever ni redescendre. Elles paraissaient errer sans but. Ma mère se demanda si elles pourraient éventuellement reprendre leur ascension afin de parachever leur apprentissage et leur évolution. Selon elle, il ne pouvait en être autrement. Bien que pure spéculation, elle se dit qu'il leur fallait sans doute plus de temps qu'à d'autres. Ses questions à ce sujet demeurèrent sans réponse. Quoi qu'il en soit, ces âmes n'étaient pas en paix. L'expérience de cette dimension était douloureuse aussi bien pour les âmes qui y vivaient que pour celles qui ne faisaient que passer. Ma mère tira de cette expérience une leçon claire et indélébile : *En s'enlevant la vie, on fait obstacle aux voies de Dieu.*

Autres leçons

Elle tira aussi d'autres leçons de son expérience. Parmi celles-là, elle comprit la futilité de pleurer ceux qui meurent. S'il est un regret qui habite les esprits défunts, c'est bien celui qui concerne le chagrin qu'éprouvent les personnes qu'ils quittent. Les défunts veulent qu'on se réjouisse pour eux et qu'on « célèbre leur retour à la maison », car grâce à la mort ils arrivent enfin à destination. Ce que nous pleurons, en réalité, c'est la perte de quelque chose. C'est le vide que ces personnes laissent dans notre vie. Leur existence, qu'elle nous ait été agréable ou non, fut inhérente à notre apprentissage. Leur mort représente la perte de cette « source » d'apprentissage. S'il nous restait des leçons à tirer de leur passage dans notre vie, espérons que nous y arriverons en méditant sur notre relation avec eux. Ma mère comprit que le laps de temps écoulé entre notre départ de l'au-delà pour vivre l'expérience terrestre et notre arrivée sur terre n'est qu'un instant dans l'éternité et que nous serons « bientôt » tous de nouveau réunis. Nous comprendrons alors qu'il devait en être ainsi.

On lui révéla également que les horreurs et les injustices humaines *ne sont pas imputables à Dieu*. Rien ne sert d'accuser qui que ce soit des tueries d'enfants, des décès subséquents aux affres de la maladie, des blessures et des mutilations. Les circonstances de la vie ne sont à vrai dire que les leçons que *nous* devons apprendre, les leçons de *notre* destin divin, celles que nous avons choisies. Elles sont essentielles à l'évolution de ceux qui les enseignent comme de ceux qui les apprennent.

Dans une optique plus large, *ces événements sont ni plus ni moins sous la tutelle de celui qui les vit.* Il en est le chef d'orchestre. Forte de cette évidence, ma mère comprit l'inopportunité d'en vouloir à Dieu de permettre des atrocités ou de conclure à son inexistence à cause de cela. Elle y voyait dorénavant une explication si parfaitement logique, qu'elle s'étonna de ne pas avoir toujours su cela. Grâce à cette vue d'ensemble, elle sut que tout, *absolument tout*, respectait la volonté divine.

On lui apprit que la guerre n'était qu'un état temporaire de barbarisme et que cette forme maladroite de règlement des différends serait un jour éradiquée. Les âmes qu'elle rencontra jugeaient primitive et absurde la soif guerrière de l'homme qui forçait de jeunes gens à s'entre-tuer pour assurer à leurs aînés une suprématie territoriale. Quand l'humanité fera le bilan de son histoire, elle se demandera *à quoi bon rimait la guerre*. Dès qu'il y aura un nombre suffisant d'âmes éclairées capables de résoudre intelligemment les conflits, les guerres seront choses du passé.

Elle saisit en outre pourquoi même les personnes apparemment responsables d'atrocités sur terre étaient accueillies dans l'autre monde sans être jugées. Leurs agissements devenaient des leçons grâce auxquelles elles apprenaient à évoluer vers la perfection. Elles amorceraient leur évolution au plan correspondant à leurs choix de vie antérieure. Certes, il leur faudrait revenir sur terre tant qu'elles n'auraient pas intégré les enseignements relatifs aux conséquences de leurs comportements. Elles reprendraient ainsi la vie terrestre jusqu'à ce qu'elles aient évolué suffisamment pour regagner leur demeure éternelle.

Quand ma mère eut appris tout ce qu'il y avait à apprendre, elle atteignit l'ultime niveau. Une fois rendue là, elle cessa son ascension et se mit à planer sans effort, résolument attirée vers une grande force. De chaque côté d'elle tournoyaient de magnifiques couleurs et formes, des sortes de paysages fleuris et arborés où il n'y avait aucun sol. Ces teintes et formes uniques et incroyables, qui n'existaient pas sur notre planète, la remplirent d'émerveillement.

Elle survola ensuite une sorte d'allée jalonnée d'amis, de parents et d'âmes qu'elle connaissait depuis la nuit des temps. Ils étaient venus l'accueillir, la guider et lui laisser savoir que tout se déroulerait bien. Elle en ressentit une incommensurable sensation de quiétude et de béatitude.

Au bout de cette allée, ma mère vit une lumière aussi vive que celle du soleil. Celle-ci était si aveuglante, qu'elle craignit de se brûler les yeux. Toutefois, la splendeur de cette lumière l'empêchait de détourner le regard. Elle constata avec étonnement que, même à proximité, cette lumière était douce et reposante et ne faisait pas souffrir ses yeux. Une fois arrivée dans son auréole, elle comprit que cette brillance était l'essence même de l'Être suprême. Elle avait atteint la lumière de la Connaissance, de l'Acceptation et de l'Amour. Elle sut que cette lumière était à la fois *son origine* et *sa destination*.

La Lumière entra en communication avec elle sans émettre aucune parole. En une pensée ou deux, elle lui transmit assez d'information pour remplir des volumes entiers. Elle étala la vie de ma mère, *cette vie-ci,* sous forme d'images. Ma mère s'émerveilla de voir représentés en sons et en images ses moindres gestes et paroles. Elle put même ressentir la douleur et la joie qu'elle avait causées. Cette récapitulation dénuée de tout jugement lui permit de tirer des leçons de son expérience terrestre. En dépit de l'absence de jugement, *elle* avait tout de même le sentiment d'avoir eu une belle vie.

Elle comprit ensuite qu'on la renvoyait sur terre. Après avoir tant résisté à la mort, il lui parut ironique de ne plus vouloir quitter ce lieu pour revenir à la vie terrestre. Elle se sentait si profondément en paix et en sécurité dans ce monde constitué de nouvelles connaissances et de vieux amis ! Elle voulait y passer l'éternité. Comment pouvait-on lui demander de partir ?

On lui fit comprendre que son œuvre sur terre était inachevée. Elle devait y retourner pour élever son enfant. Elle était entre autres venue ici pour acquérir les connaissances nécessaires pour mener à bien cette tâche.

Là-dessus, ma mère se sentit s'éloigner de la Lumière pour refaire son voyage en sens inverse. Elle sut qu'elle retournait sur notre plan d'évolution. Elle fut profondément attristée d'avoir à quitter ces âmes, ces couleurs, ces formes familières, ainsi que la Lumière divine.

À mesure qu'elle se distanciait de la Lumière, ses connaissances s'estompaient. Elle comprit qu'on l'avait programmée pour oublier. Elle *ne devait* se souvenir de rien. Elle s'accrocha désespérément à quelques bribes de souvenirs, à des impressions, sachant pertinemment qu'il ne s'agissait pas d'un rêve. Elle avait déjà oublié tant de choses et en éprouvait un terrible sentiment de perte. Elle ressentait néanmoins une grande sérénité à la pensée qu'une fois son heure venue, elle serait accueillie avec amour. Elle savait qu'elle n'oublierait jamais cela et ne craindrait plus jamais la mort.

C'est à ce moment-là qu'elle entendit au loin un vrombissement de moteurs. Cette fois-ci, le bruit arpenta son corps en commençant à la hauteur de la tête pour ensuite descendre en direction des pieds. Au-delà du ronronnement des moteurs, elle se mit à distinguer des voix humaines et, bientôt, le battement de son propre cœur.

Elle constata que la douleur avait presque entièrement disparu.

En descendant, le bruit des moteurs perdit de son intensité jusqu'à ce que ma mère ne perçoive plus rien, sauf un fourmillement dans les pieds. Puis, plus rien. C'était terminé. Elle était revenue à ce qu'on appelle « la réalité ».

L'air franchement soulagé, la doctoresse se pencha vers elle et lui dit en souriant : « Félicitations, Lois, c'est un beau garçon. »

Le sens de ce périple

Avant de me présenter à ma mère, il fallut me laver, me peser et compter le nombre d'orteils que j'avais. Entre-temps, on transporta ma mère vers sa chambre. Dans le corridor, elle comprit brusquement le sens profond de son expérience. Elle savait intuitivement qu'elle avait déjà oublié bien des connaissances que quelques instants plus tôt elle maîtrisait parfaitement : pourquoi le ciel est bleu et l'herbe, verte ; pourquoi la Terre est ronde et comment le monde a été créé. Elle avait compris la logique parfaite inhérente à tout cela et avait désormais la certitude que Dieu *existait,* qu'il y avait un être suprême.

Elle ramena aussi de l'au-delà un message sans équivoque : « *Les apprentissages que nous faisons ici-bas contribuent à l'évolution de notre âme. Nous devons faire l'expérience de la dimension terrestre avant de pouvoir atteindre le plan suivant. C'est pourquoi certains d'entre nous sont de vieilles âmes, tandis que d'autres sont de jeunes âmes.* »

De nos jours, on a accès à des tas d'ouvrages métaphysiques traitant de ce sujet, mais pas à cette époque. On ne trouvait pas de rayon Nouvel Âge dans les librairies et rien de tout cela ne faisait partie de l'enseignement religieux conventionnel. Ma mère n'avait personne à qui parler de ces choses. Elle n'était quand même pas venue à l'hôpital en quête d'illumination. Son objectif était uniquement d'expulser ce bébé récalcitrant avant de devenir folle de douleur !

Cependant, elle ne pouvait nier *sa transformation.* Elle la sentait. Et, ironiquement, cette métamorphose était partiellement due au fait qu'elle avait dû laisser les souvenirs de tant de leçons derrière elle. La perfectionniste compulsive qu'elle était voulait certes incarner les principes de l'autre monde qu'on lui avait enseignés. À son grand désarroi, elle réalisa qu'elle les avait déjà presque tous oubliés. Comment mettre en pratique ce qu'on ne peut se rappeler ?

Elle décida donc d'être plus indulgente envers elle-même… et autrui. Elle pouvait bien tolérer un peu de poussière dans la maison et éviter de toujours emporter avec elle un désinfectant pour nettoyer les toilettes publiques des hôtels. Elle pouvait commencer à accepter les choses telles qu'elles étaient.

Pendant qu'on la transportait dans le corridor, mon père arriva à la hauteur de la civière. Lui faisant signe de s'approcher, ma mère lui dit à voix basse : « Quand on sera dans la chambre, demande-moi de te raconter quelque chose qu'on voudrait bien que j'oublie. » Une fois seule avec mon père, à part une ou deux personnes dans les lits voisins, ma mère murmura : « Promets-moi de ne pas répéter ce que je vais te dire, Sonny. Sinon les gens vont croire que je suis folle. »

« C'est promis. »

Elle lui relata tout ce dont elle pouvait encore se souvenir, s'accrochant désespérément à ces quelques miettes. Mon père l'écouta en silence. Elle était certaine qu'il la croyait, et lui savait qu'elle n'aurait pas pu inventer une histoire aussi invraisemblable. Épuisée par son récit et avant de sombrer dans le sommeil, ma mère enjoignit mon père de tout noter dès que possible. Ces informations étaient trop précieuses pour qu'on les perde. Mon père y consentit.

À son réveil, ma mère se trouva à regarder en direction de sa compagne de chambre. Elle se rappelait l'avoir vue la journée précédente. Encore tout étourdie, ma mère se fit comme première remarque : « Oh ! Qu'elle est laide ! » Mais elle se ravisa immédiatement. « Un instant, se dit-elle, n'oublie pas que tu viens de réaliser la futilité de l'apparence physique. » L'ironie de la chose la fit rire.

Sa compagne de chambre lui dit alors : « Vous avez parlé toute la nuit après être revenue de la salle d'accouchement. »

« C'est vrai ? »

« Vous récitiez la Bible. »

« Qu'est-ce que je disais ? »

« Je ne sais pas, moi. Vous parliez en langues. »

En langues ? Ma mère ne connaissait aucune autre langue moderne que l'anglais, ni de langue ancienne, et ne pouvait réciter que le psaume 23 dans sa langue maternelle.

Ma mère se rallongea dans son lit. Elle fut assaillie de questions. Plus aucun doute ne subsistait dans son esprit. Elle avait bel et bien vécu une expérience exceptionnelle durant l'accouchement. Ce n'était pas un rêve, elle en était certaine. Les rêves n'ont quand même pas le pouvoir de vous transformer aussi profondément. Comment un rêve pourrait-il supprimer la peur de mourir et rendre à tout jamais l'idée de la mort rassurante ?

Ma mère voulut en savoir davantage, en particulier sur l'état de son corps pendant que sa conscience était occupée à communiquer avec des êtres de lumière.

Elle ne tarda pas à découvrir que la tâche serait ardue. Quand elle demanda au médecin si quelque chose d'étrange s'était produit durant l'accouchement, l'obstétricienne lui répondit que l'accouchement avait été « on ne peut plus normal », excepté le fait qu'on avait eu recours aux forceps pour placer le bébé dans la bonne position en vue de l'accouchement, une pratique tout à fait courante à l'époque.

La loi du silence

Un accouchement on ne peut plus normal ?

Ceci ne pouvait être vrai. Les expressions « accouchement normal » et « nous la perdons » ne concordaient pas.

Ma mère tenta ensuite d'obtenir des clarifications auprès des infirmières qui l'avaient accompagnée durant le travail et l'accouchement. En vain. Aucune d'elles n'avoua se souvenir de complications ni du fait que ma mère avait parlé en langues. On lui répondit que tout s'était bien déroulé.

Heureusement pour elle, ma mère se rappela qu'outre les médecins et les infirmières, il y avait aussi eu une aide-infirmière dans la salle d'accouchement. Ces membres du personnel auxiliaire étaient au cœur de l'action. Elles accomplissaient leur tâche discrètement et efficacement. On les remarquait rarement et on n'appréciait presque jamais leur contribution. *Aussi avaient-elles peu de raison de mentir pour sauvegarder les apparences*, si quelque chose tournait mal.

Ma mère affirma donc à cette auxiliaire qu'elle savait que quelque chose lui était arrivé durant l'accouchement.

Après une longue hésitation, la femme avoua en haussant les épaules : « On m'interdit d'en parler, mais tout ce que je peux vous dire, c'est que *vous avez eu... de la chance.* »

Nous la perdons ?

Vous avez eu de la chance ?

Il n'en fallut pas plus à ma mère pour confirmer son hypothèse : elle *avait bel et bien* vécu une expérience hors du commun durant l'accouchement, une expérience qui surpassait de loin l'énorme bonheur d'expulser sans anesthésie le petit bout de chou que j'étais. Il ne subsistait aucun doute que les médecins *l'avaient* perdue. Elle était morte, puis revenue à la vie. Dans son esprit, cette expérience en fut toujours une de « vie après la mort » et non pas de « mort imminente ». L'idée de mort imminente atténue l'expérience. Ma mère n'avait pas seulement frôlé la mort, elle était morte. L'expérience l'avait métamorphosée, comme c'était le cas pour d'autres ressuscités. Elle comprit dès lors que toutes les circonstances de sa vie, « agréables ou non », constitueraient des leçons essentielles pour l'évolution de son âme. « Les êtres reviennent sur terre jusqu'à ce qu'ils comprennent bien. » Cela fait partie intégrante de leur évolution.

Cette leçon s'avéra tout à fait à propos. Elle venait de me mettre au monde et, à ses yeux, je fus un être hors de l'ordinaire dès ma naissance.

Il s'agissait peut-être là d'une exagération maternelle bien prévisible. Cependant, ma mère soutient en avoir eu la preuve dès notre première rencontre, le lendemain de ma naissance. J'étais le seul nouveau-né dans la pouponnière. Munie d'un biberon rempli de lait, elle s'approcha du berceau où, allongé sur le ventre, j'étais bien réveillé. Elle me lança : « Salut, petit inconnu. Toi et moi, c'est tous pour un et un pour tous. »

Au son de sa voix, je me soulevai sur les avant-bras et redressai ma tête ballottante pour ensuite la tourner lentement d'un côté et de l'autre, comme pour prendre connaissance des lieux. Émerveillée par cette prouesse, ma mère se demanda si elle rêvait. On lui avait toujours dit que les nouveau-nés ne pouvaient pas se relever ainsi en raison de la faible musculature de leur cou.

Elle amorça un geste pour poser le biberon sur une table attenante, mais hésita. Qui sait les microbes qui pouvaient bien grouiller sur cette table ! Elles les imagina grimper le long du biberon et s'y infiltrer par le trou de la tétine pour en contaminer le contenu. Un instant ! Ne venait-elle pas aussi de saisir l'inutilité de ces futiles obsessions qui la taraudaient, ainsi que la logique et l'équilibre inhérents à toute chose ?

Pas tout à fait ! Sans aller jusqu'à désinfecter la surface, elle plaça tout de même un mouchoir en papier entre la table et le biberon avant de me soulever. Elle s'éprit de moi dès le premier moment.

En apprenant que j'avais relevé la tête, la femme médecin, venue examiner ma mère, lui rétorqua : « Il en est incapable. Les nouveau-nés ne peuvent pas faire ça. » Puis, elle entra dans la pouponnière pour m'examiner à mon tour.

Un instant plus tard, ma mère entendit cette femme médecin, seule avec moi dans la pouponnière, me dire d'un ton quasiment réprobateur : « Tu n'es pas censé pouvoir faire ça, tu entends ? »

Ma mère réalisa sur-le-champ que quelque chose d'extraordinaire était à l'œuvre.

CHAPITRE 3

Jeux enfantins

« Les choses les plus farfelues
sortent de la bouche des enfants. »

Art Linkletter

On m'a raconté que, quand j'étais enfant, j'apprenais très rapidement mais que, hélas, j'atteignais très vite le seuil de l'ennui ! J'étais à la fois inventif et capricieux, réfléchi et impulsif, affectueux et égoïste. Comme la plupart des enfants, j'étais convaincu d'être le centre de l'univers. Et pourquoi pas ? Dans ma tête, rien ou presque ne pouvait m'empêcher d'obtenir ce que je voulais. J'estimais être maître et roi de tout, d'absolument tout, même de la planification familiale.

Je venais d'avoir deux ans quand ma mère ressentit en elle les premières manifestations de vie nouvelle. Elle perçut deux tressaillements distincts et eut la certitude de porter des jumeaux. Les gynécologues qu'elle consulta maintenaient cependant qu'elle avait tort, et cela, en dépit des proportions démesurées de son ventre. Grande et mince, ma mère, vue de dos, n'avait pas du tout l'air d'être enceinte. Par contre, de profil, son ventre était si proéminent qu'on aurait pu aisément y faire tenir un plateau.

Je raffolais des bruits de coups qu'il y avait à l'intérieur de son ventre et j'étais fasciné par toute l'activité que je déclenchais en approchant mon oreille pour les entendre.

Quelques mois plus tard, ma mère se retrouva à l'hôpital pour son deuxième accouchement. Cette fois-ci, cependant, on lui administra un analgésique. Elle n'entendit pas de bruit de moteurs et ne fit pas de voyage astral.

Sous l'emprise du sédatif qui lui rendait l'expérience presque supportable, ma mère entendit le médecin lui ordonner de pousser. Elle s'exécuta, puis tomba endormie. On la réveilla un peu plus tard pour la féliciter d'avoir eu une magnifique petite fille. Ravie et encore groggy, elle les remercia de la tête et se rendormit sur-le-champ. On la réveilla quelques instants plus tard pour lui dire de pousser de nouveau.

« *Comme vous voudrez* », pensa-t-elle, sachant déjà à quoi s'attendre. Elle s'exécuta donc une seconde fois. La première chose qu'elle se souvint avoir entendu alors fut : « Félicitations, Lois, vous avez eu un beau garçon. » Sachant que c'était terminé, ma mère se laissa sombrer dans un profond sommeil.

Peu de temps plus tard, on la réveilla de nouveau pour lui demander de pousser une dernière fois.

« Pas un autre bébé, toujours ? »

Ils rigolèrent et la rassurèrent en disant : « Non, cette fois-ci, c'est pour expulser le placenta. »

À son retour à la maison en compagnie des jumeaux, ma mère s'étonna de lire le mécontentement indéniable sur le visage de son premier-né, en l'occurrence moi.

« Qu'est-ce qui t'arrive ? » s'enquit-elle.

« Je les voulais pas, ces bébés. »

« Mais tu disais que t'avais hâte de les avoir », me rappela-t-elle d'un ton affectueux.

« C'est pas vrai. »

« Tu disais que tu voulais un frère et une sœur. »

Jambes écartées, le poing droit enfoncé sur la hanche, je la regardai droit dans les yeux et lui fis remarquer que je voulais un frère ou une sœur, pas les deux, et qu'elle devait rapporter immédiatement l'un d'eux à l'hôpital.

J'ignorais encore les difficultés que j'aurais à m'habituer à partager avec un frère et une sœur cet espace que, jusque-là, j'occupais à moi tout seul. Au cours des années à venir, cela ne cesserait d'être pour moi un défi (bon d'accord, une occasion de croissance) majeur.

Histoire de porte

La précocité enfantine, c'est parfois mignon, mais d'autres fois, ça ne l'est pas du tout. Dès ma plus tendre enfance, je supportais difficilement l'autorité, et encore plus l'ennui. C'était là une combinaison explosive. On n'avait qu'à m'interdire l'accès à un endroit pour que je m'y fourre le nez. Si on me disait de ne pas faire quelque chose, je désobéissais presque à tous coups. Selon ma mère, je me tenais occupé en m'ingéniant à inventer des tours et de quoi les justifier. Je sombrais dans le sommeil uniquement pour me redonner des forces. Je craignais même parfois de rater quelque chose d'intéressant en dormant.

L'un de mes tours se fit aux dépens de ma grand-mère maternelle, que je surnommais « mamie ».

Peu de temps après l'arrivée à la maison de mon frère et de ma sœur, mamie vint nous garder pour donner à ma mère un petit répit bien mérité. Pendant que mon frère et ma sœur étaient dans leur berceau et que j'étais momentanément occupé à regarder la télévision, mamie surveillait trois casseroles d'eau bouillante sur la cuisinière, l'une remplie de couches et les deux autres, de biberons. Pendant ce temps, une brassée de linge achevait de sécher dans le sous-sol. Cette femme efficace et pragmatique savait qu'il était imprudent de me laisser trop longtemps sans surveillance. Elle se dépêcha donc de descendre au sous-sol et d'y plier le linge fraîchement séché. Les bras encore chargés de vêtements chauds, elle vit la porte se refermer lentement devant elle et se hâta. Elle essaya d'atteindre le plus vite possible le haut de l'escalier, mais elle arriva finalement trop tard et la porte se referma brusquement. Elle entendit un déclic dans la serrure.

Appuyée contre la porte, mamie se libéra une main et, balançant sur un seul bras sa montagne de linge, tourna la poignée pour constater qu'elle était bel et bien verrouillée.

« Eric, ouvre la porte », me dit-elle d'une voix résolument suave.

« Nooooon », lui répondis-je, d'un ton tout aussi mielleux.

« Allons, ouvre la porte à mamie ! »

« Nooooon. »

Mamie savait bien qu'elle ne tirerait rien de moi en me rudoyant. Mais elle n'avait pas non plus l'intention de se laisser mettre en boîte par un enfant, aussi précoce fut-il, d'autant plus qu'elle laissait sans surveillance trois casseroles d'eau bouillante et deux nourrissons. Elle décida donc de changer de stratégie et, misant sur mon esprit de contradiction, me lança : « Je te parie que tu n'es pas capable de toucher la poignée de la porte. »

« Oui, je suis capable. »

« Moi, je te parie que non. »

Silence.

Prise de sueurs, ma grand-mère pouvait presque entendre le rouage de mon cerveau en train d'évaluer la situation. Et, finalement, comme elle l'avait espéré, je ressentis le besoin de la démentir et poussai légèrement la poignée. Elle l'entendit vibrer.

« Je te parie que t'es pas capable de l'ouvrir », me défia-t-elle.

« Oui, je suis capable. »

« Moi, je te parie que non », ajouta-t-elle d'une voix enjôleuse.

Long silence.

Mamie sentait ses bras faiblir sous le poids de son fardeau. Elle savait que le verrou de cette poignée de porte cliquetterait si on le déverrouillait. Une fois le verrou tiré, il lui faudrait agir vite, mais éviter cependant de me blesser en ouvrant trop rapidement la porte. Mais ce serait sans doute son unique chance.

Je succombai enfin à la tentation.

La serrure fit clic !

Mamie poussa si fort sur la porte que celle-ci s'ouvrit plus vite qu'elle ne l'aurait voulu et qu'elle en échappa sa pile de linge encore chaud et soigneusement plié. Quant à moi, je fus renversé, n'ayant pas eu le temps de m'enfuir pour éviter le coup. Cloué sur place par la surprise, je me mis à pleurer.

Mamie courut d'abord éteindre la cuisinière et revint ensuite me consoler.

Je n'étais âgé que de deux ans et demi et, déjà, mamie savait que me garder serait un travail de tous les instants.

Au ciel

Si je surnommais ma grand-mère maternelle « mamie », j'appelais la mère de mon père « mémé ». Cette femme, d'une autre époque et tradition, était chaleureuse et imposante. Elle s'amusait à me couvrir de gros baisers humides et sonores. Dotée d'une vitalité sans borne, cette femme énergique à l'humour un peu grivois avait le don de heurter la sensibilité de certains membres de la parenté. À l'occasion des repas de famille, elle m'assoyait toujours à ses côtés. Si je passais la nuit chez elle, le lendemain matin je l'accompagnais au jardin pour cueillir toutes sortes de baies qui devaient servir à la confection d'un copieux petit déjeuner. Elle me trimbalait sans effort sur sa hanche toute la journée, et ce, tout en donnant un coup de balai, en époussetant, en passant l'aspirateur et en parlant au téléphone. Je raffolais d'être ainsi ballotté et de pouvoir me déplacer sans avoir à marcher ! J'en demandais toujours plus. J'étais fou d'elle !

Un jour, au mois de janvier, mémé fut admise à l'hôpital et n'en ressortit pas vivante.

On me raconta que, allongée sur son lit d'hôpital, elle avait éprouvé une douleur à la poitrine et n'avait même pas eu le temps d'appuyer sur la sonnette d'urgence.

Mes parents eurent la pénible tâche de m'aider à comprendre le départ inattendu de ma chère mémé.

Ils m'expliquèrent qu'elle s'était endormie et ne se réveillerait plus jamais. Après réflexion, je rejetai cette hypothèse en déclarant : « Moi, je peux la réveiller. Je vous parie que si je mets trois aspirines sous sa langue et que je saute sur son ventre, elle va se réveiller. » Je me disais que, au cas où l'aspirine fondrait dans sa bouche avant de faire effet, en sautant sur son ventre j'étais sûr de la réveiller pour qu'elle puisse reprendre vie.

Ce fut l'une des rares fois où je vis mon père pleurer.

On ne me permit pas d'assister aux funérailles qui eurent lieu peu de temps après. Mes parents croyaient qu'il serait trop traumatisant pour un enfant de cinq ans de voir le corps inerte de sa grand-mère adorée. Mémé était partie et tous, sauf moi, avaient pu lui dire au revoir.

Le soir, seul dans ma chambre, je pensais à elle et, parfois, je pleurais en silence. Elle me manquait énormément et, même si je ne comprenais pas ce concept à cette époque, je sentais que la boucle n'était pas bouclée.

Même si je n'avais pas pu lui faire mes adieux, j'avais la certitude qu'elle ne m'avait pas oublié. Je savais où elle était et qu'elle continuerait de me protéger, car déjà elle m'avait aidé quand j'en avais eu besoin. Si, par exemple, il se mettait à pleuvoir quand mes amis et moi nous nous amusions dehors et que tous faisaient mine de partir, je disais aux copains d'aller se mettre à l'abri sous le couvert de la galerie. J'allais alors me cacher derrière la maison et je demandais à mémé, en regardant vers le ciel, de faire cesser la pluie.

Mes prières étant presque toujours exaucées, il m'apparaissait évident que grand-mère était encore bien là.

L'écolier rebelle

Ce fut bientôt le temps de commencer l'école maternelle. Dès que j'y mis les pieds, l'école m'ennuya mortellement. Je passais mes grandes journées à rêvasser. Toutefois, mes fantasmes étaient bien différents de ceux des garçons de mon âge désireux de pousser le ballon, de jouer au héros et de poursuivre les méchants. Même si, de temps à autre, comme tout le monde d'ailleurs, pensais-je, je m'imaginais affrontant une ou deux tornades géantes, la plupart du temps je me prenais pour l'oracle de Delphes. Qui était cet oracle de Delphes, je l'ignore. Je sais seulement que mon alter ego vivait dans une grotte lointaine, où il recevait des gens qui avaient fait un long trajet pour lui demander conseil.

Je pensais aussi à la façon de réaliser certains exploits qui, je le savais, étaient réalisables. Comme passer la main à travers un mur. J'étais sûr que si j'avais pu rester trois jours enfermé dans ma chambre à essayer, j'y serais arrivé. Je trouvais étrange que mes parents refusent de me laisser faire. Ils avaient peut-être eux-mêmes tenté le coup quand ils étaient jeunes et avaient décidé que c'était une perte de temps.

Si mes professeurs condamnaient ma propension à la rêverie, ils aimaient encore moins mon manque d'attention. Je dérangeais souvent la classe en étant turbulent et en attirant l'attention de mon entourage sur moi ou en ne tenant pas compte des autres pour me réfugier dans mon imaginaire. Avant la fin de ma première année scolaire, j'avais été si souvent pris en défaut que ma mère, effondrée, en vint à demander au directeur :

« Quand cela va-t-il finir ? » reprenant ainsi sans le vouloir les paroles qu'elle avait prononcées, aussi en larmes, à ma naissance.

« Dès qu'il s'intéressera à quelque chose. »

« Et quand peut-on espérer ça ? »

« Ça peut arriver n'importe quand », lui répondit-il. Et, avec un petit ricanement d'impuissance, il ajouta : « Dans le cas de mon fils, cela est survenu à l'université. »

Ce n'est pas tellement que je manquais d'intérêt ; c'est juste que cet intérêt ne se manifestait pas dans le cadre des activités scolaires. Certaines choses me fascinaient, dont les vieilles montres cassées de mon grand-père. Chaque fois qu'une de ses montres se détraquait et que l'horloger ne pouvait la réparer, mon grand-père la rangeait dans un ancien coffret à cigares, avec celles qui avaient connu le même sort. Datant d'avant le virage numérique, ces petites merveilles d'horlogerie consistaient en une complexité de minuscules pièces toutes liées les unes aux autres. Mon grand-père me fit un jour cadeau de ce « coffre aux trésors ». Je me moquais bien qu'aucune de ces montres ne fonctionne et qu'elles soient toutes trop grandes pour moi. Je voulais quand même les avoir comme jouets. Je remarquai qu'en la remontant, une de ces montres s'était remise à fonctionner. J'en remontai une deuxième qui, elle aussi, fit entendre son tic-tac, mais s'arrêta tout de suite. N'arrivant pas à remonter la troisième, je la secouai légèrement. Pendant quelques secondes, je tins celle qui avait fait tic-tac et s'était arrêtée tout de suite. Soudain, elle se remit à marcher et continua pour de bon. J'empoignai celle que j'avais secouée, et elle aussi laissa entendre son tic-tac. En peu de temps, je devins le « réparateur » des montres déréglées de mes amis. J'imagine que ce phénomène procédait d'un quelconque principe contraire à celui selon lequel, au contact de certaines personnes, les mécanismes se détraquent.

Cependant, aux yeux de certains, la capacité de réparer les montres sans avoir à les ouvrir n'était pas aussi importante que celle de pouvoir colorier sans déborder et de savoir réciter une comptine sans se tromper. On jugea mes échecs scolaires tellement graves que, durant ma deuxième ou troisième année scolaire, une travailleuse sociale se présenta chez moi pour évaluer mon milieu familial et voir ce qui pourrait bien justifier ma piètre performance. Peu de temps après son arrivée chez nous, je lui demandai de m'expliquer « l'infini ». Prise au dépourvu, elle se releva d'un trait et me répondit, en se précipitant vers la sortie : « Je vais parler de ça au directeur. »

Si elle lui en a parlé, elle ne m'a jamais fait part de ses découvertes.

Boucler la boucle

J'avais de bonnes raisons de m'interroger sur la nature de l'infini, car j'étais sur le point de vivre une autre perte, celle de ma chienne. Déjà âgé de deux ans à ma naissance, ce magnifique doberman nommé Silk endurait bravement tous mes caprices d'enfant, y compris celui de me servir de sa mâchoire inférieure pour me relever et me tenir debout, à l'époque où j'en étais encore à faire mes premiers pas. Elle gémissait bien de douleur, mais jamais ne me mordait ni ne grognait. Elle semblait comprendre que je n'étais qu'un enfant qui avait besoin de son affection et de son aide. J'adorais la sensation des choses froides sous mes doigts, y compris celle des oreilles glacées de ma chienne. Quand elle dormait sur le sol à côté de mon lit, je sortais mon bras de sous les couvertures et frottais délicatement le bout de son oreille entre mon pouce et mon index. Une fois l'oreille réchauffée par la friction, je passais à l'autre. Quand les deux oreilles de ma chienne étaient devenues trop chaudes pour être agréables au toucher, je l'envoyais se rafraîchir dehors. Après dix minutes, elle aboyait pour m'avertir qu'elle était prête à rentrer et à recommencer. Je tombais généralement endormi après deux cycles complets de ce rituel.

J'étais âgé de 10 ans quand Silk en eut 12 (soit 84 ans en années canines !). Mon père et ma mère avaient décidé que, si un jour on ne pouvait plus rien pour Silk, ils ne la laisseraient pas souffrir et la feraient euthanasier.

L'année de ses 12 ans lui fut particulièrement pénible. Parfois, malgré tous ses efforts, la chienne qui m'avait tant aidé à apprendre à marcher ne pouvait même plus se tenir debout. Ce spectacle bouleversait les grandes personnes et, à plus forte raison, l'enfant que j'étais. Même si cela m'ébranlait profondément, le temps était venu de l'emmener chez le vétérinaire pour ce qui allait être sans doute sa dernière visite.

Parce que l'Action de grâces approchait, mes parents décidèrent de reporter l'échéance d'un jour ou deux. Durant le repas de fête, ma mère présenta à Silk une assiette débordante de dinde, de sauce, de purée de pommes de terre et de farce. La chienne, dont le régime était constitué de très peu de nourriture humaine, hésita d'un air confus et, cherchant notre approbation du regard, se décida enfin à manger sans se poser de questions. Ce fut son dernier repas. Le lendemain, mon père et moi la transportâmes chez le vétérinaire. Cette fois-ci, ma mère resta à la maison. Je tenais absolument à accompagner mon père, me rappelant combien j'avais regretté de ne pas avoir pu dire un dernier au revoir à mémé. Assis dans cette salle d'attente remplie d'odeurs de médicaments et de reproductions de chiens jouant aux cartes, je trouvai ce lieu bien impersonnel. Mon père sortit enfin de la salle de consultation et m'annonça que le vétérinaire allait la piquer. Il me demanda si je voulais être présent. Sans hésiter, je les suivis, lui, le vétérinaire et Silk, le long de corridors décrépis, jusqu'à la porte qui donnait sur la cour arrière. Là, je pus lui dire au revoir et regarder le vétérinaire faire son travail. Quelques secondes plus tard, ma chienne s'affaissa doucement et s'endormit pour toujours. Le vétérinaire la souleva et la plaça dans un contenant destiné à la crémation.

Cette nuit-là et bien d'autres après, je pleurai une fois de plus la perte d'un être cher. Cette fois-ci, par contre, j'avais le sentiment d'avoir bouclé la boucle. L'infinité ne me paraissait plus aussi vaste et l'éternité, plus aussi longue.

Une forte nature

Passant de la maternelle à l'école primaire, j'éprouvais encore facilement de l'ennui et je passais beaucoup de temps à rêvasser. Toutefois, quand j'avais le rare privilège d'avoir un professeur qui m'inspirait vraiment et savait me stimuler, j'excellais au-delà de toute attente. Dommage que ces enseignants soient, encore aujourd'hui, l'exception à la règle !

Heureusement que le milieu familial me permettait de me développer précocement ! Mes parents me traitaient en adulte. Ils n'étaient jamais condescendants avec moi et m'incluaient dans les discussions et les décisions familiales. Ils me considéraient comme une personne à part entière dont le point de vue avait de l'importance.

Après l'école, j'avais toujours hâte de rentrer à la maison. Il y avait, me semblait-il, toujours des gens fascinants à rencontrer. En effet, le cercle d'amis de mes parents était composé de personnes aux professions et aux intérêts fort variés, dont, entre autres, des anthropologues, des psychologues, des artistes, des médecins et des avocats. Le plus agréable, c'est que la présence de ces gens aux expériences variées donnait lieu à la confection d'une multitude de délicieux plats aux goûts et aux arômes exquis.

Avec un milieu familial aussi ouvert et tous ces contacts avec des gens de milieux très variés, il était tout à fait naturel que je continue d'avoir de la difficulté à tolérer l'autorité de style dictatorial. Je devrais plutôt dire que ce genre d'autorité continuait d'avoir du fil à retordre avec mon esprit rebelle.

Le directeur de mon école secondaire exigeait qu'on arrive aux cours à l'heure. Or, même si j'habitais à quelques pas de l'école, j'avais le don d'être en retard presque tous les matins. Je me disais que quelques minutes ici et là, il n'y avait pas de quoi en faire un drame. Peut-être pas pour moi, mais pour le directeur, si. Tout retardataire devait passer prendre un billet à son bureau.

Sauf que, pour obtenir ce billet, il fallait avoir un mot des parents expliquant ce retard. Partant de la maison souvent bien juste, je ne savais jamais si j'allais être en retard ou non. Quand je m'en apercevais, le temps que je mettais à revenir à la maison pour obtenir ce mot de la main de ma mère me faisait manquer à tous coups la moitié du premier cours. Pourquoi était-ce si difficile pour moi de partir 15 minutes plus tôt ? Même si c'était incompréhensible, il n'en serait jamais autrement. Je ne semblais pas avoir la même notion du temps que les autres. Je me disais que même en partant de la maison à 8 h 01 et en me dépêchant, j'arriverais à l'école à 8 h 50.

Je finis par demander à ma mère si elle avait objection à ce que, les matins où mon retard était inévitable, je rédige et signe en son nom le mot à remettre au directeur. Malgré ses réserves, ma mère y consentit en se disant que cette solution valait mieux que de rater tout un cours en faisant tous les matins deux fois le trajet de la maison à l'école.

Un beau matin, le directeur et responsable de la discipline me surprit en train de rédiger un de ces mots. En passant, cet homme du genre militaire borné avait pour fils le modèle même de l'indiscipline (de quoi réfléchir, non ?). Pointant du doigt le mot que j'écrivais, il m'envoya d'un ton empreint de suffisance indignée :

« Que faites-vous là, jeune homme ? »

« J'écris un mot pour expliquer mon retard. »

« Vous devrez me suivre jusqu'à la salle de retenue pour avoir imité la signature de votre mère. »

« Non, je n'irai pas ! C'est une imitation quand la personne n'est pas au courant et n'est pas consentante. Ma mère, elle, est au courant et consentante. »

Ce genre de riposte ne m'attirait pas la sympathie de mes supérieurs.

« Quel est votre nom ? » me demanda le directeur.

« Eric Pearl », lui répondis-je en me levant et en ramassant mes affaires. Et en le regardant droit dans les yeux, j'épelai : P-E-A-R-L. Sur ce, je fis demi-tour et entrai en classe.

Au fil de péripéties (ou de leçons) de ce genre, ma vie suivit son cours. À cette époque, mon père était propriétaire, avec son frère et son père, d'une entreprise de distributrices automatiques. Il était aussi policier volontaire. Quant à ma mère, elle restait à la maison pour s'occuper de ses trois enfants. Elle consacrait aussi une partie de son temps au milieu de la mode, comme mannequin et animatrice de défilés. Mon père quittait la maison à 7 heures, heure à laquelle ma mère, comme une mère oiseau nourrissant ses oisillons, nous faisait avaler un petit déjeuner complet. Nous ne quittions jamais la maison avant d'avoir mangé et apportions toujours à l'école, dans notre sac, un repas du midi composé des « quatre groupes alimentaires ». C'était l'époque où les parents croyaient encore à ce modèle. Quand j'eus 13 ans, ce fut le temps de ma bar-mitsva*. Certains dimanches, il m'arrivait aussi d'accompagner des amis à l'église.

Jusque-là, il y avait eu la maternelle, l'école primaire, l'école secondaire, les amis, les examens, les bals d'étudiants, l'obtention du permis de conduire, les tests d'aptitudes scolaires et, finalement, la remise des diplômes et l'entrée à l'université.

Nouvelles étapes

Je compris vite que la fin des études secondaires ne voulait pas dire « liberté ». Mes parents comptaient bien continuer de m'avoir à l'œil. Mais, comme c'était souvent le cas, j'avais d'autres projets. Pourquoi rester au New Jersey ? Je voulais aller étudier en Californie. Mes parents n'auraient pas plus mal réagi si j'avais dit pôle Nord.

« C'est beaucoup trop loin, Eric », soutinrent-ils. Cette discussion qui avait commencé de façon raisonnable tourna au désaccord, pour finir en engueulade en bonne et due forme.

Au bout du compte, nous en arrivâmes à un compromis : je pourrais aller à l'université de Miami. Mes parents trouvaient ce projet plus sûr. Non seulement cette ville était située deux fois plus près de la maison que la Californie, mais c'était aussi le lieu de résidence de Zeida, mon grand-père paternel, qui m'avait offert son coffret plein de montres quand j'étais petit. Il s'y était établi peu de temps après la mort de mémé. Zeida devait en principe garder un œil sur l'enfant prodigue. N'étais-je pas, après tout, le premier fils de son premier fils ?

---

*Cérémonie qui célèbre la majorité religieuse du jeune juif âgé de 13 ans et un jour. (NDE)

C'est ainsi que mes parents me perdirent pendant une année entière.

Je fus admis à l'université de Miami.

Mes parents m'avaient toujours répété que je pouvais devenir et accomplir *tout* ce que je décidais. Certes, cette notion peut être très stimulante quand on est enfant. Mais, pour ma part, elle me laissait complètement déboussolé, ce qui rendait mon choix de carrière de plus en plus problématique. L'idée de pouvoir *devenir* et *accomplir tout* ce que je pouvais décider ne me donnait pas de balises bien claires. En fait, comme rien ne m'intéressait vraiment, il m'était difficile de décider d'une orientation professionnelle.

Je me consacrai donc à un programme de cours n'ayant aucun rapport les uns avec les autres. En moins d'un an, je n'avais choisi rien de moins que trois matières principales, soit la psychologie, la préparation au droit et la danse moderne. Je n'avais toujours pas la moindre idée de ce que je voulais faire et, comme toujours, rien ne captait bien longtemps mon attention.

Zeida constata toutefois que vivre à Miami loin de ma famille m'aidait à me développer. Et il souhaitait favoriser cette évolution. Sans même demander la permission à mes parents, il m'offrit la possibilité de faire ma deuxième année d'études universitaires en Méditerranée. Cette perspective m'emballa au plus haut point. Je me voyais déjà à Rome ou à Athènes, quand Zeida me précisa que ce qu'il appelait la *Méditerranée* était, en fait, le surnom qu'il donnait à *Israël*. Toujours bien préparé, mon grand-père me remit sur-le-champ un dépliant ayant trait à un programme de cours d'un an à Jérusalem destiné aux étudiants américains. Il m'offrit même de payer mon séjour en Israël. Comment mes parents pouvaient-ils refuser ?

Meilleur que le lait et le miel !

La plupart des étudiants qui débarquaient en Israël s'attendaient à ce que Dieu descende des Cieux et à ce que le lait et le miel coulent à flots dans les rues. Quelle n'était pas leur déception ! Ce séjour n'étant pour moi rien d'autre qu'une occasion de passer un an à l'étranger, pas étonnant que je finisse par adorer absolument *tout*. Cette année en Terre sainte fut l'expérience la plus marquante de ma vie jusque-là. Il m'arrive encore aujourd'hui de revoir en rêve ces gens, ces temples et l'imposant mont Sinaï, d'où on a une vue imprenable.

À mon retour aux États-Unis, je repris la vie exactement où je l'avais laissée avant de partir. L'expérience en Terre sainte ne m'avait pas révélé ma véritable raison d'être ou, si tel avait été le cas, je ne l'avais pas reconnue. J'étais toujours confronté au même dilemme : choisir une matière principale.

Durant ma première année d'études à Miami, j'avais reçu un traitement de *rolfing* : une sorte de massage du tissu conjonctif profond destiné à libérer la musculature. J'avais pu constater des modifications physiques chez des amis qui avaient suivi les dix séances recommandées. Leurs photos d'avant et d'après avaient suffi à me convaincre de suivre le traitement.

Ces séances changèrent ma posture et semblèrent aussi élargir ma façon de voir les choses. Basée sur le concept d'un échange en circuit continu entre le corps et l'esprit, la théorie du rolfing veut que, en dégageant les muscles, on libère les douleurs physiques et émotives actuelles et anciennes. Il arrive souvent que, au fil des séances, on revive certaines expériences en même temps que les malaises associés à celles-ci se dissipent. Le corps et l'esprit s'en trouvent souvent transformés. Quand on est libéré de certaines de nos vieilles douleurs, on peut dorénavant bouger et se tenir autrement. Cette nouvelle posture permet d'habiter différemment son espace physique et émotionnel.

J'étais tellement emballé par le concept et les résultats que je songeais à devenir thérapeute. Craignant que le rolfing ne soit qu'une mode passagère et que cette profession ne me permette pas de gagner ma vie, mes parents me conseillèrent cependant de choisir un domaine de la santé plus sûr comme la chiropraxie. Selon eux, j'aurais ainsi au moins un diplôme utile en cas de besoin.

Je consentis à aller à Brooklyn pour rencontrer un chiropraticien auquel un ami de la famille m'avait présenté. Ce médecin m'expliqua la philosophie qui sous-tend l'art et la science de la chiropraxie. Selon cette philosophie, l'intelligence qui assure l'organisation et l'équilibre universels se prolonge en chacun de nous sous forme d'intelligence innée. C'est elle qui nous maintient en vie, en santé et en équilibre. Appelée aussi force vitale, cette intelligence communique principalement avec le corps par l'intermédiaire du cerveau, de la moelle épinière et des ramifications du système nerveux, centre de contrôle du corps. Tant et aussi longtemps que le cerveau et le corps communiquent ouvertement et librement, l'être demeure dans un état de santé optimale.

Si, par contre, l'une des vertèbres se déplace, elle peut exercer une pression sur les nerfs et ainsi restreindre ou interrompre la communication entre le cerveau et la partie du corps qu'alimentent ces nerfs. Cette interférence peut causer une détérioration des cellules et un affaiblissement de la résistance aux malaises, signes avant-coureurs de la maladie. Le chiropraticien élimine l'interférence qu'entraîne ce désalignement (appelé subluxation) de la colonne vertébrale et permet à la force vitale de circuler librement une fois de plus et de rétablir l'équilibre. Autrement dit, ce traitement consiste à éliminer la cause du problème pour favoriser la guérison du corps et non seulement à traiter les symptômes ou à les masquer.

Quand je compris que les maux de tête n'étaient pas le résultat d'une insuffisance héréditaire du taux d'aspirine dans le sang, comme le laissent croire les réclames à la télévision, et que je pouvais aider à les enrayer, je décidai de devenir chiropraticien. Je ne pris pas le temps d'évaluer l'ampleur de cette décision. Je ne pouvais pas non plus prévoir l'importance que cela aurait dans ma vie. À cette époque, la synchronicité n'était pas un concept que je saisissais de façon consciente.

Le déclic se fit tout à coup. Je fus envahi du souvenir des fantasmes ou, devrais-je dire, des visions de mon enfance dans lesquelles j'étais l'oracle de Delphes et je venais en aide aux gens. Peut-être avais-je l'occasion de faire quelque chose dans ce sens ? Je savais que les explications de ce médecin m'interpellaient. Cette rencontre avait quelque chose de parfaitement fortuit. Cela me suffisait. J'étais sur le point de franchir un premier pas dans une nouvelle direction. Et ce pas allait peu à peu me rapprocher de mon destin.

CHAPITRE 4

Une nouvelle voie

« C'est sûr que tu as des dons de médium.
Le problème, c'est que tu l'ignores. »

Debbie Luican, une amie

De retour à l'école

Le chiropraticien que j'avais rencontré à Brooklyn m'avait conseillé de m'inscrire au Cleveland Chiropractic College de Los Angeles, ce que je fis.

Mon admission à cette université allait marquer mon départ définitif de la maison. En fin de compte, je quittais quand même le nid familial pour la Californie, mon premier coup de cœur. Mes parents perdaient un fils mais y gagnaient un médecin au change. Tout s'équilibrait !

Je me rappellerai toujours ma première journée à l'université. Il avait fallu enlever la cloison amovible entre deux salles pour pouvoir contenir l'énorme classe de plus de 80 étudiants entamant leur première année universitaire. Le professeur nous avait demandé de nous présenter à tour de rôle et d'exposer brièvement les raisons qui nous avaient conduits jusqu'à la chiropraxie. Il invita l'étudiant assis à l'extrémité gauche de la première rangée à commencer. J'étais assis à l'extrémité droite de la dernière rangée, soit aux antipodes. Un après l'autre, les étudiants racontèrent leur histoire. J'entendis un gars dire qu'avant les traitements de chiropraxie qu'il avait eus, il était paralysé. Un autre soutint avoir été guéri du cancer. Une étudiante avait recouvré la vue et une autre avait été soulagée de migraines chroniques. De rangée en rangée, ces gens témoignaient de guérisons dont l'explication dépassait l'entendement aux yeux d'un profane comme moi, peu habitué à ce genre de choses. Mon grand-père Zeida appelait encore les chiropraticiens des « rebouteux ».

Puis, vint mon tour. Quatre-vingt-trois visages se tournèrent vers moi pour entendre le dernier témoignage de la journée. Mon récit allait-il constituer l'apogée qui allait les lancer dans une brillante carrière ? Pas sûr ! En fait, j'étais le seul parmi tous ces étudiants à n'avoir jamais mis les pieds chez un chiropraticien comme patient. Je n'avais qu'un vague souvenir de ma rencontre de vingt minutes avec le médecin de Brooklyn. Il avait mentionné quelque chose comme la suppression d'interférences pour que le corps puisse guérir. Cette hypothèse me paraissait si parfaitement plausible qu'il ne m'était jamais venu à l'idée de la vérifier, de me pencher sur les tenants et les aboutissants de l'affaire ou d'en discuter avec d'autres. Je me levai donc, parcourus la salle du regard et m'entendis dire : « Disons que cela m'a fait bonne impression. »

Qui cherche trop, ne trouve pas

J'allais encore user mes fonds de culotte sur les bancs d'école. Mais, cette fois-ci, *j'avais* choisi aussi bien l'école que la matière. Et ça, ça faisait toute la différence.

N'étant pas très studieux, j'avais beaucoup de temps à consacrer aux fréquentations, aux soirées et à la découverte d'une nouvelle ville. Je me trouvai un boulot à temps partiel dans un magasin de chaussures, histoire de me faire un peu d'argent de poche. Je recevais bien de mes parents de quoi couvrir mes dépenses universitaires, mais je voulais aussi avoir un peu de sous pour pouvoir me payer *mes* choses à moi. Un jour, le client que je servais, un chercheur dans un laboratoire de séismologie, me mentionna que, selon ses données de laboratoire, un séisme frapperait le sud de la Californie au cours des 24 prochaines heures.

« En avez-vous parlé à quelqu'un d'autre dans la boutique ? » lui demandai-je.

« Non, juste à vous. »

« Parfait », répondis-je, en souriant. Sur ce, il acheta une paire de souliers et sortit.

Quelques instants plus tard, j'annonçai à mes collègues de travail que j'avais le *pressentiment* qu'il y aurait un tremblement de terre dans les trois jours à venir.

Bien entendu, le séisme eut lieu comme « prédit ». Non seulement tout le monde le ressentit, mais on en parla aux informations. Inutile de dire que cela produisit tout un effet sur mes collègues. Quelques jours après cet incident, j'eus le pressentiment, vrai cette fois, qu'il y aurait une autre secousse sismique. Prenant mon courage à deux mains, j'en fis part à mon entourage.

Croyez-le ou non, il y eut un autre tremblement de terre.

J'avais l'impression qu'un mécanisme s'était déclenché en moi. Au cours des années suivantes, je pus prédire 21 des 24 tremblements de terre qui se produisirent.

Je me rappelle avoir laissé un jour à mon camarade de chambre un mot sur lequel il pouvait lire : « La terre va trembler. » Il m'apprit plus tard qu'il avait lu ce message au moment précis où il avait senti la secousse. Sa petite copine, debout à ses côtés, avait hurlé durant tout le séisme.

Un autre jour, alors que j'étais en train de manger dans un restaurant, je sentis les débuts d'un autre tremblement de terre, du genre qui produit des « vagues ». La secousse allait en s'amplifiant. Toutefois, personne sauf moi ne réagissait ni ne semblait remarquer quoi que ce soit. Les verres d'eau ne vacillaient pas et les lampes suspendues demeuraient parfaitement immobiles au-dessus des tables. Pourtant, *moi,* je les voyais bien remuer ces lampes. L'expérience était pour moi on ne peut plus réelle. Je me levai donc et me précipitai vers la sortie. Comment se pouvait-il que personne d'autre ne sorte et que partout autour de moi rien ne donne l'impression de troubler le train-train quotidien ?

Incompréhensible ! Je sentais toujours le sol bouger sous mes pieds. C'était en fait la plus longue vague que je n'aie jamais ressentie. Ceci dit, compte tenu de la nature surréelle de cet épisode sismique et du fait que personne d'autre que moi n'avait l'air de percevoir ce tremblement de terre, force me fut de conclure qu'en fin de compte ça ne devait pas être réel. L'air penaud, je regagnai le restaurant, tout de même soulagé de ne pas avoir été accompagné. Cela aurait pu être compliqué d'expliquer à quelqu'un d'autre ma sortie en trombe du restaurant.

Si ce n'était pas un vrai tremblement de terre, il fallait forcément que ce soit une prémonition. En revenant du restaurant, je passai à la blanchisserie ramasser mon linge propre. J'informai les propriétaires que, ce soir-là, il y aurait un tremblement de terre. Ça les fit bien rigoler.

Quelques heures plus tard, on enregistra un séisme dont l'épicentre était à Culver City, à l'endroit même où était située la blanchisserie en question.

Quelques semaines plus tard, après avoir accumulé assez de linge sale pour remplir six taies d'oreiller géantes, je retournai à la blanchisserie. La vue obstruée par les énormes paquets que je transportais, j'atteignis péniblement la porte de la boutique. Après l'avoir précautionneusement poussée du pied, j'avançai à tâtons jusqu'au comptoir. C'est à ce moment-là que retentirent des cris de surprise qui me firent tellement sursauter que j'en échappai presque trois de mes sacs de linge sale.

« C'est lui ! C'est lui ! » hurlait la femme derrière le comptoir dont la prononciation était empreinte d'un fort accent russe. « Mon ad*rrr*esse, p*rrr*enez », ajouta-t-elle en m'enfonçant dans la paume de la main un bout de papier griffonné. « Yé veux vous appeler moi avant p*rrr*ochain *trrr*emblement de terre ! »

Désormais, chaque fois que je passais à la blanchisserie, on me demandait de prédire le prochain séisme. J'avais beau essayer, rien n'y faisait. De toute évidence, ça ne se commandait pas. Les prémonitions semblaient me venir uniquement quand je m'y attendais le moins.

Je venais de comprendre, bien malgré moi, une grande vérité :
Qui cherche trop, ne trouve pas.

La résurrection

De temps à autre, quand j'arrivais à économiser assez de sous,
je me payais une séance double au cinéma du coin. Un beau jour,
alors que j'arrivai juste à temps pour assister au deuxième film de
la matinée, aussi appelé film de deuxième série, j'eus le bonheur de
découvrir *La résurrection*. Ce long métrage qui mettait en vedette
Ellen Burstyn n'avait en fait rien d'un film de deuxième série,
sinon d'après l'ordre de la présentation. En fait, cette année-là, ce
rôle principal avait valu à cette actrice une mise en nomination aux
Oscars.

Basé sur la vie d'Edna Mae, ce film raconte l'histoire d'une
femme qui, après un grave accident de voiture, meurt sur la table
d'opération et revient à la vie. Plus tard, elle découvre qu'elle a le
pouvoir de guérir les gens au moyen d'une sorte « d'imposition des
mains ». Après être entrée au préalable dans un état d'ouverture du
cœur, elle n'a qu'à toucher les gens pour les guérir. Parfois, quand
elle libère quelqu'un d'une maladie ou d'un handicap, elle en
assume les symptômes et les évacue ensuite de son corps. D'autres
fois, la guérison se produit comme par enchantement, sans qu'elle
ait à somatiser quoi que ce soit.

Cette histoire me fascina à un point tel, qu'immédiatement
après la fin de la représentation, je me tapai le premier film, dont
je n'ai aucun souvenir, juste pour revoir *La résurrection*. Accompagné d'amis, je revins voir cette œuvre cinématographique
quelques jours plus tard. J'y amenai ensuite d'autres connaissances.
Je ne savais trop ce qui me poussait à la revoir sans cesse. Bien sûr,
je trouvais intéressant l'aspect de la guérison, mais ce qui
accrochait le plus mon attention, c'était la ressemblance entre l'expérience de mort imminente d'Edna et ce que ma mère avait vécu
le jour de ma naissance. Je n'avais jamais rien vu ni lu sur le sujet,
mais ce film semblait relater avec beaucoup de justesse l'expérience que ma mère m'avait décrite. Chaque fois que je le revoyais,

j'avais l'impression d'entrevoir quelque chose qui m'était déjà très familier. C'était comme si je me souvenais de quelque chose.

Autres indices

Au fil de mes explorations, je découvris un procédé appelé « psychométrie », c'est-à-dire l'art de capter des informations sur les gens en touchant ou en tenant des objets qui leur appartiennent ou qu'ils portent. Par exemple, un bijou. Après avoir vu quelqu'un démontrer la technique, je décidai de m'y mettre. J'arrivai à percevoir des choses étonnamment précises sur les gens, parfois même sur des personnes que je n'avais jamais vues. Durant cette brève incursion dans le monde de la psychométrie, je retins deux éléments clés : ma concentration augmentait davantage quand je promenais sans cesse mes doigts sur l'objet, et plus je parlais rapidement, plus j'obtenais de renseignements exacts. Le mouvement constant de mes doigts sur l'objet semblait m'aider à accéder à une sorte de vide de l'esprit comparable à celui qu'on peut ressentir quand on conduit. Le débit rapide semblait m'empêcher d'analyser ce que j'allais dire. La quiétude intellectuelle me permettait donc de laisser monter des intuitions et la rapidité d'élocution me donnait le courage de les exprimer.

Non pas que ces choses m'aient paru étranges, mais elles laissaient à tout le moins présager d'autres influences qui étaient déjà à l'œuvre dans ma vie à cette époque.

Mis à part ces événements pour le moins exceptionnels, ma principale occupation à cette époque était, que mes anciens professeurs le croient ou non, d'étudier et d'assister aux cours. Par « assister aux cours », j'entendais rester au fond de la classe et lever subrepticement la main pour répondre à l'appel. Malgré tout et comme toujours, je parvins à décrocher de bonnes notes et à obtenir mon diplôme de chiropraxie.

Sans le vouloir, j'avais donné raison à mon directeur d'école. J'avais trouvé quelque chose qui m'intéressait vraiment et j'allais en faire une carrière.

Fièvre et apparitions

Par un beau matin de 1983, et peu de temps après avoir terminé mes études, je commençai à me sentir un peu grippé : courbatures, mal de tête, fièvre. Sachant que la fièvre avait sa raison d'être, je n'étais pas pressé de la faire descendre en prenant de l'aspirine. Je décidai donc de la laisser faire son œuvre. Je me mis au lit, m'emmitouflai jusqu'aux oreilles et bus beaucoup de liquide. Et, bien entendu, je regardai beaucoup la télévision (à coup sûr le point fort de l'alitement) sans aucun remords. Je passai quelques jours ainsi, puis je compris que le temps était venu de faire tomber cette fièvre. Aux grands maux, les grands remèdes ! Chaque soir, dans le but de transpirer le plus possible, je m'enterrais sous une pile de couvertures. Je devais changer de draps et de pyjama au moins deux fois par nuit.

Chaque matin, je me réveillais à peu près dans le même piètre état. Finalement, je me résignai à appeler mon médecin. Il me prescrit une ordonnance de Tylenol avec codéine. C'était sûrement une version puissante du médicament, parce qu'il en faut beaucoup pour me faire manquer d'anciens épisodes de Lucille Ball (NDT : actrice alors très célèbre aux États-Unis). Je peux vous affirmer qu'après avoir avalé ces comprimés, le reste de ma journée se déroula dans une profonde hébétude entrecoupée de vagues souvenirs de tignasse rouquine et d'accent cubain.

Ma température n'arrêtait pas de grimper : 40,5°, 41,1°, 41,6°. À la fin d'une autre nuit de sudation et de changement de literie (cette stratégie, me disais-je, finirait par avoir raison de la fièvre), j'entrouvris les yeux et, pendant un bref instant, je constatai que j'avais des visiteurs. Au pied de mon lit se tenait tout un groupe de « personnes ». J'en comptais environ sept, de tailles variées : des grands, des petits et même un qui était presque nain. Ces apparitions restèrent suffisamment longtemps pour que je les voie et qu'elles sachent que je les avais vues.

Puis, elles disparurent.

Avant même de comprendre ce qui m'arrivait, j'inspirai profondément, un peu comme le fait un nouveau-né qui vient au monde. Comme si c'était ma première inspiration de la journée. Comme si, depuis mon réveil jusqu'au départ de mes visiteurs, j'avais cessé de respirer. Je pouvais entendre monter de ma poitrine le râle du moribond. Je compris tout à coup que si je ne faisais rien, j'allais mourir.

Je téléphonai à mon médecin pour lui demander si je pouvais passer le consulter le plus vite possible. Puis, j'appelai immédiatement un taxi en précisant que je voulais une voiture avec climatisation. Avec la fièvre que j'avais, la canicule qui sévissait dehors me paraissait doublement accablante.

Je me rendis titubant jusqu'à la rue où venait d'arriver le taxi, pas climatisé, bien entendu ! J'y montai quand même, en plein délire fiévreux.

Après m'avoir fait une radiographie des poumons, le médecin me somma de me rendre sans tarder à l'hôpital. Il craignait qu'il s'agisse d'une pneumonie. Pressentant que j'en aurais pour longtemps à l'hôpital, je passai chez moi prendre quelques effets personnels.

L'attente à l'hôpital public fut très longue, mais, n'ayant pas d'assurance privée à cette époque, je n'avais pas eu le choix. Le lendemain matin, on finit par m'admettre et je passai les dix jours suivants avec des tubes dans la gorge, de l'oxygène dans le nez et, dans l'estomac, de la nourriture digne d'un vol national. À ma sortie, je ne pesais plus que 62 kg. Et je mesure 1,80 m ! Mon médecin m'avoua qu'il avait craint que je n'y reste.

J'ai peu de souvenirs de mon séjour à l'hôpital. Mais je sais que j'ai perdu une grande partie de ma mémoire immédiate, sans doute à cause de la forte fièvre.

Était-ce la fièvre qui m'avait fait imaginer ces êtres à mon chevet ou bien était-ce des présences que mon état fébrile avait justement permis de révéler ? Qui étaient-ils ? Des guides ? Des esprits ? Des anges gardiens ? Des observateurs d'une autre dimension ? Des hallucinations ? Des êtres qui existent dans l'une des onze dimensions d'existence reconnues jusqu'à présent selon les théories actuelles de la physique quantique ?

Je l'ignore, mais je sais que si ces êtres ne m'avaient pas rendu visite ce jour-là, j'aurais sans doute poursuivi ma cure de liquide et de sudation et y aurais certainement laissé ma peau.

Mais je n'étais pas prêt à mourir. J'avais d'autres projets. Se pouvait-il que *quelqu'un* d'autre ait aussi des intentions à mon égard ?

La résurrection de nouveau

Dans le cadre de la formation professionnelle que j'avais choisie, je devins bientôt stagiaire dans un cabinet officiel de chiropraxie. Même si cette étape comportait de nombreuses satisfactions, ce début de carrière n'était pas très lucratif, disons. Comme tout le monde, je pensais que tout médecin chiropraticien savait gérer un cabinet. J'avais tort. Dans le cabinet où je travaillais, on négligeait bien des choses dont, principalement, le service à la clientèle. Selon l'entente que j'avais conclue avec mes associés, je devais leur remettre la moitié des honoraires que je demandais à mes clients. Comme ils traitaient déjà leurs propres clients avec très peu d'égard, il va sans dire qu'ils étaient encore moins courtois avec les miens. Par conséquent, plusieurs de mes patients ne revinrent pas.

Avec des honoraires réduits de moitié et une clientèle qui s'effilochait, j'avais peine à acquitter mon loyer, autant au bureau qu'à la maison. Comme stagiaire, je ne faisais qu'accumuler des dettes. Plus les dettes augmentaient, moins j'avais les moyens de démissionner. Après trois ans, je dus me rendre à l'évidence : ou je partais ou j'abandonnais complètement la carrière.

Je donnai donc ma démission.

Il y avait bien eu quelques avantages à travailler dans ce cabinet. J'avais découvert, par exemple, qu'un de mes patients avait de bons contacts avec les producteurs du film *La résurrection*. Comme je l'ai déjà mentionné, cette œuvre cinématographique était devenue mon film préféré. Une autre de mes patientes, qui était membre de l'Académie des arts et des sciences du cinéma, m'avait invité à l'accompagner à la remise des Oscars. Assis au balcon, je regardais le déroulement de la cérémonie quand je remarquai la présence d'Ellen Burstyn, l'une des candidates de cette année-là à l'Oscar du meilleur rôle féminin pour son interprétation *La résurrection*. Plus tôt durant la soirée, je l'avais vue assise près de la scène. Elle occupait maintenant le siège juste derrière le mien. Étrange, je n'avais même pas remarqué que ce siège était libre.

Elle finit par se lever et partir. Après cette rencontre manquée, je ne l'ai jamais revue en personne. À cette époque, je n'accordai pas beaucoup d'importance à cet événement, pas plus d'ailleurs qu'aux autres circonstances singulières de ma vie : les « êtres » à mon chevet, mes prémonitions, la psychométrie, mon don pour « réparer » les montres.

Ce n'est que treize ans plus tard, quand les guérisons commencèrent, que je me remis à penser à tout ça.

Le fantôme de place Melrose

Il me fallait vite trouver un bureau que j'aurais les moyens de me payer, car la carrière de stagiaire m'avait laissé presque à court d'économies. Je trouvai une pièce à place Melrose, dans un appartement de deux chambres à coucher converti en bureaux que je devais partager avec deux psychologues. Les trois pâtés de maisons qui formaient place Melrose constituaient, selon bien des gens, un des coins les plus recherchés et les plus huppés de Los Angeles. De toute évidence, ces individus n'avaient pas encore vu mon nouveau bureau. Pour arriver jusqu'à mon cabinet situé au second étage, mes patients devaient d'abord se taper les marches d'une longue cage d'escalier. S'il n'y avait eu que ça ! À Los Angeles, il est bien connu que personne ne se déplace sans sa voiture. Impossible donc de trouver un endroit où se garer à place Melrose. Ceci m'amena à conclure une entente de location de quelques espaces de stationnement avec les propriétaires de superbes boutiques d'art et d'antiquités du coin. Mes patients de la haute pourraient ainsi se vanter d'avoir un chiropraticien qui offre un service de stationnement personnalisé.

Mais pour l'instant, j'avais d'autres chats à fouetter. En

premier lieu, il fallait que je trouve une façon de convertir une seule pièce en un cabinet de consultation efficace. En dessinant des compartiments de dimensions irrégulières, je parvins à créer un plan d'aménagement de trois salles de traitements dans cette pièce. Toujours sur papier, je transformai la « salle à manger » en salle d'accueil et j'installai un bureau de réceptionniste dans la minuscule kitchenette. Il ne me restait plus qu'à trouver un entrepreneur pour exécuter les travaux.

Tous ceux qui ont déjà eu affaire au milieu de la construction savent que les travaux prennent toujours plus de temps et coûtent toujours plus chers que prévu. Tout ça pour dire que je finis par manquer d'argent et que je ne parvins pas à obtenir de prêt supplémentaire de la banque.

Chaque matin, j'allais donc rencontrer mes clients dans un cabinet en construction. Je m'y rendais aussi pour faire deux autres choses : appeler le directeur de la banque pour le convaincre de m'avancer plus d'argent et resserrer les vis de ma nouvelle rampe d'éclairage. Celle-ci coûtait une bagatelle en comparaison de l'éclairage encastré que j'avais prévu. En fait, rien n'allait plus comme je l'avais prévu, y compris l'estimation des frais et de la date d'achèvement des travaux.

Quotidiennement, et pour une raison inconnue, quand j'arrivais au bureau, je remarquais que les vis qui retenaient la rampe d'éclairage au plafond étaient sorties d'environ deux centimètres. Ce local étant situé sur un coin passant, je me disais que les vibrations de la circulation automobile devaient causer ce desserrage. Peu importe, je devais chaque jour resserrer ces vis. D'un côté, il y avait la banque qui me serrait la vis et de l'autre, moi qui serrais les vis de la rampe d'éclairage. C'était devenu une habitude.

Un soir, après que mon personnel (une réceptionniste qui passait tellement de temps à se limer les ongles qu'elle aurait dû en avoir le bout des doigts en sang) eut quitté le bureau et verrouillé la porte, je restai un peu plus tard pour traiter un client arrivé en retard. Soudain, j'aperçus un déplacement du coin de l'œil. Je relevai la tête à temps pour voir un homme passer dans le corridor devant la porte de la salle où j'étais. Comme la porte principale du cabinet était verrouillée, personne n'avait pu y entrer. Pourtant, cet homme était bien là. Il mesurait environ 1,75 mètre, avait le visage rond et des cheveux courts et ondulés. Il portait un pardessus gris et devait être âgé d'une trentaine d'années.

Il fallait que ce soit un fantôme. J'en étais certain.

Quand je fis part de cet incident à mes deux colocataires psychologues, quelle ne fut pas ma surprise d'apprendre que tous deux connaissaient déjà ce revenant ! Ils ne m'en avaient pas parlé de peur que la présence d'un fantôme ne me fasse fuir. Ils avaient absolument besoin d'une troisième personne avec qui partager le loyer.

À vrai dire, la présence du fantôme ne me faisait ni chaud ni froid. Mais, selon les dires d'un médium invité à venir au cabinet pour le faire partir, c'est ma présence qui le dérangeait. « Trop de va-et-vient », apparemment. « Un rythme d'une personne à l'heure comme dans le cas des psychologues ne semble pas le gêner, mais vous, vous faites entrer trop de gens dans sa maison. »

J'observais le médium arpentant la pièce dans le but de localiser l'endroit où le fantôme passait le plus clair de son temps. Quand il l'eut trouvé, il l'informa avec beaucoup de délicatesse qu'il était mort et qu'il devait se diriger vers la lumière. Au bout d'environ 30 minutes, tout était terminé.

C'était un dimanche soir. Le lendemain matin, quand j'arrivai à mon cabinet, je remarquai que les vis de la rampe d'éclairage étaient restées parfaitement en place. (En fait, elles demeurèrent ainsi jusqu'à ce que je les enlève cinq ans plus tard pour effectuer des travaux d'agrandissement.) Quelques instants plus tard, le téléphone sonna. C'était le directeur de la banque. Ma demande de prêt venait d'être approuvée.

CHAPITRE 5

Des portes qui s'ouvrent et des lumières qui s'allument

« Ce qui est derrière ou devant nous représente bien peu de choses comparativement à ce qui est en nous. »

Ralph Waldo Emerson

La gitane juive de Venice Beach

Douze ans plus tard, j'occupais plus de la moitié du second étage de l'édifice place Melrose. Mon cabinet était en plein essor : huit salles de traitements, des adjointes, des massothérapeutes, des réflexologues, un service de stationnement personnalisé et autant de clients que possible. Côté affectif, par contre, je tenais à peine le coup.

Je venais de mettre fin à une liaison amoureuse qui durait depuis six ans mais qui devait dans mon esprit continuer toujours. Durant les jours qui suivirent la rupture, j'arrivai à peine à mettre un pied devant l'autre. Le plus pénible, à part de sortir du lit chaque matin pour me rendre au bureau, c'était de garder mon sang-froid auprès des clients.

Comme si ce bouleversement dans ma vie privée ne suffisait pas, il fallait qu'en même temps je renouvelle mon personnel au grand complet. En effet, la directrice de mon cabinet, une femme hautement compétente, quittait Los Angeles pour aller retrouver son petit ami. Son départ coïncidait avec la démission convenue de deux autres employés. Je devais donc repartir à zéro. Il me fallait embaucher deux personnes pour remplacer l'administratrice qui me quittait. L'une d'elles s'occuperait de la facturation à l'intention des compagnies d'assurances, des rapports médicaux et de la correspondance. L'autre serait affectée au service à la clientèle et à l'accueil.

Comme on dit sur Broadway, faut que le spectacle continue ! Dans mon cas, c'était plutôt un roman-fleuve qu'un spectacle à grand déploiement. J'avais toujours eu un faible pour les réceptionnistes qui avaient du caractère. Certes, je tenais à ce que la mienne soit accueillante avec les clients afin de les mettre en confiance, mais je voulais aussi qu'elle ait assez de tempérament pour éviter que je m'ennuie.

Comme je n'avais jamais eu particulièrement de flair pour l'embauche, une amie, dont c'était justement la profession, vint m'aider à trier sur le volet la meilleure candidate pour ce poste. Quelques autres personnes se joignirent aussi à nous pour l'entrevue de sélection. Parmi toutes les candidates rencontrées, une seule avait nettement retenu mon attention. Elle ressemblait à s'y méprendre au personnage de Fran Drescher du feuilleton américain télévisé *La gouvernante*. Grande, désinvolte et mignonne, elle avait une belle chevelure noire et une voix criarde et nasillarde, avec un fort accent new-yorkais et un timbre à fracasser le verre. Elle disait avoir finalement renoncé à la carrière d'actrice.

Mes amis me conseillèrent de ne pas l'employer. Rien n'y fit, je la voulais dans mon cabinet. Quelque chose dans son regard me rappelait mémé. Par ailleurs, je trouvais fascinant qu'une telle personne existe vraiment. Je tentai une fois de plus de me dissuader de lui offrir le poste et de m'en remettre à l'expérience de ceux qui étaient venus m'aider à choisir des employés compétents, mais j'étais sous le charme. Pourquoi laisser la raison tout embrouiller ?

Ce fut en fait un cas d'attraction-répulsion. D'une part, elle me plaisait beaucoup, mais d'autre part, les clients la détestaient.

Un beau jour, elle m'annonça que, avec toutes les pressions que je subissais, une journée à la plage me ferait le plus grand bien. Autrement dit, *elle* voulait se payer une journée de plage à mes frais. Le samedi suivant, nous partîmes donc pour Venice Beach. Nous relaxâmes sur la plage et elle partit ensuite se promener. Elle revint quelques instants plus tard et me déclara : « J'ai rencontré une tireuse de cartes. Vous devriez aller la voir. »

Je n'avais rien contre la cartomancie, mais je préférais rencontrer quelqu'un qui avait de meilleures références.

« Je n'ai pas envie de me faire tirer les cartes par une bonne femme sur la plage », répliquai-je.

Je me disais que si cette voyante avait été compétente, elle n'aurait pas eu à installer sa table, ses cartes et ses chaises sur une plage bondée de monde dans l'espoir d'accrocher quelques clients au passage.

Mais quand ma réceptionniste avait une idée en tête, elle pouvait être très persuasive. Rien ne servait de protester, il était évident qu'elle aurait gain de cause.

Elle finit par m'avouer qu'elle avait rencontré cette femme dans une soirée et qu'elle lui avait donné rendez-vous sur la plage. « Ça serait très gênant pour moi que vous refusiez de la rencontrer maintenant », dit-elle d'un ton plaintif, ajoutant en fronçant les sourcils en signe d'imploration : « S'il vous plaît. »

Vaincu, je la suivis sur le sable chaud jusqu'à cette femme. Celle-ci était installée à une table sur laquelle des cartes étaient étalées en éventail, à la manière proprement gitane. Après les présentations, elle me dit : « Bubbelah (NDT : diminutif yiddish signifiant "petit garçon"), tu veux une séance à dix dollars ou à vingt dollars ? »

Bubbelah ? Une gitane juive ? Était-ce possible ?

Pour une raison ou pour une autre, je n'avais que vingt dollars sur moi. Considérant ma faim qui augmentait, je répondis : « À dix dollars. »

Cette somme me valut une interprétation du temps présent très potable mais pas du tout mémorable. Après la séance, comme si elle avait presque oublié de me dire quelque chose, la femme ajouta : « Je fais aussi des traitements très particuliers. Ça relie les méridiens du corps au réseau énergétique de la planète, ce qui remet en contact avec les étoiles et les autres planètes. » Elle me fit remarquer que, parce que j'étais guérisseur, c'était quelque chose dont j'avais besoin. Elle me recommanda en outre de lire sur le sujet un ouvrage intitulé *Le livre de la connaissance : les clés d'Enoch,* de J. J. Hurtak. Intrigué, je lui demandai combien coûtait ce traitement. Elle me répondit : « Exactement 333 dollars. » Ce à quoi je rétorquai : « Non, merci. »

C'était le genre d'attrape-nigaud contre lequel on vous mettait en garde aux informations du soir. J'entendais déjà l'annonce de la nouvelle : « Aujourd'hui, à Venice Beach, une gitane juive extorque 333 dollars à un chiropraticien crédule... » Je pouvais imaginer ma photo en gros plan sur l'écran avec, en légende, le mot *pigeon.* « [...] Elle le persuade aussi de lui donner 150 dollars par mois à vie pour brûler des lampions en vue de sa protection. » Je me sentais humilié rien que d'y avoir songé. Après avoir pris congé de cette femme, ma réceptionniste et moi nous ingéniâmes à trouver de quoi manger pour deux avec seulement dix dollars.

Cela aurait dû être la fin de cette histoire de cartomancienne, mais les voies de l'esprit sont impénétrables. Je ne pouvais sortir ses paroles de ma tête. Un beau midi, je pris les dernières minutes de ma pause pour me rendre jusqu'à la librairie ésotérique du coin afin d'y feuilleter le chapitre 3 du *Livre de la connaissance : les clés d'Enoch* (le passage recommandé par la cartomancienne sur la plage). Ma plus grande leçon fut de constater que s'il existe un ouvrage écrit pour ne pas être lu rapidement, c'est bien celui-ci. Néanmoins, j'en avais lu suffisamment. Et ce que j'en avais retenu allait me hanter jusqu'à ce que je me résigne à casser ma tirelire et à téléphoner à cette femme.

Le traitement devait être réparti sur deux séances, à deux jours d'intervalle. La première journée, je lui remis l'argent, m'étendis sur une table de massage et écoutai les protestations de mon mental pendant qu'elle tamisait les lumières et faisait jouer de la musique Nouvel Âge. Je me disais que je n'avais jamais rien fait d'aussi stupide. Comment avais-je pu donner autant d'argent à une pure inconnue pour qu'elle dessine des lignes sur mon corps avec ses doigts ? Je pensais à tout ce que j'aurais pu faire avec cet argent, quand j'eus soudainement l'intelligence de m'avouer que, puisque je le lui avais déjà donné, il valait mieux cesser de récriminer et plutôt me préparer à accueillir ce qui pourrait survenir. Je restai donc ouvert. À la fin de la séance, mon mental m'annonça que *rien* ne s'était passé. *Absolument rien !* Mais, de toute évidence, j'étais le seul à avoir cette certitude. La cartomancienne m'aida à me relever comme si la terre s'était dérobée sous mes pieds, me précisant de m'accrocher à elle pendant qu'elle m'aiderait à reprendre pied.

« Retrouvez votre centre, me dit-elle. Revenez dans votre corps. »

J'entendis ma petite voix intérieure dire : « *Si vous pensez qu'il s'est passé quelque chose d'exceptionnel ici, ma p'tite dame, ça m'a échappé.* »

Comme j'avais déjà payé pour la deuxième séance, aussi bien revenir le dimanche suivant pour le second volet du traitement. Mais quelque chose de très étrange se produisit ce soir-là après le premier traitement. Je dormais depuis environ une heure quand je fus réveillé par ma lampe de chevet (une lampe que j'avais depuis dix ans), qui s'était soudainement allumée toute seule. En ouvrant les yeux, j'eus la très nette sensation qu'il y avait quelqu'un dans la maison. Armé de mon courage, d'un couteau à dépecer, d'un aérosol au poivre et de mon doberman, je fouillai toutes les pièces de fond en comble. Personne. Je retournai au lit avec l'étrange sensation que je n'étais pas seul, qu'on m'observait.

La seconde séance commença un peu comme la première. Mais la similitude s'arrêta là. Mes jambes se mirent tout à coup à gigoter sans répit, puis cet état de bougeotte s'empara bientôt de tout mon corps, envahi d'un frisson quasi insoutenable. J'arrivais à peine à rester allongé. Même si l'envie était très forte de me lever et de sauter sur place pour évacuer ces frémissements de chaque cellule de mon être, je n'osais pas bouger. Pourquoi ? Parce que j'avais donné à cette femme plus d'argent qu'il ne m'en coûte hebdomadairement pour l'épicerie et que j'étais bien décidé à en tirer le maximum. *Voilà pourquoi !*

À la fin de la séance, j'étais encore frigorifié. On était en août, la chaleur était écrasante et la pièce n'était pas climatisée. Et moi, je claquais des dents. La cartomancienne m'enveloppa dans une couverture. Il fallut à mon corps au moins cinq bonnes minutes avant qu'il ne retrouve une température à peu près normale.

J'avais changé. J'ignorais ce qui m'était arrivé. Je n'aurais su l'expliquer. Mais je sais que je n'étais plus la personne que j'avais été quatre jours auparavant. Je ne sais plus trop comment, mais je regagnai ensuite ma voiture et roulai jusque chez moi comme si mon véhicule connaissait le chemin.

Je n'ai aucun souvenir du reste de cette journée. Tout ce que je sais, c'est que je me retrouvai au travail le lendemain matin.

Mon odyssée venait de commencer.

Étrange phénomène

Je recouvrai la mémoire en entrant au bureau. J'avais la sensation qu'on venait de réintroduire dans mon crâne la partie du cerveau qu'on m'avait retirée la journée précédente.

Je trouvais également étrange d'avoir à répondre à un torrent de questions inattendues. On voulait savoir ce qui m'était arrivé durant le week-end. Pourquoi j'avais l'air si changé ? Pourquoi ma voix était si différente. Je n'allais certainement pas leur dire que j'avais donné 333 dollars à une diseuse de bonne aventure pour qu'elle me trace des lignes sur le corps.

Il valait mieux laisser certaines questions en suspens. « Rien d'extraordinaire », répondis-je, ignorant moi-même ce qui s'était vraiment produit au cours du week-end.

J'avais l'habitude de demander à mes patients de passer 30 à 60 secondes les yeux fermés sur la table après le traitement, pour permettre à leur corps d'intégrer le nouvel alignement des vertèbres. Sept parmi ceux que je traitai ce lundi matin-là – dont certains qui me consultaient depuis déjà dix ans et une cliente que je voyais pour la première fois – me demandèrent si je m'étais déplacé autour de la table pendant qu'ils étaient allongés. D'autres me demandèrent si quelqu'un était entré dans la salle de traitements, car ils avaient eu l'impression que plusieurs personnes étaient postées autour de la table. Trois d'entre eux affirmèrent qu'ils avaient eu l'impression qu'on courait autour de la table, et deux me confièrent avec hésitation qu'ils avaient eu la sensation qu'on volait autour d'eux.

J'exerçais le métier de chiropraticien depuis douze ans, et personne ne m'avait jamais rien dit de la sorte. Et voilà que dans la même journée, sept patients me parlaient tous du même phénomène ! Pas besoin d'un dessin pour comprendre que quelque chose d'étrange était à l'œuvre !

Mes clients me signalaient qu'ils savaient d'avance où j'allais poser mes mains sur leur corps. Ils pouvaient les sentir à partir d'une distance qui allait de quelques centimètres à près de 30 centimètres. Ils s'amusaient à deviner avec le plus de précision possible l'emplacement de mes mains. Mais, quand des guérisons commencèrent à s'opérer en eux, fini le simple petit jeu de devinette. Au début, ces guérisons n'eurent rien de spectaculaire. Les patients se sentaient libérés de courbatures, de douleurs et de malaises divers. Quand l'un d'eux venait recevoir un traitement chiropratique, j'effectuais d'abord le traitement en question, puis je lui demandais de rester allongé et de garder les yeux clos jusqu'à ce que je lui dise de les rouvrir. Je prenais alors quelques instants pour passer mes mains au-dessus de son corps. Quand un patient constatait que ses douleurs avaient disparu, il voulait tout de suite savoir ce que j'avais fait.

Invariablement, je répondais : « Rien, et n'en parlez à personne ! » C'était aussi efficace que de confier un secret à quelqu'un et de lui demander de ne jamais le divulguer.

Les gens se mirent à affluer de partout pour des séances de guérison. Je ne comprenais guère ce qui se passait. Personne n'avait cru bon de m'expliquer les tenants et les aboutissants de ce phénomène. J'avais besoin d'en parler à *quelqu'un*. Dans ma maison aussi il se produisait des choses bizarres. Ne pouvant aborder ce sujet avec aucun de mes amis dits sains d'esprit, j'allais régulièrement interroger la cartomancienne de Venice Beach.

Selon elle, j'avais sans doute toujours possédé ce don et il pouvait avoir un rapport avec l'expérience de vie après la mort que ma mère avait fait à ma naissance. Elle me racontait que c'était un phénomène inusité et qu'elle n'avait jamais entendu parler de quelque chose de semblable.

À notre première rencontre à la plage, cette femme m'avait

aussi recommandé de prendre des gouttes d'essences florales. Son intuition lui en avait révélé six, mais elle m'avait demandé d'en choisir cinq parmi ces six et de les mélanger.

Je devais donc retenir cinq essences et en éliminer une. Cette démarche pouvait s'avérer très amusante ou terriblement frustrante. Car quiconque me connaissait le moindrement à cette époque savait jusqu'à quel point je pouvais faire preuve d'indécision.

Ayant enfin arrêté mon choix sur cinq essences, je passai ma commande. Dès que je reçus les fioles, je m'appliquai à mélanger les essences sur mon comptoir de cuisine avec un soin frisant la dévotion. Je remplis aux trois quarts d'eau de source quatre flacons de 50 millilitres et versai dans chacun sept gouttes de chaque essence florale retenue. J'en mis un sur ma table de chevet, un autre dans mon attaché-case, un dans mon armoire à pharmacie et un dernier dans le tiroir de mon secrétaire au bureau. Quatre fois par jour, au moyen du compte-gouttes intégré à la fiole, je plaçais solennellement sous ma langue sept gouttes de ce mélange. De plus, tous les trois jours, je trempais vingt minutes dans un bain d'eau claire additionnée du jus d'un demi-citron et de sept gouttes du mélange, en prenant bien soin d'humecter, dès qu'elle s'asséchait, la partie de mon corps qui devait rester en tout temps ou presque hors de l'eau : mon nez. Les directives de la cartomancienne étaient très claires et je les suivais avec un zèle outrancier. Pourquoi je vous raconte tout ça ? Eh bien, parce qu'au cours des nuits qui suivaient ces rituels, je me réveillais en sursaut avec la nette sensation que quelqu'un s'était introduit chez moi. Pourtant, chaque soir avant de me coucher, je verrouillais et vérifiais la serrure de chaque porte, et j'enclenchais le système d'alarme. Le cœur battant, je parcourais alors la maison de fond en comble, certain de tomber sur quelqu'un qui n'était pas là quand j'étais allé me coucher. Mais ce que je découvrais à la place, c'est que les portes que j'avais bel et bien fermées étaient maintenant ouvertes et que les lumières que j'avais pris soin d'éteindre étaient maintenant allumées.

Des portes qui s'ouvrent et des lumières qui s'allument ! J'aurais pu y voir une belle analogie, mais je n'avais pas encore assez de recul pour ça. Pour l'instant, des choses étranges avaient lieu chez moi et je voulais en avoir le cœur net. Ma gitane cartomancienne n'en savait pas plus que moi. Mais puisqu'elle ne s'en inquiétait pas, pourquoi le ferais-je ?

J'ignorais encore que j'allais bientôt aborder une phase qui dépasserait totalement ses connaissances.

Cloques et saignements

Certains patients venaient encore me voir uniquement pour des traitements chiropratiques conventionnels et n'étaient pas du tout au courant des « autres choses » qui survenaient dans mon cabinet. La cliente que j'avais devant moi était de ce nombre. Elle m'avait été envoyée par un orthopédiste qui ne pouvait plus rien pour elle. Cette femme qui approchait la cinquantaine souffrait non seulement de maux de dos depuis fort longtemps, mais, depuis l'âge de neuf ans, d'une dégénérescence osseuse du genou droit. Elle m'avoua que la douleur à son genou était quasi intolérable.

Après avoir effectué l'ajustement chiropratique, je l'invitai à fermer les yeux et à ne les rouvrir qu'à mon signal. Pendant qu'elle avait les yeux fermés, je me mis à tracer de mes mains de petits cercles à environ 15 centimètres au-dessus de son genou. Chaque fois que je faisais ce genre de chose, j'en éprouvais toujours une sensation quelconque aux mains. Cette fois-ci, je ne ressentis que de la chaleur, mais peut-être un peu plus que d'habitude.

À la fin de la séance, quand elle rouvrit les yeux, elle m'avoua se sentir mieux. Je dois reconnaître que cette réaction ne m'étonnait plus beaucoup. Aussi étrange que cela puisse paraître, ces guérisons survenaient avec une grande régularité. Mais c'est ce qui survint immédiatement après qui allait beaucoup me surprendre. J'accompagnai ma patiente jusqu'à la réception. En me voyant, ma réceptionniste sursauta et me demanda de sa voix criarde : « Qu'est-ce que vous avez à la main ? » J'avais la paume couverte d'une centaine de minuscules cloques qui, au bout de trois ou quatre heures, disparurent.

Ce genre d'éruption eut lieu plus d'une fois. Dans un sens,

j'étais content que se manifeste enfin physiquement un phénomène jusque-là occulte. Je pouvais le montrer aux gens et lancer : « Vous voyez ce que je veux dire ? »

Un beau jour, au lieu de cloques, la paume de ma main se mit à saigner. Le sang ne giclait pas comme on le voit parfois dans les vieux films à caractère religieux ou dans les magazines à potins. C'était plutôt comme si je m'étais enfoncé une épingle dans la main. Mais c'était indéniablement du sang.

Attroupés autour de moi, quelques patients observaient en silence la paume de ma main.

« C'est une initiation », dit l'un d'eux.

« À quoi ? » demandai-je.

Personne ne le savait.

Comment auraient-ils pu le savoir ? Pourquoi ne le savais-je pas ? Et qui le savait en fait ?

En quête de réponses

Non seulement je continuais à chercher à comprendre ce qui m'arrivait, mais cette quête allait en s'intensifiant. J'avais trouvé le nom de personnes bien connues pour leurs connaissances et leurs expériences dans le domaine de la spiritualité et des phénomènes paranormaux. Je m'étais procuré leurs livres sur cassettes audio, que j'écoutais en conduisant. Et je formulais mentalement les questions que j'aimerais leur poser si je les rencontrais.

De temps à autre, j'eus l'occasion de le faire.

Par exemple, quand j'appris que le docteur Brian Weiss, auteur de *Many Lives, Many Masters*, allait présenter un colloque d'une journée, je m'y inscrivis sur-le-champ. Le docteur Weiss est une des sommités mondiales en matière de régression dans les vies antérieures. Il a commencé sa carrière comme psychiatre et hypno-thérapeute. Son travail avec certains patients l'avait toutefois convaincu de l'existence des vies antérieures et de l'influence de celles-ci sur la vie actuelle.

J'espérais que, en participant à ce colloque, j'aurais l'occasion de lui parler et qu'il pourrait faire la lumière sur ce qui se passait dans ma vie, une vie qui n'avait plus rien de normal.

Cette occasion se présenta, mais pas tout à fait de la manière que j'avais envisagée.

Environ 600 personnes participaient à ce colloque. Et toutes s'attendaient à pouvoir s'entretenir personnellement avec le docteur Weiss, espérant non seulement qu'il soit captivé par leur récit mais qu'il prenne aussi le temps de leur parler, ceci leur conférant ainsi un sentiment d'importance. Nul ne donnait l'impression de comprendre qu'il faudrait au docteur Weiss environ dix heures pour répondre en une minute à quelque 600 questions. C'était apparemment le cadet de leur souci.

Bien entendu, j'étais une de ces personnes. Et, comme tout le monde, ma question *exigeait à tout prix* une réponse. Je me mis donc à attendre le moment opportun de me faire entendre, soit une transition naturelle dans le déroulement de l'exposé ou un sujet ayant trait à une de mes interrogations. Presque tous les thèmes que présentait le docteur Weiss semblaient avoir une résonance avec ce qui se passait dans ma vie. Par conséquent, il aurait dû être facile d'intervenir à plusieurs moments de l'exposé.

Mais Brian Weiss n'invita personne à poser des questions. Après la pause du midi, je me rendis compte que le colloque était à moitié terminé et que je n'avais pas encore réussi à me faire entendre.

En recommençant en après-midi, le docteur Weiss annonça qu'il allait faire la démonstration sur scène d'une régression dans les vies antérieures et qu'il avait besoin d'un volontaire. Six cents bras se levèrent en même temps. Il nous informa qu'il choisirait cinq personnes au hasard et effectuerait sur elles une sorte d'évaluation du mouvement des yeux pour savoir laquelle d'entre elles serait le meilleur sujet à la régression. Les quatre autres regagneraient leur siège dans la salle.

Il appela donc ses cinq volontaires et leur demanda de prendre place sur scène à l'endroit qu'il leur avait indiqué. Je n'étais pas de ceux-là.

Nous avions tous baissé le bras et attendions la suite, quand le docteur Weiss se retourna vers la salle et, scrutant l'auditoire comme s'il avait égaré quelque chose, déclara en pointant la foule du doigt : « Vous ! Vous aviez le bras levé ? »

Cherchant autour de moi à qui il pouvait bien s'adresser, je m'aperçus que tout le monde regardait dans *ma* direction.

« Oui », répondis-je, un peu intimidé et pris au dépourvu.

« Mais vous avez déjà choisi cinq personnes. »

« Vouliez-vous monter sur scène ? »

Il est drôle lui. Bien sûr que je le voulais.

« Oui », répondis-je.

« Eh bien, venez », rétorqua-t-il.

J'aurais voulu disparaître, et c'est peu dire ! Je me disais qu'il m'aurait été beaucoup plus facile de faire partie du premier groupe de cinq que d'être ainsi mis sur la sellette.

Après avoir reçu quelques coups de coude de sympathie et quelques regards franchement antipathiques (comment leur en vouloir, tout le monde voulant faire une expérience de régression avec le docteur Weiss), je m'avançai vers la scène.

Brian Weiss nous décrivit le test oculaire qu'il allait effectuer sur chacun de nous. Ce test servit en fait à évaluer notre degré d'accessibilité à l'état d'hypnose. Puis, il nous demanda de regarder vers le plafond sans lever la tête et de refermer lentement les yeux. Cela lui permit de détecter le papillotement des paupières de chacun et d'établir lequel d'entre nous était le meilleur sujet.

Vous l'avez deviné, j'en suis sûr. Je fus l'heureux élu. Le docteur Weiss n'en avait peut-être jamais douté.

Il me fit asseoir sur un tabouret, m'invita à fermer les yeux, prononça quelques suggestions hypnotiques et me demanda : « Que voyez-vous ? »

Même si j'avais les yeux fermés, je pouvais me voir clairement, d'un point de vue en surplomb. J'avais la peau foncée, mais d'un ton olivâtre méditerranéen différent du mien. Soudain, je sus que j'étais un jeune garçon et que je vivais dans une lointaine contrée désertique. Je sus aussi que je paraissais plus vieux que mon âge. Je déclarai au docteur Weiss et à l'auditoire que j'étais âgé de 12 à 17 ans.

Je décrivis la cour intérieure d'un énorme édifice où s'élevaient des colonnes en pierre, dont une au centre de la cour dont je ne pouvais voir le sommet. Elle faisait 1,50 mètre de diamètre et était assez large pour que je puisse me dissimuler derrière. Et c'est d'ailleurs ce que je faisais. Je m'entendis déclarer à l'auditoire que j'étais en Égypte. Dans mon for intérieur, je me disais : *Seigneur, pas l'Égypte ! Tout le monde affirme qu'il vit en Égypte. Est-ce que je suis en train d'inventer tout ça ?* Mais je continuai en précisant que je vivais à la cour du pharaon. *Bien sûr ! Quel manque d'imagination !* Que j'étais l'un des membres de la famille du pharaon. *Je fais partie de la famille royale maintenant !* Mais que je n'étais pas du même sang. *Je suppose que j'étais Moïse ! Je n'en croyais pas mes oreilles !*

Mais ce récit se poursuivit. Et, qu'il soit vrai ou non, je dus continuer sur ma lancée. Je leur expliquai que je me cachais derrière cette colonne pour échapper à la surveillance des gardes. Je me rappelle avoir pensé que c'était étrange d'avoir à me cacher ainsi dans *ma* propre maison. Je savais que mon but était d'atteindre, à l'insu de tous, une cage d'escalier donnant accès à une chambre souterraine dans laquelle les magiciens de la cour rangeaient leurs instruments.

Personne, y compris moi, n'avait la permission d'y entrer. Les magiciens prétendaient être les seuls à savoir utiliser ces instruments à bon escient. Je n'étais pas d'accord. Je savais que *moi* j'étais la seule personne à pouvoir m'en servir correctement. Ou bien les magiciens se prenaient à leur propre jeu, ou bien ils essayaient de berner tout le monde, me faisais-je la remarque.

Je savais que, parmi les trésors contenus dans cette salle, il y avait des sceptres d'or de dimensions variées, dont un mesurant près de deux mètres. Ils étaient tous surmontés d'énormes pierres précieuses, dont une en particulier qui était montée dans des griffes en or. L'immense pierre était de couleur vert foncé, comme une émeraude. Mais j'allais apprendre plus tard s'il s'agissait d'une moldavite polie.

Après cela, j'entendis Brian Weiss me demander d'aller jusqu'à la fin de cette vie.

J'avançai dans le temps jusqu'au moment de ma mort et de mon départ vers l'au-delà. Je venais à ce moment-là de prendre conscience que le pouvoir ne résidait pas dans les sceptres, mais en *moi*. Je sus que j'allais conserver cette connaissance de vie en vie. Ainsi s'acheva ma séance de régression. Je ne saurai jamais si j'avais ou non inventé toute cette histoire. Chose certaine, je me sentis obligé de dire quelque chose pendant que j'étais sur scène. Après la séance, des membres de l'auditoire attestèrent que si j'avais pu voir ce qui s'était produit pendant que j'étais en état d'hypnose, j'aurais su que je n'avais rien inventé.

Le docteur Weiss me spécifia que durant ma régression j'avais parlé de choses qu'il s'apprêtait à confirmer dans son prochain ouvrage. Selon lui, je n'aurais pas pu savoir ces choses avant de monter sur le podium.

Force m'était de lui donner raison. Toutefois, rien de cette expérience ne me prouvait son authenticité. Rien de ce que je lui avais révélé ne figurait dans le travail de recherche que j'avais effectué sur l'Égypte au cours de ma troisième année scolaire.

CHAPITRE 6

En quête d'élucidation

« Reconnaissez le visible, et l'invisible vous sera révélé. »

La bibliothèque copte de Nag Hammadi

Je me disais que quelqu'un devait savoir ce que signifiaient ces étranges manifestations. Je ne pouvais pas être le seul à avoir ce genre d'expériences. Quelqu'un quelque part devait pouvoir répondre à ces questions.

Je retournai d'abord voir la femme de Venice Beach. Quand je lui parlai des ampoules et du sang dans ma paume, elle avoua ne pas savoir de quoi il en retournait ni pour quelle raison. À court d'hypothèses et de banalités Nouvel Âge, elle me dit qu'il était temps que je rencontre quelqu'un d'autre, soit la femme qui les avait formés, elle et tous les autres, à faire cela. Elle me donna son nom et son numéro de téléphone.

Puisqu'il était trop tard pour appeler ce soir-là, je reportai l'appel jusqu'au lendemain matin. Je racontai à ce nouveau « maître » mes péripéties : les lumières qui s'allument et les portes qui s'ouvrent ; les « êtres » dont je sens la présence chez moi et ceux qui se manifestent à mes patients dans mon cabinet ; les cloques et les saignements dans mes mains. J'étais certain que cette femme m'apprendrait quelque chose d'important. Quand j'eus terminé mon récit, il y eut un long silence au bout du fil. Puis elle me dit : « Je ne connais personne qui ait réagi comme ça. C'est fascinant ! » C'est là toute l'aide qu'elle m'apporta...

Il semble qu'en jargon Nouvel Âge, « fascinant » signifie en réalité « tu fais cavalier seul, mon petit ». Mais je n'étais pas prêt à baisser les bras. Le mois suivant, sur la recommandation d'un ami, j'appelai un médium californien mondialement réputé. Je pris donc rendez-vous avec lui sans mentionner quoi que ce soit de mes expériences et sans même faire connaître mon nom de famille. Je voulais voir ce qu'il pourrait découvrir de lui-même et s'il avait une quelconque idée de ce qui m'arrivait.

M'étant égaré en chemin, j'arrivai à ce rendez-vous complètement à bout de souffle et trente minutes en retard. J'entrai en trombe dans son appartement, m'écrasai sur une chaise et fis semblant de ne pas remarquer son air furieux, le genre de regard que maîtrisent à la perfection les constipés et les éternels zélés. Celui qui vous rappelle toutes les remontrances qu'on vous a jamais faites sur les vertus de la ponctualité et qui vous font douter de votre propre valeur en tant qu'être humain. J'étais convaincu que durant ses journées de congé, ce gars-là signait des pétitions pour que les retards à l'école redeviennent passibles de retenue. Chose certaine, l'idée qu'il se faisait des *retardataires* comme moi allait embrouiller sa vision psychique.

Avec un grand détachement professionnel, il étala ses cartes en dissimulant soigneusement toute marque de cordialité ou de compassion. Il analysa les cartes, puis me regarda droit dans les yeux. D'un air qui exprimait soit l'interrogation, soit la menace, il me demanda quelque chose comme : « Que faites-vous dans la vie ? »

Je le payais 100 dollars de l'heure et j'avais bien envie de lui répondre que s'il était vraiment médium, il devrait le savoir. Mais je gardai ça pour moi. « Je suis chiropraticien », lui répondis-je d'un ton détaché, ne voulant rien révéler qui pourrait influencer son interprétation.

« Vous faites plus que ça, me contredit-il. Quelque chose passe par vos mains et les gens guérissent. On vous verra à la télévision et on viendra même vous voir de partout aux États-Unis. »

À la manière dont notre rencontre avait débuté, c'était bien la *dernière* chose que je pensais entendre sortir de sa bouche. Puis il ajouta que j'écrirais des livres. Il ne manquait plus que ça ! Avec un petit sourire entendu, je tentai de tirer les choses au clair en lui lançant : « S'il y a une chose dont je suis certain, c'est que je n'écrirai jamais de livre. »

J'étais très sérieux. Les livres et moi, nous n'avions jamais fait bon ménage. De toute ma vie, j'avais peut-être lu deux bouquins et j'étais encore en train de finir de colorier le deuxième. Mon passe-temps favori consistait depuis longtemps à regarder la télévision. Pour être parfaitement honnête, c'était ma drogue.

Après ma rencontre avec ce médium, cependant, je me mis à lire. Je m'en confesse, j'avais remplacé la télévision par des écrits. J'étais devenu un lecteur insatiable. Je me mis même à dévorer tous les ouvrages traitant de philosophie orientale, de vie après la mort, de *channeling*, et même d'extraterrestres.

Petit à petit, cette nouvelle énergie s'empara totalement de moi. Quand je me mettais au lit le soir, mes jambes se mettaient à vibrer. J'avais l'impression que mes mains étaient constamment en mode réception. Ma boîte crânienne bourdonnait et les oreilles me sifflaient. Je commençai à entendre des sons et parfois même quelque chose qui ressemblait à un chant choral.

J'étais convaincu d'être en train de perdre la raison. C'est connu, on entend des voix quand on devient fou. Moi, j'entendais des chœurs. Je n'aurais pas pu juste percevoir un petit bourdonnement ou la voix d'une seule choriste, ou même encore un petit chœur d'enfants ? Pourquoi fallait-il que ce soient les chœurs d'un opéra au grand complet ?

Quant à mes patients, ils prétendaient voir des couleurs dans des tons de bleu, de vert, de violet, de doré et de blanc. Des nuances d'une beauté sans pareille. Ils reconnaissaient bien ces couleurs mais affirmaient n'avoir jamais remarqué de telles teintes. L'un d'eux, qui travaillait dans le milieu du cinéma, me raconta que les couleurs qu'il voyait ne pouvaient être de ce monde. Selon lui, même avec toutes les ressources technologiques de l'époque, il aurait été impossible de les reproduire. En entendant cela, je pensai à ce que ma mère avait dit de son expérience de vie après la mort en parlant de « teintes et de formes uniques » qui n'existaient pas sur terre et qui la remplirent d'émerveillement.

Manifestation de symptômes

Que je comprenne ou non les origines de l'énergie qui passait par moi n'empêchait pas les guérisons de s'opérer. Même si j'en ignorais la source, je remettais rarement en question les résultats obtenus. Si je l'avais fait, il y a sans doute des gens que je n'aurais jamais essayé de mettre en contact avec cette énergie curative.

Des amis m'avaient invité à une soirée qu'ils donnaient chez eux. Je n'étais pas sûr de pouvoir y être, parce que ce soir-là je devais me préparer pour aller passer les vacances de fin d'année 1993 avec Zeida, en Floride. J'étais toujours pas mal énervé avant de partir en voyage, ne sachant jamais quoi emporter, quoi laisser, quoi ne pas oublier. Malgré ces préparatifs de dernière minute, je parvins quand même à me présenter à cette soirée.

Dès mon arrivée, l'hôtesse m'apprit qu'un des invités, atteint du sida, était à un stade avancé de la maladie. C'était l'évidence même. Sa peau avait cette pâleur grisâtre souvent caractéristique des derniers stades de la maladie. Il était sous perfusion sanguine de morphine pour apaiser la douleur et marchait en s'accrochant au support à soluté sur roulettes. Il souffrait aussi d'une complication appelée cytomégalovirus qui avait touché son œil droit et embrouillait complètement sa vue.

Cet homme avait depuis longtemps cessé de penser qu'il serait un jour libéré de ses douleurs, mais il espérait quand même pouvoir améliorer sa vue. L'hôtesse me demanda si je pouvais le traiter. « Avec plaisir », lui répondis-je. Je l'amenai dans l'une des chambres et passai mes mains au-dessus de lui pendant environ cinq minutes. Il m'annonça que sa douleur avait presque entièrement disparu.

Satisfaits de cette amélioration, nous sortîmes de la chambre. Puis, quelques instants plus tard, il nous annonça qu'il pouvait voir clairement des deux yeux. Ce fut un moment d'intense émotion.

Le lendemain matin, à mon réveil, j'eus une autre surprise, mais pas très agréable celle-ci. Je remarquai que mon œil gauche avait triplé de volume ! J'avais peu à peu accepté ce genre de transfert temporaire de symptômes. J'ignorais pourquoi, mais quand « j'adoptais » ainsi les malaises de quelqu'un d'autre, c'était toujours du côté de mon corps opposé au sien. Ma paupière mit 36 heures à désenfler.

J'étais habitué aux cloques et aux saignements, mais là c'était autre chose. Par ce travail énergétique, étais-je en train de prendre sur moi les maladies des autres ? Allais-je m'accrocher à ces maladies ? Cela allait-il déclencher en moi d'autres phénomènes ? Toutes ces interrogations me troublaient passablement.

Puis, je compris soudain que je *n'avais pas* à reproduire dans mon propre corps les problèmes ou les symptômes des autres pour que les guérisons s'opèrent. Je n'avais pas besoin non plus de ces signes pour me prouver que quelque chose de réel et de puissant était à l'œuvre.

Après cette révélation, je n'eus plus jamais de manifestation physique.

Mais quelqu'un d'autre en eut.

CHAPITRE 7

La magie de la pierre

« Toute technologie suffisamment avancée
est indissociable de la magie »

Extrait de *The Lost Worlds of 2001*, d'Arthur C. Clarke

Dans la culture occidentale, le mois de janvier marque le début de la nouvelle année. C'est un temps de bilans et de résolutions. Or, quand je faisais le bilan de l'année 1993, je voyais une suite de guérisons qui me remplissaient d'émerveillement. Quand je me tournais vers l'avenir, par contre, je ne voyais rien. Jusqu'où et vers quoi cela menait-il ? Je n'en avais pas la moindre idée. À cette époque, je n'avais pas encore rencontré Gary – dont il est question au chapitre 1 – et je n'avais donc pas encore saisi l'ampleur du phénomène.

J'avançais plus ou moins à tâtons dans cette grande aventure. Pas de manuel d'instructions, pas de schémas descriptifs progressifs, pas beaucoup de conseils de maîtres réputés dans l'art de la « métaphysique ». Je ne pouvais donc que continuer dans ce même sens en espérant que le phénomène d'où procédait cette énergie ne me ferait pas faux bond.

Comme c'est souvent le cas dans de telles situations, je ne sus pas reconnaître l'étape suivante de mon aventure lorsqu'elle se produisit. À mon retour de vacances des Fêtes de fin d'année, un de mes patients m'offrit une petite boîte blanche. Je me rappelle avoir trouvé étrange qu'on me donne un cadeau *après* les Fêtes. Mais même si ce coffret avait pu contenir un bijou, je savais ce qu'il contenait. En effet, depuis le début des guérisons, mes patients m'offraient toutes sortes de choses. Tout le monde semblait croire que j'avais besoin de quelque chose ou d'autre.

Ce « quelque chose » était soit un livre ou une cassette (on m'en donnait beaucoup), soit une statue (j'avais reçu toutes les représentations possibles de Bouddha, Moïse, Jésus, la Sainte Vierge, Krishna et les archanges), soit des cristaux. Les cristaux venaient en deux formats distincts. Les très grands, du genre qui remplissent tout un coin d'une pièce, et les formats de poche. Les gens qui m'offraient des cristaux format de poche s'attendaient à trouver en tout temps *leur* cristal dans *ma* poche. L'autre option était de porter le cristal autour du cou. Mais pour cela, il fallait savoir vis-à-vis de quel chakra le suspendre et avec quelle couleur de fil ou de cordon. Comme je n'étais pas prêt à aller jusque-là, je glissais les cristaux dans ma poche, qui fut très vite pleine. Chaque fois que je me penchais sur un patient pour effectuer un traitement, au moins un de ces cristaux tombait de ma poche. Si j'en ramassais un, les billes de quartz rose s'échappaient et roulaient par terre jusque dans le couloir. À me voir pourchasser ainsi ces petites roches cristallines, je suis sûr que certains clients se seraient bien, eux aussi, roulés par terre, mais de rire. Tout cela pour dire que, en ouvrant cette petite boîte blanche, je pensais bien y trouver quelque chose de bleu, de rose ou de brillant. À ma grande surprise, j'y découvris une étrange pierre vert foncé aux formes irrégulières et qui détonnait presque sur ce délicat petit carré de coton blanc. Je me souviens d'avoir pensé que cette pierre n'était pas très jolie. Elle ne brillait pas et ne réfléchissait pas la lumière, et avait une forme brute. Dénuée de tout reflet particulier, elle était noirâtre, mal polie et un peu rugueuse. Sa couleur et sa texture faisaient penser à un avocat trop mûr. En d'autres mots, elle n'avait rien d'une pierre cristalline.

« Qu'est-ce que c'est ? » demandai-je au patient.

« C'est une moldavite », me répondit-il.

Sachant qu'on attribuait certains pouvoirs aux cristaux, je lui demandai quelles étaient les vertus de la moldavite.

« Vous avez vu cette couleur ! » lança-t-il, comme si ce détail avait pu m'échapper. Ne faisant cas ni de ma question ni de mon manque total d'admiration, il s'empara avec enthousiasme de la petite pierre et se dirigea vers la fenêtre pour me montrer comment la lumière la traversait. Je ne m'attendais pas à ce que cette vulgaire pierre opaque se transforme soudain en une magnifique pierre de couleur émeraude d'une transparence et d'une pureté fascinantes.

« À quoi sert-elle ? » lui demandai-je de nouveau.

« Ce serait trop compliqué à vous expliquer, rétorqua-t-il. Pour l'instant, mettez-la dans votre poche. Mais la prochaine fois que vous irez à la librairie ésotérique, achetez-vous un livre là-dessus. » Sur ce, j'enfonçai la petite pierre verdâtre dans ma poche et n'y repensai plus de la journée.

J'ignorais encore que ma vie, jusque-là pas mal bouleversée, allait bientôt être totalement chamboulée.

Plus tard dans la journée, Fred se pointa à mon cabinet. Je l'avais comme client depuis environ un an et demi. Ce jour-là, après avoir effectué le traitement, je lui demandai de fermer les yeux et de les garder fermés jusqu'à mon signal. Comme je le faisais toujours, je passai mes mains au-dessus de son corps. Quand j'arrivai près de sa tête, celle-ci se renversa brusquement en arrière. Ses yeux se révulsèrent, sa bouche s'entrouvrit et sa langue se mit à bouger comme pour former des voyelles.

Déconcerté, je n'en continuai pas moins de laisser l'énergie passer au travers de mes mains en me disant que, de toute évidence, il essayait de parler.

Dans le but de trouver un endroit où la sensation s'intensifierait un peu, je déplaçai lentement mes mains d'une zone à une autre de son corps. Fred ne parvenait toujours pas à exprimer quoi que ce soit d'intelligible. Je voyais bien qu'il voulait parler. Et moi je voulais savoir ce qu'il avait à dire. J'avais beau tendre l'oreille, je n'entendais rien. Cela en était frustrant.

Même si ce qui se passait avec mon client me fascinait, je savais que des patients qui n'avaient pas l'habitude d'avoir à attendre bien longtemps se trouvaient dans les autres salles. Tout le monde devait se demander ce que je pouvais bien faire. Cela étant, je me sentis forcé d'interrompre la séance.

Je retirai donc mes mains. Mais comme Fred continuait de bouger la langue et d'émettre des sons inintelligibles, je ne savais trop quoi faire de lui. Je touchai légèrement son torse en disant que le traitement était terminé. Sur ce, il ouvrit les paupières et nous nous regardâmes droit dans les yeux sans rien exprimer. Puis, comme si de rien n'était, il se leva et sortit.

Je pris alors la décision de ne plus repenser à tout cela. Je traitais cet homme depuis un an et demi et, jusqu'à ce jour, tout avait été relativement normal.

Mais moins d'une semaine plus tard, il avait de nouveau rendez-vous avec moi. Après le traitement, je plaçai mes mains au-dessus de sa tête et vlan ! celle-ci se renversa en arrière, ses lèvres s'entrouvrirent, sa langue commença à se mouvoir et sa bouche, à émettre des sons.

J'avais bien espéré que quelque chose de ce genre se produirait, mais je dois reconnaître que l'intensité du phénomène me laissa interdit.

N'étais-je pas en partie responsable de ce qui était en train d'avoir lieu ? En effet, plus tôt dans la journée, après avoir remarqué Fred dans la salle d'attente, j'avais fait exprès de traiter les autres patients avant lui pour que nous puissions passer du temps ensemble sans être interrompus. Donc, dès qu'il se mit à manifester les mêmes signes que la fois précédente, je tentai d'établir à travers mes mains un contact puissant avec son énergie, un endroit où je pourrais faire en sorte d'amplifier le phénomène.

Puis, il parla enfin.

En général, pour parler, notre bouche s'entrouvre et des sons en sortent. Rien de surprenant à cela. Mais entendre une voix sortir ainsi de l'infini, c'est extrêmement déroutant. Les sons saccadés que j'avais discernés la dernière fois devinrent maintenant des mots. La voix qui les prononçait ressembla d'abord à un crissement écorchant et aigu. Puis, descendant d'une octave, elle énonça clairement : « *Nous sommes venus vous dire... »* et continua d'une manière un peu saccadée « *... de continuer à faire ce que vous faites... Cela apporte lumière et information à la planète. »*

Cette voix qui sortait de la bouche de Fred avait réussi à passer de l'aigu au grave. Mais le débit en demeurait curieusement mécanique, comme si l'être d'où provenait ce message devait apprendre à maîtriser les cordes vocales de mon client. Néanmoins, tous les mots qu'il articulait étaient incontestablement clairs et audibles.

Je savais que les autres salles s'étaient peu à peu remplies de patients. Aucune de ces pièces n'étant insonorisée, bien des gens pouvaient entendre cette voix surréelle.

Mais je n'étais pas prêt à laisser Fred revenir à lui. Aurais-je le culot d'interrompre cette voix venue du fin fond de l'univers pour me transmettre son message et de lui demander de revenir plus tard à un moment plus opportun comme, disons, 19 h 30 ?

Je n'étais pas disposé à aller jusque-là. Mais j'eus quand même le front de demander : « Quand pourrais-je m'entretenir avec vous de nouveau ? »

« *Vous me trouverez dans votre cœur* », me répondit la voix.

Mais ce n'est pas une réponse ça, c'est un message de carte de bons souhaits ! C'était la voix que je voulais réentendre.

« Pourrais-je vous joindre par l'entremise d'une autre personne ? »

La réponse fut évasive.

« Pourrais-je vous joindre par l'entremise de cette même personne ? »

La voix émit une autre réponse très vague. Je n'étais pas prêt à la laisser se défiler ainsi. J'insistai jusqu'à ce que la voix réponde : « *Bon d'accord, vous pourrez me joindre par cette même personne.* »

Je touchai légèrement le torse de Fred et lui annonçai que le traitement était terminé. Dès qu'il ouvrit les yeux, il bondit sur ses pieds et se posta entre moi et le téléphone. Il était convaincu, me confia-t-il plus tard, que j'allais téléphoner dans un hôpital psychiatrique pour qu'on l'emmène et qu'on le mette sous observation. Il m'avoua qu'il avait déjà eu ce genre d'expérience, qu'il se souvenait très peu des paroles qui sortaient alors de sa bouche, qu'il était conscient de ce qui lui arrivait, en principe du moins, qu'il n'en avait fait part qu'à deux autres personnes et qu'il tenait à ce que personne d'autre ne le sache.

Il avait été conscient d'avoir commencé à parler la fois précédente. Mais il était sûr d'avoir réussi à se taire avant que je m'en rende compte. Cette fois-ci, il avait perdu immédiatement toute maîtrise de lui-même et la voix avait pris la relève. Fred n'aimait pas du tout cette sensation de perte de contrôle. Il avait l'impression de ne pas être responsable de ce qu'il disait et trouvait ennuyeux de ne pas comprendre les paroles qu'il prononçait. Il affirmait entendre un mot, puis un deuxième et un troisième, mais qu'au quatrième, il ne se souvenait plus du premier. Il trouvait difficile de ne pas pouvoir circonscrire ses pensées.

Je lui fis savoir que j'avais déjà entendu parler de gens qui faisaient du channeling et qui s'exprimaient en langues, et que je trouvais intéressant de connaître quelqu'un qui accomplissait ce genre de choses. C'était son truc à lui et c'était parfait.

Mais quelques jours plus tard, tout cela se reproduisit *avec trois autres patients* ! Un après l'autre, ils rejetèrent la tête en arrière, roulèrent des yeux, entrouvrirent la bouche, bougèrent la langue et se mirent à émettre des sons. Je n'allais pas attendre qu'on prouve scientifiquement ce phénomène. *Je savais qu'à leur prochaine visite ces patients parleraient.* Je voulais des réponses, et ça pressait.

L'œil d'or

C'est à ce moment-là que je repris rendez-vous avec le médium qui m'avait parlé de mes mains. Après tout, il *avait* une excellente réputation. Il interprétait les cartes pour des membres de la monarchie du Moyen-Orient, les Reagan à la Maison-Blanche et bon nombre de vedettes. Je l'appelai donc et lui expliquai tout ce qui m'arrivait. Après m'avoir écouté attentivement, il me dit : « Je n'ai pas la moindre idée de ce que cela signifie. »

Très rassurant !

« Je vous recommande d'aller rencontrer une Française qui vit à Beverly Hills, me dit-il. Elle a étudié ce genre de choses. Si quelqu'un peut vous aider, c'est sans doute elle. Son nom est Claude. »

J'allai donc rencontrer cette personne. Je me disais que je lui présenterais mes mains, qu'elle pourrait percevoir l'énergie qui en émanait, qu'elle m'expliquerait ce que c'était, que cela clarifierait certaines choses et que je pourrais continuer ma vie.

De toute évidence, j'étais le seul à avoir ce genre d'attentes. Claude me fit donc entrer, m'invita à m'asseoir sur son canapé et plaça un cristal dans chacune de mes mains. Elle me montra ensuite un carton géant sur lequel elle avait dessiné une étoile. Chaque pointe de cette étoile était d'une couleur différente. Pour ajouter à l'effet d'ensemble sans doute, elle avait en plus appliqué d'étranges petits yeux un peu partout sur le carton.

Elle me demanda de fixer l'étoile et les couleurs, et ensuite de fermer les yeux. Elle entreprit alors de me guider dans une visualisation chromatique. Je n'étais vraiment pas d'humeur à cela. Quelque chose de bien *réel* m'arrivait et, si j'avais voulu m'inventer des explications, j'aurais très bien pu le faire par moi-même. Mais il était trop tard pour reculer.

Cristaux en main, je fermai donc les yeux et entendis Claude prononcer ces mots : « Imaginez du bleu. Tout est bleu. »

Je ne sais pas si vous êtes comme moi, mais quand je ferme les yeux, la seule couleur que je vois, c'est du noir. Je m'exécutai tout de même.

« Bleu, répéta-t-elle. Tout est bleu. »

Je fis ce que je pouvais.

« Visualisez maintenant la couleur rouge. »

Rouge, pensai-je.

« Vert. »

Vert.

« Jaune. »

Jaune.

« Orange. »

Orange.

« Imaginez maintenant la couleur or. Le ciel, le sol, la montagne, la cascade, tout est couleur or.

D'accord, le monde entier est or.

« Tenez-vous sous la cascade d'or et sentez son eau d'or ruisseler sur vous. »

Vraiment, cette femme exagérait.

« Visualisez maintenant l'œil d'or, un œil d'or immense dans le ciel. Vous allez lui poser des questions. »

Il n'en fallut pas plus. Je rouvris les yeux, la regardai et lui demandai comment un œil pouvait bien me répondre.

« Refermez les yeux. Je vais vous indiquer quelles questions lui poser. »

« Comme vous voudrez », lui répondis-je en refermant les yeux.

« Demandez à l'œil combien de brins d'ADN vous possédez. »
À bout de nerfs et frustré, je rouvris de nouveau les yeux et lui dis : « Je pense *savoir* combien de brins d'ADN je possède, je suis médecin. » Je me mis ensuite à lui décrire l'ARN et l'ADN, les brins simples, les brins doubles et la formation en double hélice.

Elle m'écouta patiemment et, comme si rien de ce que je venais de lancer n'avait la moindre importance, elle me redemanda d'interroger l'œil.

Résigné, je refermai les yeux pour une troisième fois en me demandant comment me sortir de cette fumisterie. Pourquoi poser à cet œil (que je ne pouvais pas voir de toute façon) une telle question quand je savais d'avance que la réponse était deux. Il ne pouvait certainement pas répondre, étant donné qu'il s'agissait d'un œil et non pas d'une bouche. Maintenant, comment quitter cet appartement sans avoir l'air trop grossier ? Je rouvris soudain les yeux et, en la regardant, je m'entendis lui répondre clair comme le jour : « J'en ai trois. Il y a douze brins d'ADN. Douze. »

Comme on ne m'avait pas précisé qu'il s'agissait d'une question à deux volets, je ne compris pas pourquoi j'avais répondu ainsi. Sans compter que ma réponse allait à l'encontre de tout ce que j'avais appris jusque-là.

« Ah ! Vous êtes un Pléiadien », me dit-elle.

« Ah bon! C'est quoi un Pléiadien ? » lui demandai-je.

Elle m'expliqua que la constellation des Pléiades était formée de sept étoiles clairement visibles de la Terre (ce que je vérifiai comme étant vrai une fois rendu chez moi).

Claude me raconta ensuite qu'à une certaine époque, la Terre servait d'escale de lumière et d'information aux voyageurs intergalactiques. C'était une sorte de halte où ils s'arrêtaient pour se reposer, reprendre des forces et avoir accès à de l'information. La Terre était perçue comme une bibliothèque vivante. Le peuple qui dirigeait alors la planète était les Pléiadiens. Mais un conflit survint. Il en résulta un schisme idéologique et politique entre deux factions pléiadiennes. Chaque groupe voulait avoir du pouvoir sur l'autre ainsi que sur la planète tout entière. Étant donné que les membres de chaque faction étaient de force et d'intelligence égales, ils ne pouvaient entrevoir qu'un avenir de luttes interminables pour l'hégémonie. Trouvant cela inacceptable, les deux factions maintinrent une sorte de trêve jusqu'à ce que les scientifiques d'un des groupes trouvent une façon de « déconnecter » dix des douze brins d'ADN originaux des membres de l'autre groupe. Nous serions les descendants de ces Pléiadiens modifiés. *Qui l'eût cru ?*

Ceux qui posséderaient un troisième brin d'ADN et qui, en principe, seraient plus semblables à leurs ancêtres, seraient revenus apporter lumière et information à la planète. Exactement comme Fred me l'avait dit ou, plutôt, transmis par channeling.

Je n'affirme pas que je suis un Pléiadien ni même que les Pléiadiens existent. À ce stade-ci, je ne fais que vous inviter à continuer à lire ce récit.

Lâcher prise

De retour à la librairie ésotérique, je décidai d'effectuer un peu de recherche sur la petite pierre verte que j'avais dans ma poche. Je découvris que la moldavite n'est pas un cristal d'origine terrestre. Ce serait plutôt un fragment de météorite tombé sur la Terre près de l'Europe de l'Est il y a à peu près quinze millions d'années. Cette pierre aurait le pouvoir d'ouvrir les voies de communication avec les anges, les entités ou les êtres appartenant à d'autres dimensions. Était-ce vrai ? Cette pierre détenait-elle un pouvoir de communication interdimensionnelle ? *Je n'en savais rien.* Tout ce dont j'étais sûr, c'est que le channeling avait commencé à partir du moment où j'avais glissé cette pierre dans ma poche.

Avant même que les voix ne se manifestent par l'entremise de Fred, ma vie avait déjà pris une tournure de plus en plus étrange. Je me trouvais donc devant deux choix : ou je continuais sur cette nouvelle voie inconnue, ou je reculais. Qu'étais-je en train de faire ? Était-ce bien ? Était-ce mal ? Est-ce que j'écoutais les bonnes voix ?

Comment découvrir les intentions de la source de ces voix ?

Mon premier réflexe avait été de chercher réponse à ces questions auprès de tous ceux qui, selon moi, devaient s'y connaître en la matière : guérisseurs, médiums, métaphysiciens et autres. Ils étaient tous plus ou moins du même avis. Jusqu'à ce que j'aie réussi à cerner l'origine de ces voix, je devrais garder mes distances, me conseillaient-ils.

Je ne savais trop que faire. Fallait-il poser la question directement à la Source ? N'était-ce pas le dilemme classique ? Si la source de la voix était honnête, elle dirait la vérité. Dans le cas contraire, elle mentirait. Ce qui mènerait à la même conclusion. Devais-je avoir recours à une arme magique ? Devais-je porter un collier d'ail ? Me procurer un crucifix ? Je trouvais inconcevable que cette voix ou ces voix prennent la peine de venir du fin fond de l'univers pour manigancer une fabuleuse plaisanterie cosmique.

Je me rendais compte que toute cette démarche suscitait en moi une gamme d'émotions de plus en plus semblables, qui allaient de l'appréhension à la panique, en passant par une vive inquiétude. Il m'apparaissait évident que tous les conseils qu'on me donnait, quoiqu'ils fussent bien intentionnés, procédaient d'un seul et même sentiment : la peur. Je compris que je ne devais pas baser ce qui pourrait devenir la plus importante décision de ma vie sur la peur. Cela était évident et incontestable. Je décidai donc de faire confiance à cette force qui se manifestait par mon truchement.

CHAPITRE 8

Révélations

« Et c'est parti ! »

Jackie Gleason

Dès leur deuxième séance, chacun des trois patients qui, comme Fred, n'avaient émis que des sons la première fois, avait enfin formulé quelque chose d'intelligible. Comme je l'avais prévu, au tout début de la séance ils avaient tous renversé la tête en arrière, roulé les yeux vers le haut, remué la langue et prononcé des paroles. Et devinez ce que j'entendis ?

« Nous sommes ici pour vous dire de continuer à faire ce que vous faites. Cela apporte lumière et information à la planète. » Les paroles mêmes que Fred avait prononcées. Comble de surprise, ces patients ne connaissaient pas cet homme. En fait, ils ne se connaissaient même pas entre eux.

Et deux avaient ajouté : *« Ce que vous faites, c'est que vous "reconnectez" des filaments. »*

Quant au troisième, il avait dit quelque chose d'un peu différent : *« Ce que vous faites, c'est que vous "reconnectez" des brins (cordes). »* (NDT : *La traduction française ne peut rendre fidèlement ici le contexte du texte original, car le mot anglais* string *veut aussi bien dire « brin » que « corde ». L'auteur a donc supposé que les entités ont indifféremment appelé les brins d'ADN d'une autre façon* [strings *au lieu de* strands, *filaments au lieu de brins*].

En fait, les entités faisaient allusion à la théorie des cordes, qui se veut une théorie de l'unification.)

À sa visite suivante, Fred me montra les résultats d'une de ses séances d'écriture automatique. Il me précisa que la dernière phrase du texte me concernait. Celle-ci, écrite de sa main, se lisait comme suit : *« Ce qu'il fait, c'est qu'il "reconnecte" des brins (cordes). »* Deux jours plus tard, d'autres patients se mirent eux aussi à formuler des phrases. Après les séances, je les interrogeai pour savoir si ce genre de chose leur était déjà arrivé. Cela n'était pas le cas.

Apparemment, ils avaient tous été choisis pour servir de véhicules à ces voix, et même s'ils prononçaient parfois d'autres mots, tous répétaient les six mêmes énoncés :

1. *Nous sommes ici pour vous dire de continuer à faire ce que vous faites.*
2. *Ce que vous faites apporte lumière et information à la planète.*
3. *Ce que vous faites, c'est que vous « reconnectez » des filaments.*
4. *Ce que vous faites, c'est que vous « reconnectez » des brins (cordes).*
5. *Vous devez savoir que vous êtes un maître.*
6. *Nous sommes venus en raison de votre réputation.*

Bon d'accord, pensai-je, *ce que vous faites apporte lumière et information à la planète.* J'attendais toujours de savoir de quelle information il s'agissait.

Mais rien !

Mais quelle information ? demandai-je en pensée. *Comment faire pousser des tomates géantes ? Comment établir un réseau de défense interplanétaire ? Comment fabriquer une soucoupe volante ?* Je n'en avais toujours pas la moindre idée.

Dissolution

J'attendais encore et toujours que se réalisent les promesses énoncées. Puis, en avril 1994, un changement survint. D'abord, les voix commencèrent à se manifester plus difficilement. Les patients ne devenaient plus aussi aisément les supports involontaires de l'expression de ces voix. Peu à peu, les séances de channeling se firent moins fréquentes puis cessèrent totalement.

Sauf pour Fred, les séances de channeling avaient donc cessé et les voix s'étaient tues. Un peu avant, je m'étais demandé si tout ça n'avait pas été un énorme canular. Peut-être que ma réceptionniste avait choisi des patients au hasard et les avait convaincus de répéter ces répliques et, à mon insu, de me les dire durant les séances de détente.

Non, je savais bien qu'il ne s'agissait pas d'une telle mystification. Les voix étaient bien réelles. J'en éprouvais un sentiment de vide. Ces étranges manifestations, qui étaient devenues l'élément prédominant de ma vie, pouvaient-elles être choses révolues ?

Quand le channeling prit fin, plus de 50 personnes avaient prononcé les six énoncés. Étonnamment, aucune d'elles, sauf Fred, n'avait auparavant vécu d'expériences de channeling. Certaines en avaient été tellement ébranlées qu'elles n'avaient plus jamais remis les pieds dans mon cabinet. À peu de choses près, toutes décrivaient de la même façon les entités qui se manifestaient. J'avais ainsi la preuve que, durant les séances de guérison, il y avait véritablement quelqu'un d'autre que le patient et moi dans la pièce. Et cette autre personne ou cet « être » livrait son message par le truchement du patient devant moi. Les patients étaient-ils semblables à des récepteurs captant les divers signaux émis de tous les coins de l'univers, ou recevaient-ils un signal identique de la même source centrale ? Je l'ignore, mais je suppose que là n'est pas la question. Chose certaine, j'avais parfaitement reçu le message.

C'est sans doute pour cette raison que les manifestations avaient cessé. J'avais compris ! Ni moi ni personne d'autre ne pouvions nier que quelque chose de profondément réel avait été à l'œuvre. J'avais beau avoir encore besoin d'une confirmation de la part des entités, la source de ces manifestations jugeait que j'en savais suffisamment. Il était temps de cesser de vouloir en savoir davantage et de prendre conscience de ce que j'avais déjà reçu.

Quand on vit une expérience comme la mienne, on comprend qu'on est en contact avec une autre dimension. Je renonçai vite à l'idée du coup monté et me mis à attendre. Mais, en constatant que la mystérieuse « information » que je devais recevoir ne venait pas, j'en fus de plus en plus dérouté. Qu'avais-je fait pour qu'on me laisse ainsi tomber ?

Malgré tout, j'éprouvais encore les mêmes sensations aux mains et je continuais à « traiter » mes patients de la même manière qu'auparavant. Les guérisons s'opéraient toujours. En fait, c'est à cette époque que Gary me rendit visite et que survint une guérison que je qualifierais de « majeure ». Même si je désespérais de recevoir l'information promise, je n'arrêtais pas pour autant de travailler avec mes patients et de déplacer mes mains au-dessus de leur corps. De temps à autre, je voyais bien bouger les muscles de leur visage, surtout ceux de leur bouche, mais ils n'énonçaient jamais rien.

Néanmoins, à la fin des séances, ces gens me disaient avoir « vu » des choses. Ils décrivaient souvent des formes, des couleurs et... des êtres. Étaient-ce des anges, des guides, des entités, des esprits ? Qu'importe. Selon les descriptions qu'ils m'en donnaient, ces êtres étaient généralement dotés d'une forme humaine.

Intuitions et confirmations

J'avais enfin « compris » qu'un immense talent m'avait été imparti, talent que je décidai enfin d'accepter. C'est à ce moment-là que je reçus l'appel du réalisateur de l'émission de télévision américaine *The Other Side,* qui présente des reportages sur des phénomènes paranormaux. Il avait entendu parler de moi et souhaitait que je participe à son émission. J'acceptai son invitation. Gary m'y accompagna et y fit le récit de son expérience.

Après la diffusion de l'émission à l'été 1995, des gens commencèrent à arriver à mon cabinet de tous les coins du pays. Parmi ces gens, une femme du nom de Michele était venue me voir de Seaside, en Oregon. Pendant qu'elle était étendue sur la table et que je déplaçais mes mains au-dessus d'elle, tout ce que je remarquai, c'est que la circulation de l'énergie semblait susciter chez elle des mouvements involontaires de la musculature. Quand elle rouvrit les yeux, elle m'apprit qu'elle avait vu une femme, que celle-ci était une sorte d'ange gardien et qu'elle lui avait donné l'assurance qu'elle se rétablirait et guérirait bientôt.

L'histoire de Michele

Les spécialistes qui avaient examiné cette patiente lui avaient dit qu'elle souffrait du syndrome de fatigue chronique et de fibromyalgie. Ses symptômes étaient tellement aigus que plusieurs médecins croyaient qu'elle était sans doute aux prises avec d'autres problèmes. Ils lui prescrivirent donc un monceau d'analgésiques et d'autres médicaments. Sa vie n'était que douleur et épuisement. Tout lui était pénible et parfois même insurmontable, qu'il s'agisse de laver la vaisselle, de cuisiner ou ne serait-ce que de se lever le matin. Juste pour apaiser un peu ses souffrances, son mari devait parfois la transporter sous la douche chaude jusqu'à quatre fois par nuit. Elle était incapable de manger et ne pesait plus que 40 kilos. Un soir, alors que toute la maisonnée dormait, elle avait avalé au hasard plusieurs comprimés de divers analgésiques. En prenant ces médicaments, elle avait imploré Dieu : « Aide-moi. Je ne veux pas abandonner mes fils, mais je ne peux plus continuer comme ça. » Elle ne tolérait plus ses souffrances et ne savait plus où chercher appui.

Cette nuit-là, elle tomba finalement endormie sur le plancher de la salle de bain. Elle fut réveillée par les rayons du soleil qui entraient par la vitre. Prise de nausées et d'épuisement, elle se traîna jusqu'au canapé, s'y allongea et alluma le poste de télévision. Elle tomba sur l'émission télévisée à laquelle je participais avec un groupe de médecins. On y discutait de mes patients et du grand nombre d'entre eux qui avaient guéri de problèmes de santé inhabituels. J'y expliquais que ces guérisons semblaient survenir grâce à une « puissance supérieure » qui se manifestait par mon truchement. Michele appela sur-le-champ au réseau de télévision pour obtenir mon numéro de téléphone.

C'est dans une atmosphère de réconfort et de pénombre que se déroula sa première séance. Elle s'assoupit dès que je plaçai un doigt au-dessus de son cœur. Ensuite, je positionnai mes mains au-dessus de sa tête. Je sentis une chaleur envelopper tout son corps. L'énergie dans la pièce s'intensifia beaucoup et les yeux de cette cliente se mirent à bouger d'un côté à l'autre. Ses doigts se mouvaient à la manière d'un pantin. En même temps, son genou gauche remuait sans cesse, apparemment de son propre chef.

Je la laissai seule quelques instants. Pendant mon absence, elle avait eu la nette impression que quelqu'un s'était introduit dans la pièce, me dit-elle plus tard. En fait, elle avait entendu une douce voix de femme. Celle-ci s'était nommée, mais Michele précisa qu'elle était incapable de distinguer les mots que prononçait cette voix qui lui semblait quasi irréelle. Elle avait d'abord eu l'impression que l'attitude de cette femme exprimait un peu d'impatience. Mais elle comprit finalement que cette frustration venait du fait que cet être n'arrivait pas à se faire comprendre d'elle.

Elle lui révéla être son ange gardien et que son nom était Persil ou Persillade. Michele finit par comprendre qu'elle s'appelait Persillia. Cet ange lui dévoila ensuite quelque chose qui étonna beaucoup Michele : *Vous allez guérir et vous irez en témoigner à la télévision.* Je me rappelle qu'à cette époque-là, j'avais trouvé difficile de croire qu'un ange fasse mention de la télévision. Mais mon rôle n'était pas de remettre en question cette révélation. Persillia avait dit à ma cliente que sa vie allait recommencer, ce qui allait à l'encontre du pronostic fataliste des spécialistes.

Après cette séance, Michele retrouva l'appétit.

Sa seconde séance, qui eut lieu le lendemain, fut tout aussi spectaculaire. La présence de l'ange se manifesta de nouveau. Plusieurs parties du corps de Michele devinrent bouillantes, puis relaxèrent et redevinrent chaudes. Ses jambes se réchauffèrent au point d'en rougir. Persillia lui répéta plusieurs fois qu'elle était en voie de guérison. En fait, elle ressentit tellement d'énergie à la fin de cette séance, qu'elle alla faire des emplettes en compagnie de sa mère. Cette dernière dut même prier sa fille de ralentir un peu le pas. Elles en furent toutes deux agréablement étonnées.

Au cours des troisième et quatrième rencontres, l'ange lui révéla qu'elle était guérie et qu'elle allait peu à peu constater d'autres transformations en elle. Michele eut des visions de fleurs dont les couleurs lui étaient jusque-là inconnues et sentit de la joie partout autour d'elle. Elle comprit que chacun avait sa raison d'être. L'ange lui demanda aussi de consacrer plus de temps à ses fils.

Michele revint bientôt à une vie normale. Elle prit du poids, se mit à faire de l'exercice tous les jours et, petit à petit, se consacra à temps plein à sa propre entreprise.

Quelques précisions

Avant de rencontrer cette femme, j'avais déjà entendu bon nombre de mes patients me brosser un portrait, comme elle l'avait fait, d'anges ou d'êtres d'allure humaine. Je me disais qu'avec le genre de travail que j'effectuais, il n'était pas surprenant que j'attire des gens qui prétendaient avoir des visions angéliques.

Un mois ou deux après la guérison de Michele, j'eus la visite d'un homme qui, bien qu'il ne fût pas malade, voulait juste faire l'expérience de ce qui se passait dans mon cabinet.

Après sa séance, il me dit : « J'ai vu une femme qui m'a invité à vous rappeler qu'elle était encore présente et que vous sauriez qui elle est. Elle m'a d'abord semblé un peu impatiente, mais j'ai compris qu'elle était seulement frustrée de ne pas arriver à faire comprendre son nom. J'ai saisi quelque chose comme Persillade. Elle était également désireuse de savoir si j'étais disposé à témoigner de ma séance à la télévision. »

Estomaqué, je me demandais si cette Persillade n'était pas l'ange des relations publiques. Mais je savais qu'elle était plutôt la confirmation tant attendue.

Je ne revis jamais cet homme. Il ne connaissait aucun de mes patients et, pourtant, il connaissait cet ange et son curieux nom.

L'histoire se corsait.

Peu de temps après, une femme du New Jersey m'amena sa fille de 11 ans. Celle-ci souffrait de scoliose, une déviation transversale de la colonne vertébrale. En rouvrant les yeux, après la séance, la fillette avait l'air très surprise. Comme à l'habitude, je la questionnai sur ce qui s'était passé et sur ce qu'elle avait remarqué.

« J'ai vu un tout petit perroquet multicolore. Il m'a dit s'appeler George. Mais, après ça, il n'était même plus un perroquet, même plus une forme vivante. »

Cette enfant de 11 ans avait dit « forme vivante ». Étonnant !

« Après cela, il est devenu mon ami », ajouta-t-elle.

Quelque temps plus tard, un homme vint me voir, lui aussi, pour une séance. En revenant à lui, il me raconta qu'il s'était vu au pied d'une statue de marbre, dans une cour près d'une fontaine romaine ou grecque, et que, par terre à sa droite, il y avait un tout petit perroquet qui répondait au nom de George. Il ajouta que soudain ce perroquet n'en était plus un et que par la suite cet être était devenu son ami.

Hormis l'omission de « forme vivante », cet homme avait employé exactement les mêmes paroles que la fillette de 11 ans.

Quand je me décidai enfin à raconter ce qui se passait dans ma vie à une cousine dont je respectais beaucoup l'avis, mon incertitude était à son comble. J'avais eu besoin de tout mon courage pour lui décrire les cloques et les saignements, les patients qui perdaient conscience et de qui émanaient des voix inconnues.

Elle me répondit que si qui que ce soit d'autre lui avait tenu ces propos, elle ne l'aurait pas cru. Mais elle savait que je ne pouvais pas inventer une telle histoire. « Je te connais depuis trop longtemps. Tu es quelqu'un de beaucoup trop sensé pour ça. » En entendant cette cousine – celle-là même qui me gardait quand j'étais petit – me décrire comme une personne raisonnable, je me rendis compte que je n'avais aucune idée de la perception qu'on avait de moi et à quel point cette perception différait de la mienne. Comme elle, d'autres gens affirmaient me croire parce que c'était moi, parce que j'étais un être sensé et sincère, parce que j'étais sceptique face à ce genre de choses.

Moi sensé, sincère, sceptique ? Je savais pouvoir être un peu incrédule, surtout quand on me qualifiait de quelqu'un de sensé. Je savais bien que je pouvais parfois l'être, mais j'ignorais qu'on me percevait ainsi.

Malgré ce vote de confiance, j'étais encore réticent à m'entretenir de tout cela avec mes parents. Je me souviendrai toujours de la réaction de mon père, quand je me décidai enfin à tout lui raconter. « Ne change jamais ton cabinet d'endroit ! » Comme si les anges ou le fantôme qui avait hanté l'édifice de place Melrose avaient une adresse fixe !

J'étais heureux de constater que les guérisons, ainsi que les manifestations d'anges et de couleurs qui les accompagnaient, continuaient de se produire même quand j'étais en déplacement. S'il est vrai que ces entités avaient élu domicile à place Melrose, elles jugeaient bon de s'informer de mon itinéraire et de se joindre à moi par leurs propres moyens !

Le courage de ses convictions

Les guérisons étaient de plus en plus spectaculaires. Malgré la satisfaction que j'en tirais, ces résultats me laissaient sur ma faim. Je voulais savoir pourquoi de telles guérisons s'opéraient. De quel phénomène procédaient-elles ? Quel en était le sens ? Je ne cessais pas une minute de vouloir comprendre.

Je décidai d'assister à un séminaire de trois jours présenté par le docteur Deepak Chopra, l'un des piliers de la synthèse de la médecine, de la spiritualité, de la physique quantique à la sagesse ancestrale. Pour la plupart, les participants à ce séminaire étaient des médecins et des professionnels de divers domaines. En raison de mon expérience avec Brian Weiss, j'étais confiant de pouvoir obtenir un bref entretien avec le docteur Chopra et que celui-ci pourrait m'apporter quelques éclaircissements quant aux manifestations et aux guérisons dont j'étais témoin. J'avais remarqué qu'il y avait des microphones sur pied ici et là dans la salle. Sans doute pour permettre aux participants de poser des questions au docteur Chopra, pensai-je.

Depuis le début du séminaire, aucun membre du personnel n'avait parlé de la fonction de ces microphones ni de périodes consacrées aux questions des participants. Le temps passait, et toujours rien. Le deuxième jour, juste avant la pause du midi, n'y tenant plus, je levai le bras et demandai au docteur Chopra s'il donnerait aux participants l'occasion de lui poser des questions.

Quelle ne fut pas ma surprise de l'entendre répondre : « Vous avez une question ? »

« Oui, j'en ai une. »

« Je vous en prie, allez au micro et posez-la. »

J'entrepris donc une marche apparemment interminable jusqu'au microphone situé le plus près de moi. Dans le silence complet qui s'était soudain abattu dans la salle, je devins très conscient du bruit de mes pas, pouvant presque entendre les commentaires secrets des autres participants.

Qui c'est ce gars-là ?

Pourquoi a-t-il le droit de poser une question ?

J'en avais une question, moi aussi.

Je pourrais être en train de manger à cette heure-ci.

C'est mieux d'être intéressant.

Quand j'atteignis enfin le micro, le docteur Chopra m'invita à poser ma question.

C'est à ce moment-là que je pris conscience de ne pas avoir eu le temps d'en formuler une. Même si j'en avais eu une, je n'aurais pas pu la poser sans préalablement exposer brièvement les phénomènes qui faisaient partie de ma vie depuis août 1993. J'essayai donc de décrire aussi succinctement que possible les voix, les cloques, les saignements, en espérant que, à la fin de cette entrée en matière, la question du siècle s'imposerait à mon esprit.

À la fin de ce résumé, je ne trouvai rien d'autre à dire que : « Je sais pertinemment que ce que je raconte peut sembler assez bizarre, mais je me demande si vous avez une certaine compréhension de tout cela ou des conseils à me donner. »

En fin de compte, ce n'était pas vraiment une question. Le docteur Chopra se pencha vers l'auditoire et me demanda : « Quel est votre nom de famille ? »

Pris de court, je balbutiai : « Pearl ! »

Il acquiesça de la tête et lança : « J'ai entendu parler de vous. » Se tournant vers les participants, il ajouta : « Je veux que tout le monde sache que ce que vient de nous raconter cet homme est authentique. » Puis, devant tout le monde, il m'invita à venir prendre part aux recherches menées au Chopra Center for Well Being, le centre de recherche sur le mieux-être qu'il a créé à La Jolla, près de San Diego.

Le seul conseil qu'il eut pour moi ce jour-là fut, et je ne l'oublierai jamais : « Gardez votre cœur d'enfant. »

Le début des recherches

Comme on me l'avait prédit, un nombre croissant de réalisateurs de télévision me demandèrent de prendre part à leur émission. Les responsables du réseau Fox voulaient que je participe à une entrevue dans le cadre d'un important congrès tenu dans la région de San Francisco avec d'autres experts, dont le docteur Andrew Weil, le célèbre docteur à barbe blanche qui a écrit l'ouvrage à succès *Eating Well for Optimum Health*. Le docteur Weil revendique très publiquement le mariage entre les pratiques médicales conventionnelles et les thérapies nouvelles.

Avant mon départ pour ce séminaire, je reçus par Internet un message inopiné de mes parents. À ma grande surprise, ils m'y apprenaient que mon père et celui du docteur Weil avaient plusieurs années auparavant participé à la même campagne électorale municipale et avaient siégé pendant longtemps aux mêmes conseils administratifs. En fait, mes parents et les siens avaient entretenu des relations amicales. J'ignore pourquoi ce menu détail n'avait jamais fait surface avant.

Ma mère me raconta une anecdote touchante concernant le père du docteur Andrew Weil, Dan Weil. Au début des années 80, mon père avait subi un quadruple pontage. Durant sa convalescence, Dan Weil, un homme affectueux et bienveillant, avait envoyé à ma mère, et non à mon père, une lettre dans laquelle il lui faisait remarquer que, lorsque surviennent de telles épreuves, la plupart des gens adressent leurs souhaits au convalescent et négligent la conjointe à la maison qui a souvent le plus grand besoin de soutien. Mes parents n'oublièrent jamais cette preuve d'attention et d'encouragement. Dan Weil n'étant plus de ce monde, mes parents avaient pensé que son fils aimerait savoir combien ce geste de la part de son père les avait émus. Ils voulaient que je remette en leur nom un mot à ce sujet au docteur Weil.

J'arrivai à la réception de l'hôtel en même temps qu'Andrew Weil. Je me présentai et lui remis la lettre de mes parents. Il me demanda s'il pouvait emporter la lettre que son père avait adressée à ma mère. Il souhaitait la montrer à sa propre mère. Après un bref échange de politesses, nous nous quittâmes et je pensai que je ne le reverrais sans doute pas.

Ce soir-là, je reçus un appel de la responsable qui avait non seulement planifié les interviews mais qui devait aussi les mener le lendemain. La semaine précédente, elle avait eu un accident d'automobile et s'était fracturé des côtes. Elle devait marcher à l'aide d'une canne et, en raison de ses côtes fracturées, respirait très péniblement. Elle en avait même de la difficulté à parler. Pas tout à fait les conditions idéales pour diriger une entrevue ! Elle me demanda si je pouvais la recevoir en séance ce soir-là. J'acceptai volontiers. Cette rencontre allait devenir un autre élément important du synchronisme des événements.

Le lendemain matin, le docteur Weil, dont l'entretien avait lieu immédiatement après le mien, entra dans la salle au moment où l'intervieweuse me remerciait de la séance de la soirée précédente. Elle m'expliqua qu'elle n'avait plus besoin de canne pour marcher et qu'elle pouvait respirer assez librement pour mener les interviews.

Sur ce, le docteur Weil me demanda ce que j'avais fait. Je lui exposai brièvement ma démarche. Il ne lui en fallut pas plus pour m'inviter à prendre la parole devant les professeurs de son programme de médecine intégrée à l'université de l'Arizona. Grâce à cette invitation inespérée, j'eus le bonheur de rencontrer Gary E. R. Schwartz, directeur de la faculté des Systèmes énergétiques humains de l'université de l'Arizona. Lui et sa femme, Linda G. S. Russek, ont écrit *The Living Energy Universe*. Dans cet ouvrage, ils avancent l'hypothèse que tout ce qui existe est animé, possède une mémoire et évolue. Ils tentent d'y élucider de grandes énigmes de la science conventionnelle ainsi que les mystères de l'homéopathie, de la vie après la mort et des pouvoirs médiumniques.

J'acceptai également l'invitation de Gary Schwartz à venir à la faculté y mener des recherches sur les guérisons.

La croisée des chemins

Les choses se précipitèrent. La tentation était grande de continuer de me laisser porter par cette vague. Mais je devais songer au cabinet de chiropraxie que j'avais mis des années à mettre sur pied et à faire prospérer. Je n'aidais pas du tout ma carrière en consacrant tout mon temps à cette « énergie de guérison » et au channeling. Comme je l'ai souligné précédemment, certains des patients qui avaient vécu malgré eux l'expérience du channeling avaient tellement été secoués qu'ils n'étaient pas revenus. De plus, il n'était pas du tout rassurant pour les patients allongés dans les salles d'attente adjacentes d'entendre des voix au timbre bizarre émaner d'une autre pièce.

« Tu dois avoir perdu la tête, me répétai-je souvent. Tu as des obligations : une hypothèque, un prêt automobile à rembourser, une entreprise qui doit rouler si tu veux joindre les deux bouts. Tu devrais t'en tenir à la chiropraxie. »

Mais je savais que ce n'était pas ce que les entités entendaient par : *Nous sommes venus vous dire de continuer à faire ce que vous faites*. Et même si de temps à autre la fréquence des guérisons diminuait, je continuai de faire ce que je faisais.

Je ne pouvais toutefois pas m'empêcher de me demander : « Pourquoi moi ? » On m'avait expliqué que cette question émanait de l'ego. Soit, mais quand ta vie est complètement chamboulée et que tous les principes de la réalité que tu croyais fondamentaux ne s'appliquent plus, tu meurs d'envie de poser cette question.

En réfléchissant à l'énoncé « *Ce que vous faites apporte lumière et information à la planète* », il m'apparaissait évident qu'il y avait là autre chose que les « guérisons », du moins dans le sens courant de la notion de guérison. Quant à l'énoncé « *Vous devez savoir que vous êtes un maître* », il avait aussi une connotation assez éloquente. Le problème dans tout cela, c'était que je ne me considérais pas comme un très bon candidat au métier de prophète. J'avais toujours aimé festoyer, bringuer, trinquer, passer la nuit à fêter. Je dois tout de même avouer que, depuis la rencontre de Venice Beach, ma fascination, voire mon obsession, pour ces passe-temps avait beaucoup diminué. Et encore plus depuis le jour où, par la vitre de mon bureau, j'avais vu Gary gravir péniblement les marches d'escaliers jusqu'à mon cabinet. De plus, je me disais que d'autres me semblaient beaucoup plus « dignes » de cette mission. Je n'y comprenais rien.

Peut-être m'avait-on désigné parce que je n'ai jamais eu la langue dans ma poche et que je suis prêt à aller sur la place publique et à parler de choses étranges. Peut-être aussi parce que j'arrive à rallier des opposés. Je me présente assez bien et, lorsque j'ai à prendre la parole devant des médecins, des enseignants et des chercheurs, comme je le fais fréquemment dans les milieux hospitalier et universitaire, je parviens à expliquer assez clairement des notions pour le moins « bizarres ». Je n'ai aucun problème non plus à m'entretenir avec des spiritualistes purs et durs. Les tenants respectifs de ces deux domaines (la science et la métaphysique) semblent s'être cantonnés dans des positions antagonistes et passent leur temps soit à s'invectiver, soit à s'ignorer les uns les autres. J'arrive, semble-t-il, à les rapprocher, à les aider à s'écouter mutuellement et à reconnaître qu'ils peuvent avoir des choses à s'apprendre.

En fin de compte, peut-être avais-je été choisi bien avant de pouvoir penser à tout cela. Peut-être avais-je été désigné le jour où j'étais venu au monde et où ma mère était revenue à la vie. Ce jour où la splendide Lumière lui avait appris qu'elle devait retourner sur terre pour m'élever. Peut-être m'avait-on confié ma future mission à ce moment-là. Et peut-être étais-je en train de revenir à cette mission.

Guérisseur, enseigne-toi toi-même

La guérison de Gary et notre participation commune à une émission télévisée avaient été deux points tournants dans ma vie. J'étais soudain assailli par deux types de personnes : celles qui voulaient être guéries par moi et celles qui désiraient que je leur enseigne comment guérir. À un moment donné, des représentants de divers établissements pédagogiques me demandèrent tous d'enseigner chez eux.

Je ne cessais de leur répéter : « Ça ne s'enseigne pas. Comment pourrait-on enseigner une chose pareille ? Personne ne me l'a enseignée, à moi. C'est arrivé tout seul. »

Mais ils s'évertuaient à me répondre que « bien sûr, ça s'enseigne. Que beaucoup de gens enseignent comment guérir. Les librairies sont pleines de livres et de cassettes à ce sujet. » Puis, ils me débitaient une litanie de noms d'auteurs et de titres d'ouvrages, dont plusieurs sont très bien connus. Mais après avoir lu ces livres et écouté ces cassettes, j'en conclus que les instructions contenues dans ces ouvrages se résumaient plus ou moins à ceci : Faites allonger ou asseoir le client, placez-vous du côté droit ou gauche – selon l'ouvrage consulté –, mettez votre main droite à un endroit, votre main gauche à un autre, approchez la main droite de la main gauche et déplacez ensuite votre main gauche ailleurs le long du corps… [N'ayez crainte, car non seulement le manuel d'instructions vous précisera où mettre vos mains, dans quelle direction regarder et vous déplacer, mais aussi quelles pensées avoir pendant que vous faites tout cela.]

Ce n'étaient pas là des instructions sur comment guérir mais sur comment exécuter des pas de danse. Le monde avait-il besoin d'une autre leçon de danse ?

Je constatais également que les innombrables séminaires grands ou petits portant sur la guérison n'enseignaient pas grand-chose eux non plus, et ce, qu'il en coûte très peu ou une petite fortune pour s'y inscrire. À propos de petite fortune, je ne crois pas qu'il soit nécessaire d'investir 40 000 dollars dans un cours de quatre ans sur les guérisseurs et les hypnotiseurs pour devenir soi-même guérisseur. Pour paraphraser le docteur Reginald Gold, chiropraticien et philosophe, un tel cours ne fait pas de vous un guérisseur, mais un historien. Autrement dit, la plupart de ces cours ne vous apprennent pas comment guérir. Ils ne font que vous enseigner ce que pensait tel ou tel guérisseur. Et, comble de malchance, ils enseignent aussi quoi penser.

Chaque fois que j'abordais un livre, une cassette ou un séminaire sur la guérison, j'avais toujours beaucoup d'espoir. Mais, chaque fois, je me retrouvais face à des notions spirituelles toutes faites et trop souvent servies. Quand je participais à des séminaires sur la guérison, je constatais qu'il y avait deux types de participants : ceux qui se pâmaient d'admiration devant toute nouvelle connaissance qu'on leur servait et ceux qui acquiesçaient sans cesse de la tête en souriant non pas discrètement comme ils le feraient dans l'intimité de leur foyer pour approuver en aparté un texte lu ou des paroles entendues à la radio, mais par de grands signes de tête évidents et ostentatoires signifiant clairement à leur entourage qu'ils étaient déjà au courant des idées exposées et que cette connaissance venait confirmer leur valeur auprès des autres. Il ne faut pas oublier que la quête de croissance spirituelle n'est pas nécessairement exempte du besoin de prouver sa supériorité.

Ces expériences ne faisaient que me démontrer de plus en plus ce que j'avais conclu précédemment : « Ça ne s'enseigne pas. » Et je le crois toujours.

Pourquoi ai-je donc écrit ce livre ? Eh bien, en raison d'un phénomène qui se produisait de plus en plus fréquemment dans mon cabinet et que j'avais omis de remarquer tellement j'étais occupé à découvrir si et comment on pouvait enseigner aux autres à guérir. Bon nombre des personnes qui étaient venues me voir en vue d'une guérison m'appelaient, souvent après la première séance, pour me faire part de manifestations étranges qui se produisaient chez elles, dont des appareils ménagers qui se mettaient à fonctionner puis s'arrêtaient d'eux-mêmes, et ce, plusieurs fois.

Les pannes étaient rarement permanentes, quoiqu'on aurait pu le croire parfois. Car, si certaines pannes ne duraient que quelques minutes, d'autres pouvaient s'étaler sur plusieurs jours. La durée de la panne semblait être directement proportionnelle aux dimensions de l'appareil. Et c'était comme si ces objets inanimés s'animaient soudain. La plupart des gens avaient l'impression qu'on voulait ainsi entrer en communication avec eux. Je crois effectivement que quelqu'un tentait de leur dire : « Je suis ici, j'existe vraiment. »

Ces mêmes personnes me racontaient aussi qu'elles éprouvaient aux mains d'étranges sensations de chaleur et d'électricité ou de fraîcheur et de brise. Quand elles les approchaient de quelqu'un qui avait un malaise ou une maladie, les symptômes diminuaient ou disparaissaient. Elles voyaient des gens guérir du psoriasis, de l'asthme et de problèmes chroniques. Ces guérisons s'opéraient habituellement du jour au lendemain, et souvent immédiatement. En entendant ces témoignages qui se multipliaient, je compris que, même s'il est impossible d'enseigner à quelqu'un comment guérir, on peut d'une certaine façon lui communiquer cette faculté. On peut en fait lui enseigner à la reconnaître et à la développer. C'est ce à quoi je tends dans ce livre.

Je me décidai donc à accepter l'invitation d'un des organismes désireux que je donne un cours sur la guérison. Il ne restait plus qu'à réunir les gens intéressés.

Puis, le soir du cours arriva enfin. En route vers l'endroit en question et coincé dans la légendaire circulation de pointe de Los Angeles, je pris la décision de donner mon cours sans me servir de mes notes. En entrant dans la salle, je trouvai 25 personnes qui avaient déjà pris place. Je ne m'attendais pas à ce qu'il y ait tant de participants. J'allai jusqu'à l'avant de la salle, décidai de ne pas utiliser le tabouret et l'estrade, retirai mes chaussures et m'assis en tailleur sur une table pliante qu'on avait sans doute mise là à mon intention et qui me fit l'honneur de ne pas crouler sous mon poids. « Je sais que vous êtes tous venus entendre ce que j'ai à dire, déclarai-je. Moi aussi. »

Je leur racontai d'abord ce qui m'était arrivé en août 1993, puis je répondis à leurs questions. Après cela, je procédai à « l'activation » de leurs mains. Je leur enseignai comment jouer (ou devrais-je dire comment travailler) avec ces nouvelles fréquences énergétiques. Et, après leur avoir demandé de me passer un coup de fil si quelque chose d'intéressant se produisait, je laissai partir cette bande de nouveaux « guérisseurs » sur une planète qui ne se doutait de rien.

Après cela, mon téléphone n'arrêta pas de sonner.

Tel est pris qui croyait prendre

Le chemin jusqu'ici a été long, bizarre, passionnant et parfois même troublant. Mais je suis à peu près certain d'être là où je dois être. Je trouve ironique que le gars qui ne tenait pas en place, qui séchait ses cours aussi souvent que possible, qui se mettait les professeurs à dos à la moindre occasion, soit lui-même devenu un enseignant.

Le reste du livre raconte une partie de cette démarche. Au fil des séminaires que j'ai présentés, j'ai découvert que les gens avaient besoin de très peu de formation pour être capables d'entrer en contact avec cette énergie et l'employer comme elle veut l'être. D'une certaine manière, apprendre à recourir à cette énergie, c'est un peu comme apprendre à maîtriser le tango. On peut sans doute y parvenir en étudiant des illustrations dans un bouquin, mais on apprend plus rapidement et plus efficacement en regardant une vidéo. Toutefois, il est encore plus efficace de s'inscrire à un studio de danse et de prendre des leçons privées avec un professeur attitré. Il en va de même pour la guérison. Le reste de cet ouvrage fournit une multitude de renseignements véhiculés au moyen du langage. Toutefois, beaucoup plus d'information sera transmise par autre chose que les mots, qu'il s'agisse d'encodage, de vibration ou d'autre chose. Après la lecture de ces pages, il vous sera en effet possible de vous adapter peu à peu à la présence en vous de cette énergie. Car, à des degrés divers, la capacité à capter et à utiliser ces nouvelles fréquences énergétiques est communiquée à ceux et celles qui s'y initient par l'entremise du langage écrit et d'autres formes de communication. Ce n'est certes pas aussi efficace qu'une leçon privée, mais c'est tout de même un bon début.

PARTIE II

La guérison par la « reconnexion » et sa signification

*« Les lignes droites du temps sont en fait
les fils d'un réseau qui s'étend à l'infini. »*
Extrait de *Living this moment, Sutras for Instant Enlighthenment*

CHAPITRE 9

Je veux en savoir plus

« Il existe un grand besoin de rapprochement
entre la religion et la science,
tout autant qu'il en existe un entre l'intuition et la raison,
et l'expérience et la connaissance. »

Jonas Salk

Comme je l'ai déjà dit, après ma seconde séance avec la gitane de Venice Beach et les événements subséquents, je me consacrai totalement à ce qui m'arrivait pour en comprendre les tenants et les aboutissants. Le fait que je me mis à consulter volontiers des livres en dit beaucoup sur ma motivation. Mais je ne m'arrêtai pas là. À part les « spécialistes », les médiums et les magnétiseurs à qui je rendis visite ou qui le firent, je posai des questions à quiconque pouvait me donner la moindre indication quant à ce qui se passait : curés, rabbins, kabbalistes, gourous, et tout ce que vous voudrez.

Dans l'ensemble, mon impression était que personne ne savait vraiment ce qui se passait. Du moins, personne de ce monde. Ou bien les gens n'en savaient que des bribes. Ils n'avaient certainement pas une vue d'ensemble de la chose. Ou peut-être confondaient-ils mes expériences avec ce qu'ils avaient lu ou appris mais qui n'avait aucun rapport avec mon cas. Ce qui arrivait le plus souvent, c'est que tous voulaient expliquer ce phénomène en fonction des paramètres sécurisants de leur confession ou de leur système de croyances respectif au lieu de simplement observer le phénomène pour ce qu'il était. Ils voulaient en quelque sorte le contraindre à entrer dans le cadre de leur confection, cadre beaucoup trop étroit et limité.

Je voulais en savoir plus et je voulais aussi que cela vienne de quelqu'un qui avait une vue d'ensemble de la chose. En fait, je voulais moi-même entrer en communication avec ces *anges*, ces *êtres,* et converser avec eux. J'eus beau essayer, rien n'y fit. Et je peux vous assurer que cela fut plus que frustrant. J'avais suffisamment observé et écouté mes patients pour savoir que ces anges étaient réels.

Tout le monde les voyait, les entendait et sentait leur odeur, sauf moi. Dire que je me sentais évincé serait un euphémisme. Je me résignai donc à essayer de communiquer aussi souvent que je le pouvais avec ces êtres, du moins indirectement, par le truchement de Fred. Il faut que vous sachiez que je ne tombe pas facilement dans le panneau par flatterie ou par gentillesse. Le terme « Nouvel Âge » ne m'impressionne pas vraiment et j'ai de sérieux doutes en ce qui concerne une grande partie des gens qui prétendent avoir des dons paranormaux spéciaux et uniques. Surtout lorsque, en réalité, il s'avère qu'un grand nombre d'entre eux se présentent ainsi tout simplement pour se distinguer de la foule, acquérir une certaine notoriété ou contrebalancer un complexe d'infériorité. Je ne vois pas d'auras et je ne suis pas un médium. Donc, en ce qui a trait aux médiums, regardons les choses en face : pas besoin d'être Linda Blair (NDT : la jeune actrice qui tenait le rôle de la petite fille dans le film *L'exorciste*) pour gémir, s'agiter et parler avec une voix qui ressemble à celle d'un vieux disque en vinyle démodé que l'on fait jouer à différentes vitesses. Par contre, lorsque plus de 50 personnes qui ne se sont jamais rencontrées prononcent exactement les mêmes paroles et rapportent, sans qu'on le leur ait demandé, avoir vu les mêmes entités dont on n'a jamais entendu parler... eh bien, là, il me semble qu'il serait déraisonnable de ne pas accepter le fait que quelque chose d'authentique est en train de se produire.

Mais que se produit-il exactement ? Et d'abord, d'où cette énergie de guérison provient-elle ? Qui l'envoie ? Comment réussit-elle à
faire ce qu'elle fait ?

Même si les entités étaient disposées à parler de la plupart des
choses, il reste que les séances de channeling étaient tout de même la
seule source d'information. En fin de compte, j'ai découvert qu'il y
avait une autre source...au plus profond de moi. (Parfois, le courage
consiste simplement à aller au plus profond de soi et à faire confiance à
ce qu'on en ramène. Mais ceci est une tout autre histoire).

Ce que j'en suis venu à nommer « reconnexion » (terme employé
dans les troisième et quatrième énoncés rapportés par mes patients)
n'est pas le fruit de l'imagination. À part me fier aux six énoncés cana-
lisés par mes patients et aux êtres spirituels d'autres dimensions pour en
confirmer et en valider l'existence, j'en ai également fait la preuve flagrante par la pratique et dans les laboratoires scientifiques, par le biais
d'expériences. Ce phénomène est le processus premier à partir duquel
s'effectue une « reconnexion » avec l'univers, contact qui permet à la
guérison de s'accomplir. Ce genre de guérison et les fréquences évolu-
tives qui leur sont propres forment une nouvelle largeur de bande et
nous sont transmises par un spectre de lumière et d'information qui n'a
encore jamais existé sur terre. Et c'est par l'intermédiaire de cette
« reconnexion » que nous pouvons interagir avec de nouvelles dimensions de lumière et d'information, par l'intermédiaire de ces nouvelles
dimensions de lumière et d'information que nous pouvons rétablir la
« connexion ».

Vous voilà maintenant fin prêts à vous faire une idée sur ce processus, son origine et son fonctionnement. Quelque chose de nouveau
vous attend. Ce phénomène est différent de tout ce qui est. Il est réel
et en train de s'amorcer en vous.

Fort heureusement, il n'est pas nécessaire d'élaborer de farami-
neuses histoires quant à la source ou à la nature de cette énergie.
Pourquoi ? Parce que les dernières découvertes dans les domaines de
la physique nucléaire et de la physique quantique viennent confirmer
ce genre de guérison. Et par ces découvertes, les vérités auxquelles
nous, les humains, avons toujours cru sont totalement renversées, le
temps est inversé, la gravité s'intensifie avec la distance, et la matière
et l'énergie se fractionnent pour former des cordes vibrantes ayant la
forme de boucles.

CHAPITRE 10

Brins et filaments

*« Dans la perspective de la sensorialité multiple,
les révélations, les intuitions, les pressentiments
et les inspirations sont des messages de l'âme
ou d'intelligences plus évoluées qui viennent lui prêter
main-forte au cours de son évolution. »*

Gary Zukav, auteur de *The Seat of the Soul*

La réalité de l'au-delà

Nous autres, êtres humains, sommes curieux de nature. Nous voulons toujours savoir le « comment » et le « pourquoi » des choses, même lorsque les réponses à nos questions ne nous font aucun bien. Et c'est fréquemment le cas. Souvent, les « comment » et les « pourquoi » peuvent grandement nous démunir de notre pouvoir. Et malgré cela, depuis le début, je ne faisais que poser ce genre de questions : « Comment ? », « Pourquoi ? », « Comment cela fonctionne-t-il ? », « Pourquoi est-ce là ? », « Qu'est-ce qui se passe ? ». Je n'ai d'ailleurs jamais eu de réponse me satisfaisant.

Je sais que tout le monde n'insiste pas autant pour obtenir des réponses à ses questions. Certaines personnes ne posent tout bonnement pas beaucoup de questions. Elles lisent quelque chose et y croient. Leurs amis leur parlent d'autre chose et elles y croient aussi. Combinée à ce que je surnomme le « facteur Lemming », la crédibilité excessive amène les gens à se précipiter en masse d'une vague Nouvel Âge à une autre, en quête de réponses, et à se noyer dans une mer de perpétuelle indécision.

Ce n'est qu'après avoir réalisé que je n'aurais plus aucune réponse à mes questions – du moins de sources extérieures – que j'en vins à la conclusion qu'il n'était peut-être pas important que je sache. Peut-être le fait de savoir aurait-t-il même l'effet inverse. Par contre, j'avais obtenu certains indices intéressants dont je voudrais vous faire part.

« Ce que vous faites, c'est que vous "reconnectez" des filaments. »

« Ce que vous faites, c'est que vous "reconnectez" des brins (cordes). » (Voir notes 3 et 4 à la page 79 du chapitre 8.)

Comme je l'ai mentionné auparavant, il s'agit des troisième et quatrième énoncés prononcés par un certain nombre de mes patients. De par ma propre expérience, je sus immédiatement à quoi les termes « filaments » et « brins » faisaient référence. Lorsque nous nous servons de cette énergie de guérison, nous faisons bien plus que remédier à un problème particulier. En fait, nous rétablissons une « connexion » entre des brins, des brins d'acide désoxyribonucléique ou ADN. L'ADN est une molécule complexe composée de deux brins reliés entre eux selon une chaîne hélicoïdale semblable à une échelle vrillée. La science nous enseigne que chaque être humain possède ces deux brins dans chaque molécule d'ADN de son corps et que c'est cet ensemble qui constitue la base de son code génétique, de son engramme. De cette infime quantité de matière provient donc la structure de notre corps, de notre cerveau et une grand partie des traits de notre personnalité.

Mais ce que la science ne nous enseigne pas – du moins pas encore –, c'est qu'il se peut que nous ayons déjà eu 12 brins d'ADN ayant évidemment contenu bien plus d'information que de nos jours ! (Oui, oui, je suis bon pour l'asile ! Même si je m'étais juré de ne pas le faire, je l'ai dit.) Par conséquent, le rétablissement de la « connexion » entre les brins implique que, au lieu de continuer à évoluer selon un mode quasi linéaire, la race humaine bénéficiera de ce retour aux sources dans le temps en ramenant des caractéristiques de l'époque où nous étions un peuple plus entier.

C'est ce qui se produit actuellement par le phénomène de « reconnexion » : nous rétablissons le contact avec ce que nous avons déjà été.

« Ce que vous faites, c'est que vous "reconnectez" des filaments. »

« Ce que vous faites, c'est que vous "reconnectez" des brins (cordes). »

Au début, je pensais que ces deux phrases signifiaient la même chose. Des personnes emploient le terme « filaments », d'autres, le terme « brins ». C'est tout. Question de sémantique. Puis, un jour, j'entendis parler d'un concept propre à la physique quantique et je compris que j'étais complètement passé à côté de ce que les entités avaient voulu dire par les termes « brins » et « cordes ».

Dans cette phrase, il n'était en fait aucunement question d'ADN. Il était plutôt question de plans simultanés d'existence (de plans parallèles). De physique subnucléaire. Il s'agissait de la description de la structure même de l'univers. Il était question de la **théorie des cordes**.

Fondamentalement, cette théorie est fondée sur le fait que l'on considère la matière et l'énergie sous un angle tel qu'il puisse venir effacer un dilemme qui ronge les scientifiques depuis des décennies, à savoir que les deux principales branches de la physique ne peuvent pas toutes deux être vraies.

Il ne s'agit pas ici de la physique que nous avons dû ingurgiter à l'école. Il s'agit de celle qui vient étayer et éclairer la vie, la spiritualité et les plans parallèles d'existence. Arrêtons-nous un peu sur cette question. Après tout, la physique est ce qui décrit l'univers physique dans lequel nous vivons. Elle se rapporte aux objets qui se trouvent dans cet univers, aux forces qui assurent sa cohésion et aux secrets qui voient à son fonctionnement.

La physique renvoie également aux extrêmes. À un extrême, les étranges principes de la mécanique quantique s'attachent à la description et à la prévision des comportements de l'infiniment petit : les atomes et leurs composants. À l'autre extrême, il y a les deux théories d'Einstein sur la relativité, théories qui traitent de la vastitude de l'univers, de la vitesse de la lumière et de la distorsion du module espace-temps par des corps immenses tels les étoiles, les galaxies et les trous noirs.

Beauté abstraite mise à part, ces deux théories se sont avérées des outils très puissants. La mécanique quantique a conduit à la mise au point des puces d'ordinateur. Et la relativité a fourni aux cosmologues les outils leur permettant d'expliquer toutes sortes d'étranges activités se déroulant dans le vaste univers.

Selon eux, le problème est le suivant : si la physique quantique est vraie, alors la physique de la relativité doit être fausse. Ou vice versa. Quand vous essayez d'appliquer les règles qui gouvernent un domaine à celles qui en gouvernent un autre, elles ne fonctionnent plus. Selon la théorie quantique, à un niveau subatomique où la matière et l'énergie cessent d'être des entités séparées, l'univers est si chaotique et imprévisible qu'on le qualifie de « poussière quantique ». D'un autre côté, la relativité fonctionne seulement dans un univers hautement prévisible et parfaitement huilé.

Depuis des décennies, les physiciens cherchent un moyen de faire de ces deux importantes théories une seule et unique théorie du Tout. Il semblerait qu'ils y soient arrivés avec la théorie des cordes.

Selon celle-ci, les plus petits éléments de l'univers ne sont pas les particules subatomiques dont nous avons tous entendu parler, c'est-à-dire les protons, les neutrons et les électrons, ni même les mystérieuses particules que les physiciens nucléaires manipulent quotidiennement, c'est-à-dire les quarks, les leptons, les neutrinos, etc. À première vue, les particules premières de l'univers ne seraient pas du tout des particules. Il vaudrait mieux les décrire comme étant des boucles de corde vibrant (comme celles des violons !) à des fréquences spécifiques. Ces fréquences vibratoires détermineraient l'identité de la corde et, par conséquent, le genre de particules auxquelles elle appartiendrait : un quark qui ferait partie d'un atome qui ferait lui-même partie d'une molécule de matière, ou bien alors une particule qui deviendrait en fin de compte un photon d'énergie électromagnétique. Tout dépendant, en fait, de la fréquence vibratoire.

Lorsqu'on considère les choses sous cet angle, la poussière

quantique n'apparaît plus comme étant irrémédiablement chaotique.

Bon, cette approche peut certes faire l'affaire des physiciens. Mais qu'en est-il des autres ? Quel sens la théorie des cordes a-t-elle pour nous ? Vous l'avez probablement déjà saisi : la théorie des cordes avance que la forme et le contenu de l'univers tout entier sont déterminés par les fréquences vibratoires du moindre atome, de la moindre particule. Ce concept vient corroborer la notion selon laquelle, en fin de compte, il n'y a aucune différence entre matière et énergie. Tout ne fait qu'un et n'est que musique en quelque sorte. Cela vous dit quelque chose ? Ce concept est en fait connu depuis des siècles des mystiques et des gens versés dans la spiritualité.

Mais il y a encore autre chose. Dans la théorie des cordes, où les dimensions sont si minuscules qu'on ne peut les décrire qu'avec des mathématiques hautement complexes, l'univers n'est pas l'ensemble à quatre dimensions que nous autres humains sommes habitués à voir et à habiter. En effet, les humains évoluent dans un monde de hauteur, de largeur, de profondeur et de temps. Pour l'instant, c'est tout ce que nous connaissons. Mais ce n'est pas tout ce qu'il y a ! Loin de là ! Jusqu'à maintenant, les physiciens qui se sont penchés sur la théorie des cordes ont avancé que celles-ci existaient simultanément dans 7 à 11 dimensions différentes. Ils en ont même découvert une douzième et certains avancent qu'il y en a davantage. À l'autre extrémité de l'échelle cosmique, les scientifiques ont dorénavant la preuve que des particules désobéissent non seulement à la limite de vitesse cosmique (la vitesse de la lumière), mais qu'elles la dépassent.

Alors, que veulent donc dire toutes ces choses sur le plan humain ? D'abord, que les scientifiques en ont encore beaucoup à apprendre. Ensuite, que nous savons qu'il y a d'autres dimensions dans l'univers. Ajoutez à ceci la nature instable et imprévisible de l'univers, comme la mécanique quantique prétend qu'il est, et vous aurez non seulement la preuve scientifique du concept des dimensions multiples, mais aussi celle des univers multiples – dans ce cas, les univers parallèles –, qui est la théorie des mondes multiples. Peut-être existe-t-il un nombre infini de tels univers, qui sont tous en contact les uns avec les autres par le truchement de ces cordes ?

Si l'on tire une conclusion logique de tout cela, on peut affirmer que le lieu où vous êtes actuellement, alors que vous lisez ces pages, se trouve aussi dans un nombre infini de variations se produisant toutes au même moment. Dans un de ces univers, vous êtes assis tout seul. Dans un autre, la pièce est complètement vide. Dans un autre encore, une soirée se déroule. Autrement dit, toutes les choses sont non seulement possibles, mais sont également probables dans quelque autre univers.

La majorité des humains n'ont jusqu'à ce jour été conscients que de l'univers qu'ils occupent. Mais, grâce aux fréquences vibratoires de « reconnexion », nous pourrons désormais interagir avec d'autres plans ou d'autres dimensions de réalité, et ce, consciemment. Il s'agit de la transition humaine des cinq sens à la multiplicité des sens, transition dont parlait Gary Zukav. C'est aussi ce que moi j'appelle chez l'humain la transcendance sensorielle. Forts de cela, nous pouvons aller au-delà de nos cinq sens, c'est-à-dire les transcender.

Alors, quand les six énoncés du chapitre 8 m'ont été transmis par channeling, qui me les faisait donc parvenir ? De toute évidence, ils ne provenaient pas de mes patients qui parlaient et il est certain qu'il n'y avait personne d'autre dans la pièce. Peut-être était-ce un être se trouvant dans un de ces plans parallèles d'existence et qui savait comment passer d'un plan à un autre et s'introduire dans une pièce située dans notre monde.

Attention !

« Les problèmes importants que nous éprouvons ne peuvent se solutionner sur le plan de pensée où nous les avons créés. »

Albert Einstein

J'avais l'habitude de classer les gens en trois groupes : ceux qui ne croient en rien d'autre en dehors de leurs cinq sens, ceux qui sont ouverts à la possibilité qu'il y ait autre chose au-delà de leurs cinq sens et ceux qui croient sincèrement qu'il existe autre chose. Mais, étrangement, je me retrouvais tout d'un coup devant une quatrième catégorie, plus restreinte celle-là : celle de ceux qui *savent* qu'il existe autre chose.

Comment expliquer que différentes personnes venues me consulter voient à de multiples reprises les mêmes entités, des entités ne figurant dans aucun livre ni aucune fable ? Ces gens voient les mêmes anges, les mêmes guides, les mêmes... ce que vous voulez. Comment expliquer que des gens qui ne se connaissent pas discernent les mêmes odeurs, voient des couleurs et des formes identiques, et éprouvent des sensations analogues ? Il est impossible que ces manifestations se répètent avec une telle exactitude, à moins qu'elles ne soient quelque part ailleurs et que différentes personnes y accèdent en transcendant leurs cinq sens. En d'autres mots, il est clair que chacune de ces personnes est en contact avec au moins un univers parallèle, qui est différent du nôtre mais cependant relié à lui par le truchement de la poussière quantique. Deux univers, trois univers, plusieurs univers reliés les uns aux autres et à tous les autres univers possibles... par les cordes vibrantes en forme de boucle qui résident au cœur de toute chose.

Transcendance sensorielle

Trans veut dire « par-delà, de l'autre côté, au-delà ». Cela signifie aussi « à travers » et « changement ». *Transcender* veut dire « dépasser, aller au-delà de » (en parlant d'une limite humaine), « exister au-dessus de et indépendamment de » (en parlant d'une expérience humaine ou de l'univers) et « s'élever au-dessus de ».

La transcendance sensorielle est le processus ou l'aptitude qui nous permet de dépasser nos cinq sens physiques. Bien que nous interprétions et décrivions ces expériences de transcendance à l'aide de termes qui traduisent habituellement la réalité de nos cinq sens, l'expérience comme telle n'est pas la même. Si vous êtes un guérisseur, vos patients pourraient déclarer : « J'ai entendu une voix, mais ce n'était pas exactement une voix. Je ne peux pas dire que je l'ai vraiment entendue. » Ou bien, comme me l'a confié

Gary : « J'ai eu l'impression que deux mains invisibles tournaient mon pied, mais ce n'était pas des mains du tout. »

« Je les ai vus, mais pas avec mes yeux en fait » ou bien « C'était une senteur incroyable ! C'est curieux, puisque j'ai perdu le sens de l'odorat ! Comment ai-je pu alors sentir ? ». C'est habituellement ce genre d'observations que j'entends. Nous rapprochons ces expériences de celles que nous faisons par le truchement de nos cinq sens, étant donné que c'est tout ce que nous ayons jamais connu... du moins jusqu'à maintenant. Et quand nous, les guérisseurs, travaillons au rétablissement d'une personne, non seulement nous sentons une brise dans nos mains alors que les fenêtres sont fermées, ou encore des bulles, des pétillements ou des tiraillements magnétiques, mais nous amenons d'autres êtres dans un lieu où, eux aussi, interagissent avec d'autres dimensions. Non seulement nous servons de relais transmetteur, mais nous aidons les autres à effectuer une transition, à transcender leurs sens. Nous les transportons au-delà de leurs sens physiques. Nous leur montrons le chemin du changement. Mais par-dessus tout, nous les aidons à évoluer pour dépasser leurs limites humaines, nous les aidons à exister au-dessus et indépendamment de leur expérience matérielle.

« Ce que vous faites, c'est que vous "reconnectez" des brins (cordes). » Cordes. Quel drôle de petit mot pour quelque chose qui peut si fondamentalement transformer notre vision de la réalité !

CHAPITRE 11

Les grandes questions

> *« Nous sommes tous les instruments d'un grand orchestre*
> *cosmique au sein duquel chaque instrument vivant s'avère*
> *essentiel pour que l'ensemble joue harmonieusement*
> *et dans la complémentarité. »*

Tiré de *Kinship with All Life*, de J. Allen Boone

Que signifie « syntoniser » une fréquence ou une vibration ? D'ailleurs, pour commencer, que voulons-nous dire quand nous faisons référence aux « fréquences » ou aux « vibrations » ? Ces termes reviennent constamment dans les ouvrages qui traitent de spiritualité, en particulier ceux écrits par des auteurs contemporains du Nouvel Âge. Vous découvrirez cependant que ces mots sont rarement définis avec clarté. Est-ce la foi qui nous fait accepter le fait qu'ils désignent quelque chose de concret ? Il se peut que ceux qui se servent surtout de l'hémisphère gauche de leur cerveau acceptent certaines définitions en toute bonne foi ou les rejettent. Quant à ceux qui recourent surtout à leur hémisphère droit, ils se délectent de la liberté et de la fluidité inhérentes au concept. Quand nous évoluons et dépassons nos cinq sens, nous apprenons à communiquer par le truchement de concepts et acceptons le fait que, parmi ces derniers, quelques-uns ne puissent être définis par notre langage. En fait, celui-ci est limité par la dimension dans laquelle nous évoluons.

Nous voulons que ces mots, ou plus précisément ce qu'ils désignent, renvoient à quelque chose de concret. Peu importe ce qu'ils veulent dire pour nous intuitivement, puisque beaucoup de gens estiment que, pour être utiles à quiconque, ces termes doivent avoir un sens clairement défini. Notre désir est de pouvoir partager nos expériences par l'entremise d'expressions propres à ce que nous pensons être le véritable monde. Voilà pourquoi nous voulons que le sens de ces mots soit tout aussi réel que le monde.

Voyons d'abord les définitions que les dictionnaires nous donnent. Se « syntoniser » veut dire « s'accorder, s'harmoniser avec, créer une relation harmonieuse ou d'attention ». « Vibrer » sous-entend « bouger d'un côté à l'autre rapidement ». Dans le royaume de la science, « l'énergie » est la capacité d'un système physique à produire un travail. Et « fréquence » est le nombre d'unités se répétant (peu importe ce que vous mesurez) au cours d'une période de temps donnée.

Penchons-nous maintenant sur le sens que ces termes ont pour nous.

Énergie par opposition à esprit

J'aimerais tout d'abord préciser que je ne me soucie pas beaucoup du terme *énergie* en ce qui concerne le genre de guérison dont il est question ici. D'une part, parce que ce terme est beaucoup trop froid et mécanique pour moi. D'autre part, parce qu'on considère en général que l'énergie diminue d'intensité avec la distance. Par contre, les fréquences de la guérison par la « reconnexion » ne faiblissent pas avec la distance. Pourquoi ? Parce que la guérison et la transformation se produisent par l'intermédiaire d'un échange d'information, en fait par l'échange de lumière et d'information, pour être plus précis. Bien que cette méthode de guérison puisse se transmettre par voie énergétique, la composante énergétique de l'information ne constitue qu'un de ses véhicules. Pour clarifier ces propos, laissez-moi faire une analogie à partir du mot « chuchoter ». Le chuchotement exige beaucoup moins d'énergie que le hurlement. Pourtant, bien placé, il vous transmet autant d'information, si ce n'est plus. De toute façon, ce dont il est question ici, ce n'est pas de l'emploi de l'énergie en soi. Il est plutôt question de transfert d'information. En d'autres mots, le transfert d'information ne dépend pas de la quantité d'énergie qui la véhicule. C'est pour cela que la guérison par la « reconnexion » vous mène bien au-delà du domaine de la guérison par l'énergie, peu importe la technique.

Ce que nous faisons avec la guérison par la « reconnexion » se situerait plus dans les eaux de la guérison par l'Esprit ou par la spiritualité. L'expression *guérison spirituelle* ne m'interpelle pas non plus parce que, même si dans son sens le plus épuré elle correspond plus précisément à ce que nous faisons, elle en est venue aujourd'hui à évoquer des paniers que l'on fait circuler à l'église au moment de la quête ou des gens qui se font frapper sur le front et tombent à la renverse en un mouvement préétabli. Par conséquent, elle ne convient pas non plus. Selon ce que je comprends actuellement, ce qui se produit dans ces séances devrait être décrit comme une « communication spirituelle » ou un « échange d'information ».

Berverly Rubik a une fois mentionné qu'elle estimait que l'expression « sainte information » semblait la plus appropriée. (Je ne voudrais pas avoir à porter cette croix !)

Donc, pour l'instant et pour simplifier la communication et le texte, nous emploierons le terme *énergie*.

Fréquences

Et qu'en est-il de « vibration » ? C'est un terme que nous utilisons tout le temps. Mais beaucoup de gens ne connaissent pas son sens réel. Bien sûr, nous pouvons avoir recours à la définition la plus simpliste du dictionnaire : une vibration est simplement un mouvement répétitif. Une corde de guitare vibre lorsqu'on la pince. Par ailleurs, le nombre de fois où la corde oscille d'un côté à l'autre chaque seconde détermine la fréquence de la vibration. Cette vibration arrive à nos oreilles sous la forme d'un son précis. Si l'on change la fréquence, le son change.

Mais les effets de la vibration dépassent de loin ce que nos sens peuvent à eux seuls discerner. Par exemple, la force qui permet à un aimant décoratif de rester collé sur la porte de votre frigo est la même que celle qui vous permet de voir le contenu de ce dernier lorsque vous l'ouvrez la nuit : l'électromagnétisme. La seule différence entre le magnétisme et la lumière visible est la fréquence du mouvement de l'onde d'énergie. Qu'est-ce que sont les couleurs ? Diverses fréquences de lumière traduites par notre cerveau. Que sont le froid et la chaleur ? Différentes fréquences de mouvement moléculaires une fois de plus interprétées autrement par notre cerveau.

Et il en va de même jusqu'à la plus infime des particules subatomiques. En fait, ainsi que je l'ai déjà expliqué, la physique commence à peine à confirmer la vieille croyance selon laquelle, en fin de compte, tout dans l'univers n'est qu'une vibration se produisant à des fréquences variées. Si vous changez la fréquence de la vibration, vous changez aussi la nature de la particule définie par cette vibration. Certains prétendent que, lorsqu'un électron vibre, l'univers tout entier tremble.

La vibration et la fréquence jouent un rôle dans deux autres expressions : *résonance* et *effet d'entraînement*. Dans son livre intitulé *Marcher entre les mondes*, Gregg Braden en donne la définition. Selon lui, la résonance est...

un échange d'énergie entre deux ou plusieurs systèmes énergétiques. L'échange se fait dans les deux sens, permettant ainsi à chacun des systèmes de devenir un point de référence pour l'autre. Voici un exemple simple de résonance. On installe deux instruments à cordes dans les coins opposés d'une pièce. Lorsqu'on pince la corde la plus grave d'un instrument, la corde correspondante de l'autre instrument se mettra elle aussi à vibrer. Pourtant, personne n'a touché cette corde. Elle réagit tout bonnement à l'onde énergétique qui a traversé la pièce et est entrée en résonance avec elle.

Et pour ce qui est de l'effet d'entraînement, c'est...

un alignement de forces ou de champs énergétiques permettant un transfert maximal d'information. Par exemple, imaginez deux éléments placés côte à côte et qui vibrent, l'un des deux à un rythme plus rapide que l'autre. Ce qu'on appelle effet d'entraînement, c'est la tendance qu'a l'élément qui vibre plus lentement à se synchroniser avec celui qui le fait plus rapidement. Dans la mesure où les deux éléments vibrent également, nous dirons qu'il y a eu effet d'entraînement ou que la vibration plus rapide a servi d'effet d'entraînement à la vibration plus lente.

Pour nous, qu'est-ce que cela signifie ? Syntoniser une fréquence plus élevée ou être entraîné vers une fréquence plus élevée, c'est se mettre en harmonie avec un mouvement répétitif qui se produit un certain nombre de fois à la seconde.

Considérez la chose en fonction des effets de cette syntonisation. Supposons que vous soyez daltonien et que vous ne puissiez distinguer le bleu du rouge et du jaune. Puis, quelque chose arrive à vos yeux qui fait que les cellules sensibles aux couleurs réagissent. Pouvez-vous imaginer cela ? Tout d'un coup, un nouvel univers de perception s'ouvre à vous.

Il se produit quelque chose de similaire avec la guérison par la « reconnexion ». Lorsque nous nous syntonisons (entrons en harmonie) avec les nouvelles fréquences énergétiques, nous sentons peu à peu des changements s'opérer dans notre propre corps. Ces vibrations s'inscriront en nous et feront dorénavant partie de nous. Pour le guérisseur, être capable de reconnaître ces sensations est un précieux aspect de son apprentissage, comme l'est pour le peintre sa capacité à voir les couleurs. Remarquez cependant que ceci n'est pas une condition essentielle. Bien que cette capacité donne accès à de l'information et aiguise les aptitudes, il n'en existe pas moins des peintres aveugles et des musiciens sourds. Vos systèmes d'apprentissage par l'observation prendront forme à leur manière, à partir d'un espace de quiétude et de silence intérieurs. L'effet d'entraînement, la syntonisation des forces et des champs, ainsi que la communication de lumière et d'information se produiront et trouveront fort probablement un moyen de se faire connaître à vous.

Comment cette syntonisation s'effectuera-t-elle pour vous ? Que pouvez-vous faire pour que votre corps – ou encore mieux votre être – devienne conscient des nouvelles vibrations présentes et puisse leur servir de conducteur ?

Vous savez quoi ? Vous êtes déjà en train de subir ces changements. Ils se produisent en vous en ce moment même. Bien des gens tiennent pour acquis que le processus de syntonisation s'engramme et s'installe déjà en vous au moment même où vous lisez un livre comme celui-ci. D'autres estiment que vous êtes en train de le découvrir ou allez le faire.

D'après mon expérience, pour faire place à ces nouvelles fréquences, les gens procèdent à cette syntonisation principalement de trois façons. Premièrement, vous remarquerez peut-être des changements immédiats chez vous, c'est-à-dire que vous aurez des sensations de chaleur, une impression bizarre dans la tête ou dans les mains quand vous verrez dans une librairie un livre où figurent les choses dont je parle ici, ou quand vous en entendrez parler. Deuxièmement, pour d'autres, le processus commencera peut-être après que vous aurez pris le livre en main, l'aurez ouvert et lu. Il se peut que vous remarquiez que certaines choses surviennent à mesure que vous lisez. Pendant que vous êtes plongé dans le sujet, les sensations peuvent s'accentuer. Et troisièmement, certains d'entre vous ne sentiront rien avant un certain temps, trois jours, trois semaines, ou peut-être plus longtemps.

Finalement, il existe une quatrième façon, celle de la manifestation. Les personnes qui tombent dans cette catégorie auront des cloques aux mains ou des saignements inexplicables, comme cela a été le cas pour moi. Si ceci se produit, cela ne dure qu'un jour ou deux et cela signifie que votre corps s'adapte à la modification que requiert l'ouverture à de nouvelles et plus hautes fréquences.

Découverte de la spécificité

Au mois de mars 1994, je reçus une étrange invitation pour assister à un événement spécial. L'invitation stipulait que l'archange Michaël avait choisi ce moment précis pour revenir sur terre et qu'un groupe de personnes avait décidé de se réunir pour aider à ancrer ses énergies ici-bas.

Je ne sais pas ce qu'il en est pour vous, mais j'ai un peu de difficulté à croire que la venue de l'archange Michaël sur terre dépende d'une trentaine de personnes entonnant un OM. Toutefois, je me rendis à l'événement. À cette époque, je furetais partout où je le pouvais pour trouver réponses à mes questions et j'en étais encore rendu au point de penser que, avec tous les guérisseurs existant dans ce monde, il devait bien y avoir quelqu'un sachant quelque chose que j'ignorais à ce sujet. En fait, je venais juste de dépasser le point où j'étais certain que tout le monde savait tout ce que moi je ne savais pas.

Je me présentai donc à l'endroit où l'événement se tenait et me frayai un passage parmi les gens. Ceux-ci étaient rassemblés autour de deux tables de massage, un sujet étant allongé sur chacune d'elles. Certains des participants avaient les mains posées sur la personne devant eux. D'autres tenaient leurs mains au-dessus de celle-ci, comme le ferait un guérisseur.

À Rome, faisons comme les Romains, me dis-je en tendant aussi les mains.

J'étais là pour avoir des réponses à mes questions... et j'en eus plusieurs. La première me vint alors que je me tenais debout avec les autres, attendant que les deux sujets allongés sur les tables de massage aient des mouvements involontaires et transmettent par channeling des phrases, comme mes propres patients l'avaient fait. Mais ils ne bronchèrent pas, ayant plutôt l'air de méditer ou de sommeiller, distinction que je ne réussis pas vraiment à faire.

J'étais déçu. J'avais espéré que les gens dans la pièce puissent enfin voir ce qui était devenu quotidien pour moi. Et qu'ils puissent me fournir des explications supplémentaires.

Au lieu de ça, tout resta aussi inerte qu'un lendemain de Noël dans un grand magasin.

Rendu quelque peu perplexe par l'absence totale de mouvements physiques chez les deux personnes allongées sur les tables, je demandai aux autres s'ils voyaient un inconvénient à ce que je fasse une démonstration de ce qui adviendrait si j'étais le seul à tenir mes mains au-dessus d'une personne. Tous furent d'accord et certains d'entre eux installèrent des chaises près de la table pour pouvoir observer et faire des remarques le cas échéant. Une personne se porta même volontaire pour servir de cobaye. Les autres prirent place et je me mis à l'œuvre.

Les résultats furent immédiats. Les muscles autour de la bouche du sujet remuèrent petit à petit, ses doigts amorcèrent un mouvement d'écart asymétrique involontaire des deux mains, ses yeux se mirent à remuer à toute vitesse d'un côté à l'autre et il commença à parler. Ces réactions n'eurent cependant pas lieu aussi rapidement que dans mon cabinet. Cependant, en quelques minutes, le phénomène était à son maximum. À la vue de l'assistance bouche bée, il était évident que personne ici n'avait jamais assisté à quelque chose d'aussi puissant.

Puis, tout d'un coup et de façon inhabituelle, les mouvements faiblirent. La voix se tut et les mouvements diminuèrent significativement. Je n'avais jamais vu cela se produire. Au moment où je levai les yeux vers les autres pour expliquer que cela était inhabituel, je vis ce qui se passait : le groupe avait décidé de me « donner un coup de main ». Certains, assis, avaient les mains tendues vers le sujet sur la table. Alors que j'observais ce qui arrivait, je remarquai que ces quelques personnes qui n'avaient pas respecté l'entente initiale enjoignaient les autres à faire comme elles. Je regardai attentivement ce qui se déroulait : chaque fois que quelqu'un venait se rajouter au groupe, les réactions de la personne sur la table diminuaient davantage.

L'idée de prêter main-forte est merveilleuse en soi, comme l'est le concept d'énergie de groupe. Mais en ce qui concerne cette situation, il est de bon aloi de faire preuve de conscience et d'objectivité. Quand les membres du groupe avaient travaillé de concert, il n'y avait eu aucun résultat. Mais quand j'avais agi tout seul pour effectuer une démonstration, les résultats furent plus que probants. Puis, quand les gens du groupe s'étaient peu à peu immiscés dans le processus, les réactions avaient diminué pour devenir quasiment nulles. Sous nos yeux se déroulait clairement une dynamique digne d'observation.

En discutant par après avec les gens rassemblés dans la pièce, j'appris qu'ils avaient décidé de se joindre à moi parce qu'ils étaient convaincus qu'une énergie de groupe aurait un effet plus marqué. Même si ce raisonnement semblait logique, cela n'avait pas fonctionné. Pourquoi ? Pourquoi plus d'énergie n'égalait-il pas plus d'aide ?

La réponse fut nette et précise : *l'énergie de groupe – en parti-*
culier celle d'un groupe qui n'émet pas encore les nouvelles fré-
quences – modifie ou dilue en quelque sorte la spécificité des
fréquences qui engendrent la guérison. Les nouvelles énergies que
nous essayons actuellement de « ramener » ici-bas ne sont pas celles
dont tout le monde s'est servi jusqu'à maintenant. Elles fonctionnent
à des fréquences vibratoires uniques et un mélange d'énergies
diverses ne leur profite pas. Si vous ajoutez des pièces de monnaie à
votre tirelire, votre avoir augmente, tandis que si vous ajoutez de l'eau
à votre soupe ou à votre café qui sont parfaits tels qu'il sont, vous les
diluez et les édulcorez.

Cette expérience s'avéra significative sur plusieurs plans.
Bien que, en tant que groupe, nous ayons raté l'occasion de partager
et d'apprendre quelque chose de nouveau, nous avons tout de même
compris qu'il y a une spécificité propre à ces fréquences, que quelque
chose les distingue des autres fréquences auxquelles nous avons eu
accès jusqu'à aujourd'hui sur cette planète. Par ailleurs, en travaillant
avec d'autres guérisseurs ouverts à ces fréquences nouvelles, nous
avons ensemble découvert que lorsqu'un groupe se syntonise sur ces
nouvelles énergies, il accède à une toute nouvelle dimension, ou plutôt à plusieurs.

Le grand passage

Comment se fait-il qu'il y ait tout d'un coup de « nouvelles fréquences » sur la planète ? Ou si je formule les choses plus précisément, comment peut-il y avoir de nouvelles fréquences sur cette
planète si ces mêmes fréquences font partie d'un univers sans cesse
en évolution ?

À mon avis, l'apparition soudaine de ces fréquences sur terre
semble avoir un lien avec la façon dont la nature du temps est en
train de changer. Si vous prêtez quelque peu attention à la chose,
vous avez sans doute remarqué que le temps donne l'impression
de s'accélérer. Non pas à la manière dont vos grands-parents
l'auraient signifié : « On dirait qu'à mesure que l'on vieillit, les
étés semblent arriver de plus en plus rapidement. » Ici, il s'agit de

quelque chose de différent. Non seulement le temps s'accélère, mais nous accomplissons beaucoup plus dans la même fraction temporelle.

Ceci paraît contradictoire. En effet, si temps s'écoulait plus rapidement, vous vous attendriez automatiquement à disposer de moins de temps pour accomplir vos activités, non ? Pourtant, c'est le contraire qui se produit. Un peu comme si chaque unité de temps avait ralenti pour que nous puissions en faire plus pendant chacune d'elles. Et cependant, le temps semble s'être généralement accéléré. Il y a ici rappel de la nature contradictoire des deux branches de la physique : la physique quantique et celle des théories de la relativité. Toutes deux ne peuvent pas être vraies et, pourtant, d'une certaine manière, elles le sont.

Le temps, l'énergie, la masse... tout est relié. C'est ce que relativité veut dire. Si la vitesse d'un objet accélère, sa masse augmente et le temps dans lequel il évolue ralentit. Par conséquent, si le temps accélère, les fréquences qui sous-tendent toutes les dimensions de notre univers doivent elles aussi se modifier.

En voici quelques exemples flagrants. Il vous suffit d'observer les changements qui se sont produits au cours des dernières décennies du 20e siècle. Il y a seulement quinze ans, ce livre ne vous aurait peut-être pas intéressé. Et il y a sept ans, je ne l'aurais probablement pas écrit ! Pensez aux gens que vous connaissez bien depuis longtemps. N'avez-vous pas remarqué, lorsque vous leur parlez de questions ou de concepts spirituels comme les modifications de paradigmes, qu'ils sont non seulement plus réceptifs à vos propos que vous ne l'auriez pensé, mais qu'ils reconnaissent aussi se pencher eux-mêmes silencieusement sur ces sujets depuis un certain temps ? Des métaphysiciens non avoués ! Il y a seulement quelques années, certaines de ces personnes vous auraient regardé plus que de travers juste pour avoir soulevé un tel sujet.

Par ailleurs, regardez un peu ce qui se passe dans le milieu médical traditionnel actuel. Il y a vingt ans, je ne me serais jamais rendu ne serait-ce qu'à la porte d'entrée d'un hôpital, même en tant que docteur en chiropraxie. Aujourd'hui, on m'invite à prononcer des allocutions et à enseigner dans les hôpitaux et les universités. Et ce, non pas à titre de chiropraticien, mais comme guérisseur.

Ce changement se remarque également dans le milieu du spectacle. Malgré ses imperfections, Hollywood est un excellent baromètre de notre culture. Sa réussite est fondée sur sa capacité à déterminer l'intérêt des gens et les films qu'ils veulent voir sur le grand écran. Au cours des deux dernières décennies, l'industrie du cinéma a donc mis davantage l'accent sur les questions spirituelles : les anges, la vie après la mort, la modification de paradigme, les dimensions parallèles, la médiumnité... et, oui, les guérisseurs. Mais il y a plus, puisque la télévision en remet dès que vous allumez votre poste.

Les effets de cette modification de paradigme sont évidents sur d'autres plans également. Vous aurez sans doute remarqué que bien des gens, consciemment ou non, décident de quitter la planète terre par le truchement de maladies comme le sida, le cancer et d'autres affections sérieuses. Mais certains, comme vous et moi, ont toutefois choisi de rester et de favoriser cette transition vers des vibrations nouvelles plus élevées.

Cette transition porte bien des noms : passage, modification de paradigme, transformation, basculement, mutation, etc. Gregg Braden parle de « passage » ou de « passage historique ». Cette transition a été prédite par les Mayas, les Incas, les Indiens Hopis, Nostradamus, Edgar Cayce et la kabbale (juive ou chrétienne). Dans son ouvrage *Marcher entre les mondes*, l'auteur définit cette transition comme étant :

> aussi bien une phase dans l'histoire de la Terre qu'une expérience dans la conscience humaine. Déterminé parallèlement par une diminution du magnétisme planétaire et une augmentation des fréquences planétaires dans une certaine plage de temps, ce basculement des choses représente une occasion rare de reformuler collectivement l'expression de la conscience humaine. « Passage » est le terme que j'emploie pour qualifier le processus durant lequel la Terre accélère le cours de son évolution, l'espèce humaine suivant dans son sillage par une mutation au niveau cellulaire, puisqu'elle est reliée aux champs électromagnétiques de la Terre.

Je n'affirme pas cependant qu'il faille prendre toutes les

prédictions à la lettre. Je ne suis pas de ceux qui gobent tout ce qu'ils entendent ou lisent et je vous conseille de maintenir chez vous un certain degré de saine objectivité sceptique. On peut déformer bien des écrits et leur faire dire bien des choses en fonction de ce que l'on pense.

Par contre, quand un grand nombre d'auteurs et de personnes avancent la même chose et prédisent son avènement à la même époque, il n'est pas certain que faire l'autruche soit la meilleure façon de réagir. Des prédictions d'une telle ampleur ne surviennent pas juste comme ça. Quand il y a autant de recoupements dans les témoignages, on est porté à admettre la plausibilité du concept d'intelligence universelle, ou corps de connaissance, avec laquelle des personnes – celles qui s'autorisent une certaine ouverture – peuvent facilement établir un contact.

Edgar Cayce, Nostradamus et d'autres personnages célèbres nous ont transmis l'information concernant cette transition. Et maintenant, le moment de cette transition est arrivé. Il faut presque fournir un effort pour ne pas le voir, tellement cela est évident.

Je suis très content de n'avoir rien lu ou entendu à ce sujet avant d'en avoir personnellement pris connaissance. Le cas échéant, je ne suis pas sûr que je n'aurais pas anticipé tout cela par réaction. Étant donné que j'ai moi-même su en reconnaître la véracité – comme la plupart d'entre vous l'ont fait ou sont sur le point de le faire – avant d'en prendre connaissance par les écritures des sages, j'ai pu en faire la preuve personnellement. Ceci m'a aidé à sanctionner l'authenticité des découvertes et des prises de conscience humaines actuelles, me permettant par là même d'en accepter la réalité et d'aller de l'avant.

CHAPITRE 12

Pour donner, il faut recevoir

« [Et] Moïse dit au peuple d'Israël :
"Et je ne conclus pas seulement
cette alliance avec vous... mais avec ceux
qui se retrouvent aujourd'hui
devant le Seigneur, notre Dieu, et également avec ceux
qui sont parmi nous aujourd'hui." »

Ancien Testament

Le hasard a fait que je n'ai dû compter que sur moi pour trouver la plupart des réponses à mes questions. Dès le début, deux choses me préoccupèrent en ce qui concerne les énergies de guérison. Tout d'abord, puisqu'il m'était impossible de prédire la réaction des gens, je ne pouvais promettre quoi que ce soit à quiconque. Ensuite, pour ce qui était des énergies, j'avais des hauts et des bas imprévisibles qui duraient de quelques heures à plusieurs jours, voire plusieurs semaines, et ces sautes d'humeur me laissaient totalement perdu et confus quant à l'orientation à adopter.

Les gens me lançaient : « Oh ! Vous êtes démoralisé aujourd'hui et c'est pourquoi les énergies de guérison ne passent pas. »

Et moi de leur répliquer : « Non, les énergies de guérison ne passent pas et c'est pour cette raison que je suis démoralisé. »

Les gens ne semblaient pas vouloir entendre ce que je leur

disais. Je pense même que mon explication allait à l'encontre de quelque aphorisme du Nouvel Âge... et je suis content de ne pas savoir lequel. Peu importe. Je savais que je me sentais très bien quand le processus de guérison s'effectuait. Par contre, j'avais le sentiment d'être abandonné quand il était en récession, me demandant quand il reprendrait. Personne n'avait de véritable réponse à me donner. Dans ces moments-là, je repensais aux six énoncés transmis par mes patients. Je savais que j'y trouverais un jour la clé.

C'est le premier énoncé qui me procurait souvent du réconfort : « *Nous sommes ici pour vous dire de continuer à faire ce que vous faites.* » Alors, je continuais, sachant que c'était là ma voie, même si cela semblait plus facile à dire qu'à faire. Voyez-vous, c'était une chose quand le phénomène fonctionnait mais tout à fait une autre dans le cas contraire. Pourquoi ? Parce que ce phénomène allait à l'encontre de tous mes concepts sur la réalité. Personne d'autre que nous-mêmes ne peut remettre en question de façon aussi pénétrante le bien-fondé de notre voie. Mon humeur dépressive s'accentua donc un peu, mais je poursuivais quand même.

Et les guérisons reprenaient à un moment donné.

Tout de même, ces fluctuations me dérangeaient vraiment. Puisque nous sommes des êtres complexes constitués quelque peu, du moins superficiellement, de traits apparemment contradictoires, vous aurez compris que ma nature prédominante n'est pas de laisser aller les choses. J'étais, et suis encore de bien des manières, une personne qui prend les choses en main. Autrement dit, je n'ai jamais été du genre « on verra bien ».

Imaginez un peu ma surprise lorsque j'ai en fin de compte compris que si je voulais que le processus de guérison s'accélère, je devais cesser de vouloir mener le bal, et m'enlever du chemin. Je devais laisser agir une instance supérieure.

Mais qui donc affirme ça ? pensai-je. *Impossible que ce soit moi.*

Toutefois, ce qui avait été dit était juste. Non seulement l'énergie savait où se diriger et quoi faire sans la moindre instruction de ma part, mais plus je m'effaçais et plus les réactions étaient fortes.

Tu dois recevoir, pas envoyer.

Qui vient de déclarer ça ? demandai-je en fourrageant dans les recoins de mon cerveau comme si je pouvais y trouver un indice quelconque. *Vous avez choisi la mauvaise personne pour donner ce genre de conseil.* Je dois préciser ici que mon ego se remettait à peine de la maxime « *Ôte-toi du chemin et laisse une instance supérieure te guider* ». Rien de tout cela n'avait de sens pour moi. *Comment suis-je censé faire passer une énergie de guérison à quelqu'un si je ne la lui envoie pas ?*

Tu dois recevoir, pas envoyer.

Vous me l'avez déjà dit, j'ai compris. Alors, répondez à ma question, rétorquai-je.

Silence.

(Le silence me contrarie énormément parfois.)

J'en vins à la conclusion que la règle *Tu dois recevoir, pas envoyer* s'arrêtait là. J'adoptai donc totalement le concept auquel j'avais toujours souscrit, sans pour autant toujours bien le saisir : Je ne suis pas le guérisseur, car Dieu est le seul guérisseur. Mais pour une raison ou une autre, que je sois un catalyseur, un réceptacle, un amplificateur ou un transmetteur – comme il vous plaira –, ma présence est requise dans la pièce.

Tu dois recevoir, pas envoyer.

Je sais que cela est vrai parce que j'en ai eu la preuve. Chaque fois que j'ai essayé de forcer les choses, que j'ai tenté de prendre l'énergie en main et de l'amener à faire ceci ou cela, le processus s'est arrêté. Par contre, chaque fois que je me suis enlevé du chemin et que j'ai laissé l'énergie prendre les commandes, le processus de guérison a repris de plus belle.

Et je ne suis pas le seul à en avoir fait la preuve. En effet, dans les laboratoires de l'université de l'Arizona, une équipe effectuait à l'époque une recherche dans ce domaine sous la direction du professeur Gary Schwartz. Nous procédions à des expérimentations pour trouver des indices sur la nature et la portée de ce processus. Une des expériences menées consista à mesurer le niveau des rayons gamma dans une pièce close où s'effectuaient des séances de guérison par la « reconnexion ». Certains des chercheurs avaient assisté à mon colloque la fin de semaine précédente. Lorsque je leur dis : « Rappelez-vous que *vous n'envoyez pas, mais recevez* », ils ne saisirent pas ce que j'entendais par là.

« Comment une énergie de guérison peut-elle passer d'ici à là si vous ne l'envoyez pas ? « demandèrent-ils à l'unisson.

« Je ne sais pas », répondis-je objectivement.

En général, dans un espace fermé, quand le nombre de gens et l'activité augmentent, le niveau des rayons gamma augmente également. Les chercheurs s'efforçaient de mesurer une différence dans la pièce entre le moment où les fréquences de guérison étaient présentes et celui où elles ne l'étaient pas.

Finalement, après avoir analysé les résultats de l'expérience, un des chercheurs m'appela. « Vous n'en croirez pas vos oreilles, me lança-t-il. Les détecteurs ont enregistré une sérieuse baisse du niveau des rayons gamma pendant les séances de guérison. »

Selon eux, et ceci n'est qu'une hypothèse, pendant de telles séances, quelque chose est en fait absorbé. Les guérisseurs reçoivent de l'énergie, ils ne l'envoient pas.

La véritable nature de la guérison

La plupart du temps, les gens considèrent la guérison comme la régression d'une souffrance causée par une maladie ou une blessure, comme un aller mieux. Mais que signifie aller mieux ? Aller mieux que quoi ? Mieux qu'à un certain moment du passé ? Mieux que quelqu'un d'autre ?

« Aller mieux » est une définition beaucoup trop étroite de la guérison. Ce mode de pensée nous dépouille de notre droit inné d'entrer directement en communion avec Dieu, avec l'Amour et avec l'Univers. Ce mode de pensée nous empêche de devenir des êtres autonomes sachant s'autoguérir.

Nous avons souvent tendance à voir la guérison comme le soulagement de nos symptômes, de nos maladies, infirmités et autres dysfonctions. Mais la guérison est plus que ça : c'est le recouvrement de notre totalité spirituelle. La guérison est essentiellement l'élimination d'un blocage ou d'une interférence qui nous a tenus éloignés de la perfection de l'univers. La guérison a trait à notre évolution, à la restructuration évolutive de notre ADN et à notre « re-connexion » à l'univers sur un autre plan.

Pourquoi « re-connexion » ?

Nous arrivons tous dans cette existence avec nos limites. L'humanité tout entière a rompu depuis longtemps le contact avec les réseaux énergétiques nous permettant de rester en synchronie avec nos propres corps, les champs énergétiques nous entourant, les points d'alignement énergétiques de la planète et la grille énergétique de l'univers.

Comment cette dissociation a-t-elle pu se produire ? La thèse de la conspiration des Pléiadiens est peut-être vraie. Peut-être pas. Je n'en sais rien, mais je suis sûr que notre sort dans la vie n'a pas toujours été celui que nous connaissons de nos jours. Au cours de l'histoire, toutes les cultures – depuis les plus vieilles civilisations et les Grecs (que nous estimons être les fondateurs de la civilisation occidentale) – ont toujours fait état d'un ancien monde plus parfait. Un monde sans guerres, sans maladies, sans maux. Un paradis terrestre. L'Atlantide.

Puis survint une décadence, une dissociation d'avec les forces qui nous unissaient tous dans l'amour et la félicité. Une séparation. Certains attribuent cet événement à l'époque du jardin d'Éden, alors que d'autres l'attribuent à une époque plus reculée.

À quelques variations près, cette histoire est universelle et engrammée dans l'inconscient collectif de la race humaine, dans nos gènes.

À divers degrés selon les personnes, ce phénomène nous ramène à nos vieilles mémoires, à cet âge d'or, et nous redonne le sens original et profond du lien que nous entretenions autrefois avec la vie. Mais il ne s'agit pas uniquement d'un retour à de l'ancien, car nous nous acheminons aussi vers de la nouveauté. Ce mouvement engendre la guérison, une véritable guérison. Une guérison évolutive.

Malgré tous les racontars qui circulent sur ce retour au passé, il faut reconnaître la vérité : le niveau de guérison dont il est question ici nous est accessible depuis peu. À un moment donné de notre histoire, notre espèce était plus unifiée et plus entière. Par conséquent, les fréquences propres au phénomène de guérison ne lui étaient pas nécessaires. Par contre, nous avons toujours disposé de la capacité d'augmenter notre conscience collective jusqu'au point de pouvoir accepter et intégrer à notre réalité des fréquences de ce type. Et le fait est que nous avons enfin atteint ce point et que l'univers a décidé que le moment était venu de nous les présenter. Nous avons tous la capacité de transmettre cette nouvelle fréquence de guérison. Elle n'est pas l'apanage de quelques élus, gourous ou personnages déclarés saints. L'intelligence et la sagesse dont nous avons besoin pour nous guider existent déjà. En tant que race, nous nous engageons dans un champ de fréquences où les mensonges ne pourront plus maintenir leurs vibrations. En raison de leur densité, ils s'éteindront peu à peu. Toutes les divisions cesseront et les superstitions disparaîtront. Nous entamons un processus qui nous pousse à aller au-delà de nos peurs et à reconnaître que nombre d'entre elles portent le masque de rituels amoureux et esthétiques.

L'univers a, pour quelque raison, choisi d'instiller en moi ce phénomène pour que j'entame un processus d'intensification vibratoire, et j'ai l'impression que de plus en plus de gens découvriront qu'ils participent eux aussi de ce phénomène. Ce faisant, nous élevons le niveau général de notre conscience. En nous débarrassant de nos superstitions et de nos croyances et en évoluant, nous nous préparons à recevoir de nouveaux pouvoirs et d'autres responsabilités.

Masse critique

Viendra le moment, qui n'est pas si loin, où vous n'aurez plus besoin de consulter quelqu'un comme moi ou d'autres spécialistes pour syntoniser cette nouvelle fréquence. Très bientôt, assis dans un cinéma, un avion ou un autobus, vous entrerez en résonance avec elle grâce à votre voisin ou voisine de siège. Et cette fréquence sera même transmise génétiquement.

J'ai constaté ce phénomène de mes propres yeux dans mes ateliers. Souvent, les participants syntonisent spontanément des niveaux de plus en plus élevés d'aptitude. Par mon intervention, ce niveau est transmis aux participants de l'atelier suivant. Et puisque, apparemment, nous sommes tous reliés, ceux d'entre vous qui ont déjà assisté à des ateliers remarquent qu'ils font les mêmes progressions.

Ce phénomène correspond aux recherches du scientifique anglais Rupert Sheldrake, le premier à avoir avancé le concept de masse critique. Une expérience de laboratoire fort connue en a fait la démonstration. On a séparé des souris en deux groupes. En l'espace de six générations, on a régulièrement mis un groupe de souris dans un labyrinthe compliqué, alors que l'autre groupe ne s'y retrouvait qu'occasionnellement. Les résultats de cette expérience furent très probants : le groupe testé mettait au monde une progéniture déjà dotée de l'aptitude de ses parents. Chose encore plus remarquable, lorsqu'on mettait des souris non testées dans ce labyrinthe, elles démontraient au départ le degré d'aptitude des souris faisant l'objet du test. Ce phénomène porte entre autres le nom de « théorie du centième singe ».

Le phénomène de « reconnexion » nous prépare donc en quelque sorte à entamer la transition déjà à l'œuvre. Nous n'avons plus besoin d'attendre que s'effectue le processus lent et arbitraire de mutation par les générations et la sélection naturelle. Nous poursuivons notre voie évolutive vers l'inévitable restructuration de notre ADN.

Nous faisons actuellement les premiers pas vers ce rétablissement de contact, vers cette « reconnexion ». Nous sommes les porte-drapeaux de ce nouveau genre de guérison désormais au seuil de ce qui s'avérera la prochaine étape de l'évolution humaine.

CHAPITRE 13

Ôtez-vous du chemin

*« Plus vous recherchez la perfection,
plus celle-ci se dérobe. »*

Tiré de *Mastering the Problems of Living*,
de Haridas Chaudhuri

Le rôle du guérisseur

Par commodité, je me qualifie parfois de « guérisseur », même si en vérité je n'en suis pas un. Je ne guéris personne. Pas plus que vous. Si vous êtes guérisseur, ou désirez le devenir, votre devoir est de simplement vous mettre à l'écoute et de vous ouvrir afin de pouvoir recevoir l'énergie qui vous permet de devenir un catalyseur. La guérison est une décision qui est prise entre le patient et l'univers.

Également par commodité, ainsi que par habitude, j'emploie le terme « patient » lorsque je parle de la personne qui consulte. Il se peut aussi que je fasse référence à elle comme étant la « personne sur la table », fort probablement une table de massage, bien que vous puissiez aussi vous servir d'un canapé, d'un lit ou de ce qui vous convient. Quand j'utilise le mot « patient », je n'attribue pas au guérisseur le titre de médecin, ce qui ne vous serait d'aucune aide de toute façon. Je l'emploie parce que c'est le terme qui me vient le plus facilement. Si vous préférez considérer ces gens comme des clients ou tout autre dénominatif, libre à vous. Si vous en trouvez un meilleur, laissez-le-moi savoir !

Par « se mettre à l'écoute », j'entends être dans un état de réceptivité.

Quand vous entendez un son, vos tympans reçoivent des vibrations d'une fréquence particulière, des ondes sonores. Si vous tendez un peu plus l'oreille, vous essayez en fait de maximaliser votre réceptivité. Vous pourriez aussi mettre votre main derrière l'oreille pour concentrer la réception des ondes. Quand vous vous mettez à l'écoute en tant que guérisseur, vous transposez cette qualité de réceptivité dans vos mains ou dans toute autre partie de votre corps servant de point de réception à l'énergie. Cet état de réceptivité permet au miracle de la communication d'atteindre un niveau tout à fait différent.

Nous autres guérisseurs devenons actuellement un chaînon dans la chaîne de la « reconnexion ». L'énergie de guérison vient de la Source, passe à travers nous et émane de nous. On pourrait comparer cette énergie à la lumière qui traverse un prisme. Nous sommes en fait un prisme. Nous ne faisons plus qu'un avec le patient et l'univers par un champ commun constitué d'amour – dans son sens le plus large – et d'unité. Les besoins du patient sont reconnus par l'univers, qui met en place les circonstances visant à les combler.

Comment cela se produit-il exactement ? Personne ne le sait vraiment. À la limite, je dirais que les fréquences vibratoires du patient interagissent avec les fréquences arrivant de la Source et qu'elles réagissent à ces dernières par notre truchement. Lorsque les vibrations changent, les particules et structures supérieures définies par les vibrations changent aussi. Les vibrations plus élevées ont-elles un effet d'entraînement sur les vibrations plus basses ? C'est possible. Il est probable également que, lorsque les fréquences (celles du patient, les vôtres et celles de l'univers) interagissent, les ondes se combinent en des points de transformation où de toutes nouvelles fréquences naissent. Autrement dit, trois fréquences amènent peut-être une nouvelle fréquence à se former, qui n'était pas là à l'origine. La rencontre des trois fréquences crée autre chose, un peu comme si ces dernières choisissaient cette autre chose.

Cette explication me semble tout à fait raisonnable. Selon la physique quantique, si vous changez le comportement d'une particule, il y aura réaction immédiate chez une autre particule dans un autre lieu, que celui-ci soit à quelques centimètres ou quelques univers plus loin. Comment cela est-il possible ? Peut-être la particule se trouve-t-elle dans deux endroits ou deux dimensions différentes en même temps. Peut-être les deux particules ont-elles aussi en commun un mécanisme de communication instantané. À dire vrai, je ne le sais pas. Je ne sais pas ce qui est la vérité. Personne ne le sait d'ailleurs, malgré tout ce qui peut être avancé.

Je ne sais même pas pour quelle raison nous avons le grand honneur de pouvoir prendre part à ce phénomène. J'ai de la difficulté à croire que Dieu ait besoin de nous pour procéder à des guérisons. Peut-être l'imagination me fait-elle défaut, mais je n'arrive pas à concevoir que Dieu, dans son infinie sagesse, s'exclame du haut d'un nuage : « Je voudrais vraiment que Martha ait une séance de guérison. Où est donc ce Dr Pearl quand j'ai besoin de lui ? »

Alors, pourquoi sommes-nous, nous les guérisseurs, impliqués dans ce phénomène ? Ici encore, je n'en suis pas certain, mais j'ai l'impression que cela a à voir avec quelque chose que nous avons aussi besoin d'aller chercher dans l'univers. En d'autres mots, cela nous concerne plus que cela ne regarde les patients. Nous jouons un rôle dans la guérison des patients, mais n'oublions pas que ces derniers font aussi partie de l'équation.

Pour qu'une guérison s'effectue, chacun doit tenir son rôle.

Wo et la valise

Auteur des ouvrages sur Kryeon et coauteur des *Enfants indigo*, Lee Carroll excelle dans les contes. Si vous n'avez pas encore lu ses livres, je vous les recommande. Avec sa permission, je vais vous retranscrire certains passages tirés du livre 6 sur Kryeon : *Franchir le seuil du millénaire*, publié chez Ariane. Le titre de l'histoire en question est « *La parabole de Wo et de la valise* ». Et je vous en donne une interprétation.

Wo, le personnage principal de cette parabole, n'est pas

vraiment un homme ni une femme. Mais par commodité, nous emploierons le masculin pour le désigner. Il personnifie tous ceux d'entre nous qui sont prêts à entreprendre cette nouvelle transition. Même s'il se considère comme quelqu'un qui ne travaille pas *lourd*, Wo s'avère être quelqu'un qui ne voyage pas *léger*.

Comme je le mentionne dans mes ateliers, votre but, en tant que participant, n'est pas de ramener à la maison une multitude de nouvelles connaissances que vous ajouterez aux vieilles, déjà « fourrées » dans le fond de vos placards. Vous savez bien de quoi je parle ici. Il s'agit des sacs de voyage qui empêchent vos pantalons, vos robes et vos manteaux de pendre de tout leur long et qui froissent tout ce qui est plus long qu'une chemise. Ou encore des sacs dans lesquels vous n'avez pas mis le nez depuis des années mais que vous allez ranger bientôt.

Devenir guérisseur, c'est se débarrasser des « trucs » désuets qui ont ou n'ont pas servi et dont vous n'avez plus besoin, sauf pour vous maintenir dans l'attachement. Attachement veut dire besoin et besoin signifie peur.

Dans cette parabole, nous suivons les péripéties de Wo, qui s'apprête à rencontrer l'Ange des valises, celui qui doit passer en revue ce que Wo a choisi d'emporter avec lui pour entreprendre son périple. Dans la première valise, l'ange trouve des vêtements, un monceau de vêtements. Il y a de tout pour toutes les conditions climatiques, mais rien n'est assorti ni organisé d'une quelconque manière. Il semblerait que Wo ait juste attrapé ce qui lui tombait sous la main en prévision de tout.

En somme, il n'a pas vu qu'il est déjà complet et qu'il possède en lui ce qu'il cherche à l'extérieur. Il a accumulé un méli-mélo de toutes sortes d'articles, un assortiment inimaginable d'objets de guérison, de théories et de rituels sur lesquels il a pu mettre la main. Chacun des articles qu'il a mis dans sa valise vient lui confirmer qu'à lui seul il ne suffit pas. Il a laissé chacun de ces articles le déposséder du pouvoir qu'il avait autrefois et qu'il leur a inconsciemment attribué.

Les valises constituent une analogie parfaite ici. Elles existent sous une multitude de modèles, assortis ou pas, ordinaires ou de marque célèbre comme Louis Vuitton. Sous une forme ou une autre, nous en possédons tous en quantité variable. Mais par le fait même, ce sont elles qui nous possèdent. Ainsi que la parabole l'indique, « la clé consiste à faire honneur à l'incertitude. Bénis soient les êtres humains qui ont compris que l'incertitude prendra soin d'elle-même chemin faisant et que la préparation antérieure n'est dorénavant plus de mise... Ils reconnaîtront les changements et s'en occuperont à mesure qu'ils se présenteront. »

Je ne veux pas ici m'étendre sur tout ce qu'il y a derrière cette parabole. Je préfère m'attarder au sens qu'elle peut avoir pour ceux d'entre vous qui veulent devenir guérisseurs.

Plus besoin de jeter du sel aux quatre coins d'une pièce, de faire brûler de la sauge ou de faire appel aux entités pour vous protéger. Plus besoin non plus, pour vous débarrasser de l'énergie négative – vu qu'une telle chose n'existe pas – de secouer vos mains au-dessus d'un récipient d'eau salée, ni de vous vaporiser d'alcool, ni encore de porter des amulettes. Point besoin de vous servir du mental conscient pour essayer de déterminer ce qui ne va pas chez quelqu'un afin de pouvoir le traiter. Il suffit simplement de vous autoriser à être, d'être avec la personne et de comprendre que l'incertitude prendra soin d'elle-même.

Nous devons apprendre à être. Et « être » nous conférera la liberté qui nous permettra d'éliminer l'oppression dans laquelle nous maintient le « faire ». De la liberté naît le « savoir » qui vous amène à transgresser toutes les connaissances du monde.

Penchons-nous maintenant sur la valise suivante et voyons comment ceci s'y applique.

Il s'agit de la valise des livres spirituels. Ces livres représentent l'apprentissage et les connaissances dans le domaine de la spiritualité, même s'ils ne confèrent pas le savoir dont il est question ci-haut. Ce sont les ouvrages de référence de Wo. Ses « trucs ». Nos « trucs ». Les bouquins que nous avons achetés et lus (ou du moins dont nous avons lu les meilleures parties). Les livres que nous n'avons pas encore lus mais que nous lirons un jour. Les notes que nous avons prises et laissées dans ces valises bourrées de trucs qui se retrouvent dans le placard après les ateliers.

L'ange explique à Wo qu'il n'aura pas besoin de tout cela. Évidemment, celui-ci ne comprend pas et, à la demande de l'ange, sort le livre qu'il estime être le plus spirituel. L'ange lui dit que ce dernier est désuet. Wo ne comprend pas. « Apporterais-tu un manuel scientifique vieux de 150 ans ou une publication vieille de 2 000 ans traitant de science ? »

« Bien sûr que non ! s'exclame le pauvre Wo, puisque nous faisons sans cesse de nouvelles découvertes sur le fonctionnement des choses. »

« Exactement, déclare l'ange. Sur le plan spirituel, la Terre change énormément et de façon grandiose. Ce que tu ne pouvais faire hier, tu peux le faire aujourd'hui. Le paradigme spirituel qui valait hier ne vaut plus aujourd'hui. Les révélations sur l'énergie reçues par les chamans fonctionnaient hier mais ne fonctionneront pas demain, parce que l'énergie passe actuellement à autre chose et se raffine. Et toi, tu te trouves dans ce passage et tu dois suivre le courant. »

Wo mit ensuite l'ange au défi en lui lançant l'expression biblique : « Il en est ainsi aujourd'hui et il en sera ainsi demain et à tout jamais. » « Cette expression ne concerne-t-elle pas la permanence divine ? Comment cela pourrait-il devenir désuet ? »

« Bien sûr qu'il est question de Dieu ici et de ses attributs ! Mais il n'est pas question de la relation que les humains entretiennent avec Dieu. Tous tes livres ne sont que des instructions rédigées par les humains sur le mode de communication à employer avec Dieu, sur la manière de s'en rapprocher et sur le moyen d'avancer dans la vie en composant avec lui. Dieu ne change pas. C'est l'humain qui change, ainsi que les volumes portant sur la relation qu'il entretient avec Dieu. Par conséquent, les livres sont désuets. »

Remarquez bien que ceci ne veut pas dire que les livres n'ont jamais eu de pertinence. Bien des choses sont encore valables selon les anciens paramètres, même si ces derniers sont quelque peu limités. Seulement, avec cette transition, nous évoluons d'après un ensemble de paramètres beaucoup plus élargis.

Laissez-moi vous en donner un exemple concret. Vers la fin du 19e siècle, les astronomes éprouvèrent de grandes frustrations parce qu'ils n'arrivaient pas, malgré tous leurs calculs, à faire coïncider l'orbite de la planète Mercure avec leurs formules mathématiques. Fondées sur les lois newtoniennes du mouvement et de la gravité découvertes par Isaac Newton des siècles plus tôt, ces prédictions avaient toujours fonctionné avec une précision incroyable pour l'orbite de toutes les planètes (ou de tout autre objet en déplacement). Alors pourquoi pas pour Mercure ?

Parce que les lois et les équations de Newton ne représentaient qu'une description partielle du mouvement et de la gravité. Elles marchaient très bien pour presque tout. Par contre, lorsque des objets se déplaçaient près de masses énormes comme le Soleil, quelque chose différait. Il fallut qu'Albert Einstein découvre cette différence : la relativité. Bien qu'elle soit considérée comme une des quatre grandes forces de l'univers, la gravité se distingue de l'électromagnétisme. Il s'agit d'une déformation de l'espace-temps causée par la présence d'un corps étranger. Plus ce corps est grand, plus grande sera la déformation relative (gravité). Mercure se situe dans une zone où la courbe de l'espace-temps est tellement remarquable, que son orbite ne cadre pas avec les prévisions qui fonctionnent cependant avec des corps plus éloignés.

Cela signifie-t-il que la physique de Newton est désuète ? Pas du tout ! La trajectoire des aéronefs se calcule encore d'après ses vieilles mathématiques, puisqu'elles sont somme toute simples et qu'elles opèrent aussi bien dans le cadre de paramètres adéquats. Mais si un paradigme plus grand entre en jeu, les mathématiques de Newton vous seront aussi utiles qu'une carte de Paris à New York.

Il en va de même dans le domaine de la guérison. Certaines techniques ont passé l'épreuve du temps et marchent encore aussi bien qu'avant. La différence maintenant, c'est qu'il y a du nouveau et que nous sommes plus nombreux. En définitive, les vieilles techniques ne suffisent plus, pas plus que les lanternes ne conviendraient comme phares à une voiture, alors qu'elles étaient parfaites, accrochées à un cabriolet tiré par des chevaux. Les faiblesses propres aux techniques de guérison – retrait obligatoire des bijoux et du cuir, foi de la part du patient, rituels de protection pour les deux parties – n'existent plus avec les nouvelles fréquences.

Rappelez-vous également qu'un grand nombre de guérisseurs

ont d'abord dû apprendre des techniques. L'objectif premier n'était pas de suivre fanatiquement ces techniques, mais de devenir guérisseurs. Ces techniques n'étaient qu'une des premières étapes du processus.

Imaginez maintenant que vous vous tenez au pied d'une grande volée de marches. Un de vos buts – devenir guérisseur – vous attend en haut. La première étape est celle de la technique. Vous vous y immergez, vous la maîtrisez et, éventuellement, vous l'enseignez. Dorénavant, cette étape est donc dans votre manche. Pas de problème si vous y prenez plaisir. Mais attention ! Ne vous enorgueillissez pas, car alors vous vous endormiriez sur vos lauriers et feriez de cette étape le centre du reste de votre vie. Qu'adviendrait-il de la suite de votre périple ? Il s'arrêterait là. Il vous faut donc rendre grâce pour l'acquis et aller de l'avant.

Penchons-nous sur une dernière « valise » de la parabole, celle des vitamines.

« Qu'y a-t-il dans cette valise qui cliquette quand je la soulève ? » demande l'ange.

« Très cher ange, ce sont mes vitamines et suppléments alimentaires. J'en ai besoin pour me maintenir en santé et bien équilibré. Vous savez que je réagis à certains aliments et substances. J'en ai donc besoin pour rester fort et me soutenir au cours de ce périple. »

Wo craint que l'ange ne l'empêche d'emporter ses vitamines. « Non, je ne les jetterai pas. C'est toi qui le feras tôt ou tard », renchérit l'ange. Puis il explique à Wo qu'il est en transition, physiquement et de bien d'autres façons. « En poursuivant ton périple, tu te rendras compte peu à peu que ton ADN est en phase de restructuration. Ton système immunitaire est en train de se modifier et de se renforcer. Des messages et des instructions parviendront bientôt à tes cellules et tu sauras hors de tout doute que ces suppléments, très utiles pour toi en ce moment, ne le seront plus à mesure que ton bien-être augmentera. Avec l'illumination, au lieu de devenir plus sensible, ton système sera plus fort et rien ne pourra altérer la lumière que tu portes en toi. Donc, petit à petit, tu pourras te défaire de ta dépendance aux produits que tu transportes. »

Combien de choses trimbalons-nous qui brinquebalent, glou-

gloutent ou sentent mauvais ? (Non, non. Ne riez pas. Ouvrez certaines de vos mallettes ou sacoches et prenez une grande inspiration. Vous constaterez.) Imaginez un peu que nos corps peuvent fabriquer des cellules spécialisées à partir d'une tablette Mars ! Mais ne vous méprenez pas : je ne vous enjoins pas de faire de cette confiserie un nouveau groupe alimentaire. Je suis aussi très conscient de l'appauvrissement des sols, des traitements chimiques qu'on leur fait subir et de tout ce qu'il advient à notre nourriture.

Si certains d'entre vous enfilaient des blouses blanches et se collaient des catadioptres sur les fesses, on les prendrait pour des pharmacies ambulantes. Comprenez bien que presque tout ce que vous ingérez (et je ne parle pas ici des médicaments prescrits par les médecins pour des problèmes de santé graves) n'est pas nécessaire.

Chaque fois que nous tendons la main vers une bouteille ou un flacon inutile, nous ancrons en nous une fragilité qui serait innée. Nous conférons à notre essence même le besoin de se tourner vers l'extérieur pour se ressourcer. Par ailleurs, il se peut aussi que nous restions pris au piège du même cercle vicieux que nous nous savons prêts à briser. Nous renforçons l'illusion selon laquelle ce que nous sommes ne suffit pas. De manière imagée, on pourrait dire que vous devenez une personne-valise dont l'existence dépend de ce qu'elle peut transporter sous forme matérielle.

Il est temps de nous assumer, de savoir que nous sommes lumière et de laisser la sagesse qui a créé notre corps s'occuper de lui.

L'ego

L'ego ne nous a pas été donné pour que nous le saignions à blanc. Il l'a été pour que nous apprenions à le maîtriser, à l'équilibrer. Sous bien des aspects, il représente l'identité. Il confère à cette dernière une altérité, une forme qui est essentielle à notre fonctionnement dans cette dimension. Notre difficulté provient du fait que nous ne comprenons pas le concept qui veut que nous ne fassions tous qu'un. Si nous étions l'incarnation parfaite de ce concept, nous n'aurions aucune leçon à tirer. L'ego nous confère donc l'identité voulue pour apprendre des leçons en fonction d'un point de vue très précis : le nôtre. C'est un peu comme si nous analysions la situation à travers une fenêtre particulière, le cadre de celle-ci étant l'ego. Ce cadre nous fournit la forme par laquelle appréhender le monde. L'ego est le périscope à partir duquel nous observons les aspects particuliers de l'univers. Prenons l'exemple d'un spécialiste du saut en hauteur. L'athlète doit sauter par-dessus la barre, et cette barre est là pour que l'athlète puisse sauter par-dessus. Elle est l'obstacle à franchir qui devient une récompense.

L'ego nous a été offert, mais la récompense vient lorsque nous réussissons à nous décrocher de lui et à avoir une vision plus vaste de la vie.

Rappelez-vous que votre rôle dans la triade de la guérison (guérisseur, patient et Source) n'est pas toujours aisé. Les patients qui obtiennent des résultats formidables iront raconter avec enthousiasme à tous ceux qui veulent les entendre que vous les avez guéris. Et il serait très tentant de les croire, mais ne le faites pas. Si nous voulons nous court-circuiter en tant que guérisseurs, il nous suffit de croire que nous sommes la source de la guérison chez notre premier patient. Une fois que nous adhérons à cette idée, la pire des choses qui puisse nous arriver, c'est qu'une guérison encore plus spectaculaire se produise chez le patient suivant. Et ainsi de suite. Nous ne tarderons pas à édifier le sens de notre identité sur un système de valeurs externes. Et le premier patient à ne pas faire l'objet d'une guérison nous entraînera dans un accablement total. Accepter de prendre la responsabilité des guérisons exige que nous acceptions parallèlement d'assumer la responsabilité de l'absence de guérison, et le jeu n'en vaut pas la chandelle.

L'ego se fait aussi sentir par notre capacité à jauger les choses pour ce qu'elles sont, à reconnaître notre appréciation du rôle que nous jouons. Lorsque nous reconnaîtrons être aux prises avec quelque chose qui s'est déjà présenté à nous dans sa totalité et sa perfection, nous ne voudrons plus « redorer la pilule ». Les tentatives que nous ferions pour ajouter à sa perfection ne feraient qu'en repousser la manifestation, que ce soit par rapport à nous ou à ladite perfection.

Cette attitude indique que nous déterminons notre valeur personnelle en fonction de l'extérieur et non de l'intérieur, en fonction de l'objet et non du sujet. Pour se sentir importantes, certaines personnes doivent absolument s'identifier à un changement qu'elles auront provoqué, non pas pour la valeur inhérente à ce changement mais pour que le monde extérieur vienne les conforter et reconnaître qu'elles ont effectivement aidé à améliorer les choses. Je qualifie cette forme d'ego de « pharisaïsme spirituel ».

Ce pharisaïsme transparaît dans une multitude de situations, que la personne en question vous dise que la moldavite est une pierre trop évoluée pour vous et que vous devriez commencer en choisissant une pierre plus simple, qu'elle rejette la faute sur vous dans le fait d'avoir la grippe ou qu'elle soit obsédée par la perfection.

Le groupe qui voulait amener dans cette dimension les énergies de l'archange Michaël est un exemple de cette obsession. En effet, ce groupe avait l'occasion d'assister à quelque chose d'inédit. Pourtant, ses membres sentirent le besoin non pas d'être témoins mais de participer à l'événement. De plus, ces gens furent incapables de réaliser que le seul fait d'observer ce qui se déroulait sous leurs yeux faisait d'eux des participants à part entière. Leur aveuglement les dissocia tout bonnement de la réalité. Autrement dit, leur incapacité à apprécier leur rôle parfait de témoins les amena à prendre part à la situation sur une décision de l'ego. Et c'est ce geste qui éloigna la manifestation de l'expérience. C'est aussi ce genre de chose qui a dilué le reiki. Tellement de gens y ont ajouté leur note personnelle, l'ont amélioré et modifié, qu'il est rare de le retrouver actuellement sous sa forme pure et originale. D'autres formes d'apparent altruisme viennent également nourrir l'ego. Prenez l'exemple d'un patient dont la guérison ne « tient » pas. C'est rare, mais cela arrive. Cette personne reviendra vous voir trois semaines ou un mois plus tard pour une autre séance. Une fois de plus, l'effet ne durera pas, et elle reviendra deux semaines ou peut-être six mois plus tard. D'une certaine manière, notre ego souffre du fait que cet homme ou cette femme n'ait pas bénéficié de la même chose que les autres, c'est-à-dire d'une guérison permanente. Par ailleurs, notre ego se nourrit de la satisfaction ressentie du fait que nous nous sentons mal pour la personne. Et sur un autre plan encore, il voudra redorer son blason en essayant juste une autre fois.

J'aimerais revenir à nos moutons pour un instant et rappeler que votre rôle ici consiste à éliminer les interférences et les blocages qui se trouvent sur la voie de cette personne. C'est ce que vous avez fait à deux reprises et que vous allez entreprendre une troisième fois. Dès que ces interférences sont éliminées, il incombe au patient d'entrer en scène.

Parfois, nous sommes tellement préoccupés par l'idée de vouloir endosser une part de responsabilité dans la guérison, que nous ne nous en rendons même pas compte.

Vous et moi ne sommes pas les guérisseurs. Nous faisons seulement partie de l'équation guérison, qui comporte trois éléments : le patient, Dieu et nous. Lorsque le divin en nous entre en contact avec le divin chez le patient, les choses les plus incroyables peuvent alors survenir. On qualifie parfois cette équation de « force du Grand Tout » ou de « force des trois ». Pour quelle raison notre présence en tant que guérisseur est-elle sollicitée dans cette triade ? Est-ce pour l'autre ? Probablement pas. Comme je l'ai déjà mentionné, nous sommes sollicités dans cette triade pour nous-mêmes. (Et ceux d'entre vous que l'emploi du terme « dieu » ou « divin » hérisse devraient se raviser. C'est encore leur ego qui fait des siennes. Dieu, l'amour, l'univers, la Source, le Créateur, la Lumière, autant de mots qui renvoient au même principe et que j'utilise indifféremment tout au long de ce livre. Faites vôtre celui qui vous convient le plus.)

Pour vous donner une plus grande perspective du processus de guérison et du rôle que vous y jouez, pourquoi ne pas adopter l'attitude suivante durant votre prochaine séance : devenir un avec la personne et vous guérir vous-même ?

Qui bénéficie de la guérison ?

Présumons qu'un patient s'attendait à une guérison à la suite d'un traitement par un guérisseur mais qu'il n'y en ait pas. Que se passe-t-il alors ?

Il fut un temps où je m'imputais la responsabilité de ce que je considérais initialement comme des échecs. Par la force des choses, j'ai cependant été obligé d'accepter que je ne suis pas plus responsable de l'absence de guérison que de la guérison. Qu'advient-il donc quand une rencontre ne donne pas les résultats escomptés ?

En fait, le problème ne concerne pas la guérison, mais plutôt les attentes. J'avais l'habitude d'affirmer que tout le monde ne bénéficie pas d'une guérison. Je ne crois plus cela. Je crois maintenant que tous les patients peuvent guérir, même si ce n'est pas ce à quoi ils s'attendaient.

Lorsque nous reconnaissons que « guérison » veut dire « rétablissement du contact » avec la perfection de l'univers, nous prenons conscience que l'univers sait quels besoins combler et quels fruits cela donnera. Le hic, c'est que nos besoins ne correspondent pas toujours à nos attentes et à nos désirs.

À l'instar des guérisseurs qui doivent accepter d'être des transmetteurs, les patients doivent, quant à eux, accepter d'être des récepteurs. Ils doivent simplement se rendre disponibles aux énergies de guérison et consentir à ce qui s'offre à eux. Car il se présente toujours quelque chose... qui peut parfois surprendre.

Supposons qu'un patient vient vous consulter en raison d'un ulcère. Vous procédez à une, deux ou trois séances de guérison et l'ulcère persiste. L'individu sera frustré et vous éprouverez un sentiment d'échec, même si vous savez que vous ne le devriez pas. Mais, comme on dit, vous êtes seulement humain. Cependant, quelques mois plus tard, vous entendez de nouveau parler de cet homme et il vous apprend qu'il va bien, que l'ulcère s'est résorbé, qu'après tout vous y êtes pour quelque chose, qu'il a arrêté de s'inquiéter après sa dernière séance avec vous, qu'il a cessé de boire et de fumer, et que les choses vont mieux avec sa femme et ses enfants. Les patients attribuent parfois leur guérison à tout, sauf au moment qu'ils ont passé avec vous. Et en fin de compte, cela n'a vraiment aucune importance.

Ces gens s'accrochent tellement aux résultats, que c'est finalement l'attachement qui devient une interférence. Un attachement est une contraction, et une contraction interrompt le flot à travers lequel vous voudriez passer.

Qui dirige le processus de guérison ?

Confortés par le modèle médical et l'approche symptomatique qui prévaut de nos jours face à la guérison, bien des gens ressentent le besoin de cerner le problème de leur patient avant ou pendant la séance. Il s'agit du premier faux pas qui nous amène à oublier que nous ne sommes pas ceux qui effectuons la guérison. Ajoutez à cela le concept actuellement populaire d'intuition médicale, et nous nageons déjà dans des eaux troubles.

La médecine allopathique repose principalement sur le diagnostic, outil hautement précieux lorsqu'il est employé judicieusement. Pour établir un diagnostic, la plupart des docteurs en médecine et en d'autres domaines doivent poursuivre de longues études. Il y a toujours une part de devinette dans le diagnostic, mais c'est une devinette savante. Le docteur Reginald Gold a déjà expliqué que pour comprendre vraiment le sens du terme « diagnostic », il fallait retourner à son étymologie : *di*, qui vient du latin et veut dire « deux », et *agnos* (comme dans agnostique), qui vient du grec et signifie « ne pas savoir ». Et là, tout s'éclaire : vous êtes deux à ne pas savoir : vous et votre docteur. Alors, ne vous en faites pas ! Gold aime aussi répéter qu'il n'est pas inhabituel pour les médecins de tenir à leurs patients des propos du genre : « Sans diagnostic, je ne peux être tenu pour responsable de ce qui vous arrive. »

« Je me suis souvent demandé si cela sous-entendait qu'ils se tiendraient pour responsables si, une fois un diagnostic établi, leurs patients continuaient d'avoir des problèmes », poursuit Reginald Gold. J'en doute fort.

Comme je suis moi-même docteur, je peux vous assurer que les guérisseurs aiment souvent se targuer d'être des experts en diagnostic parce que cela leur sert à maintenir un sentiment d'importance face au monde extérieur. Ceux qui sont incapables de reconnaître cet artifice sont aveuglés par leur vanité et tombent dans le piège du revenez-y quand ils entreprennent de prétendues séances de guérison spirituelle. Ce plagiat d'un des travers les moins nobles du monde médical conduit les guérisseurs à établir un diagnostic fondé sur l'objet et à adopter l'étiquette de l'intuition médicale. Quand celle-ci est employée pour aider les spécialistes dont la profession exige des diagnostics, elle est compréhensible. Par contre, feindre l'intuition médicale pour impressionner nuit à ceux qui la pratiquent professionnellement et éloigne les guérisseurs des patients et du processus de guérison.

Avec la guérison par la « reconnexion », cette attitude est non seulement inutile, mais peut même s'avérer un obstacle. Pour moi, moins j'en sais sur le patient, mieux ça vaut. J'ai moins tendance à vouloir diriger la rencontre, consciemment ou pas. En somme, moins vous essayez de diriger les choses et plus vous laissez l'univers agir, plus les résultats seront probants. L'univers peut certes déjouer vos efforts. Toutefois, si vous vous ôtez du chemin, les choses se déroulent avec grâce et aisance.

Bien que nous ne sachions pas avec une absolue certitude le rôle que nous jouons dans ces guérisons, mieux vaut ne pas essayer de jouer au plus fin avec Dieu ou l'intelligence universelle.

Notre mode de pensée

Les êtres humains recourent au raisonnement. Les chimpanzés savent peut-être tirer profit d'une branche pour extraire les termites d'une termitière, mais ils ne savent sûrement pas construire de gratte-ciel ni de Boeing 747. Ils ne se penchent pas sur la théorie des cordes. Ils ne bâtissent pas non plus d'universités pour transmettre leurs connaissances aux générations à venir.

Dans la vie, il y a bien des situations où la capacité à raisonner peut nous être hautement profitable. Pourtant, la raison, comme n'importe quel autre outil, peut se révéler moins qu'utile si on l'utilise à mauvais escient. Essayez de vous servir de votre agrafeuse comme d'un marteau, et vous m'en donnerez des nouvelles. (Non pas que je parle par expérience.)

Le raisonnement logique est fondé sur deux règles fondamentales : l'induction et la déduction. La logique inductive est la plus rigide des deux. Elle se base sur le principe que le tout est égal à la somme des parties. Et comme Reginald Gold le précise, que ce soit le cas ou pas, le tout est rarement égal ne serait-ce qu'à certaines parties... ce qui est en général tout ce dont nous disposons. Arrêtez-vous un instant là-dessus. En savons-nous aujourd'hui plus qu'hier ? Bien entendu. Si l'on s'en tient à ce raisonnement, il y a des chances que nous en sachions plus demain qu'aujourd'hui, et bien plus dans un millier d'années que dans cent ans. Donc, si nous fondons nos conclusions sur l'induction logique seule, je préférerais quant à moi attendre d'avoir quelques éléments de plus.

Le diagnostic est principalement établi en fonction du raisonnement inductif. Chez l'humain, la maladie peut se révéler incroyablement complexe, surtout si l'on tient compte des peurs et des attentes du patient et du guérisseur. Nous pouvons tout au mieux saisir certaines des composantes d'une maladie ou d'une blessure. Et si nous décidons que tout finit là, nous commettons une erreur. Et nous sommes tout à fait capables de mal additionner les éléments et d'en tirer de fausses conclusions.

Cela sous-entend-il que la logique inductive est inutile ? Aucunement. Il suffit de savoir qu'une agrafeuse sert à agrafer et non pas à marteler.

Par contre, la logique déductive a une plus grande portée. De par sa nature, elle nous amème à prendre connaissance d'un ensemble d'éléments pour en tirer ensuite des conclusions. Par exemple, plus nous acquérons d'expérience dans notre domaine, plus nous fonctionnons d'après un mode déductif. Notre expérience prend en quelque sorte la forme d'une intuition, qui reconnaît que les apparences ne sont pas tout et qui conclut par déduction.

Pourtant, même cela peut être trompeur. Avec la guérison par la « reconnexion », nous interagissons avec les énergies au-dessus d'une certaine zone corporelle du patient jusqu'à ce que nous soyons prêts à explorer une autre zone. Quand savons-nous donc que nous sommes prêts à changer de zone ? Quand l'ennui nous prend ! Quand ce qui nous a poussés à aller vers cet endroit ne retient plus notre attention.

Il vous suffit donc d'avoir conscience que quelque chose de

nouveau attire votre attention, que ce soit une sensation dans vos mains, un bourdonnement ou un sifflement dans vos oreilles, ou encore une réaction de la part du patient. Ces éléments indiquent qu'un certain travail est requis à tel endroit. Cette situation ressemble à celle de l'enfant enthousiaste qui découvre quelque chose pour la première fois et s'y absorbe totalement, jusqu'à ce que autre chose retienne à nouveau son attention. Pensez-vous que c'est là prendre les choses à la légère ? Au contraire. Cela fait honneur au processus au plus haut point, car il nous maintient dans notre vérité et notre intégrité, totalement en syntonie avec le processus et le sujet. Et cela n'a rien à voir avec le fait de savoir si le patient a besoin de plus ou de moins d'énergie. Si c'est le cas, cela se produira. En fait, moins nous essayons consciemment d'apporter notre aide au cours du processus, mieux le patient, le processus et le guérisseur se portent !

Cette démarche va à l'encontre de bien des écoles de pensée qui enseignent qu'il faut « faire un scannage » des parties du corps de la personne pour pouvoir déterminer les endroits où celle-ci a plus ou moins besoin de ceci ou de cela. On nous enseigne à détecter les zones où il y a congestion, trop ou pas assez d'énergie ou, encore, blocage énergétique. Ensuite, en nous fiant à notre jugement, nous devons rééquilibrer ces zones en enlevant ou en ajoutant de l'énergie. Non seulement nous nous portons responsables de l'identification de la zone en besoin, mais en plus nous – ou bien notre ego – nous déclarons aptes à remédier à la situation. Parlons-en de la responsabilité !

Et si l'on parlait des pendules comme autre outil de diagnostic ? Êtes-vous de bonne humeur quand vous travaillez avec votre premier patient ? Avec votre troisième ? Avez-vous eu une dispute avec votre femme juste avant ? Votre main tremble-t-elle quand vous tenez le cordon du pendule ?

Les tests exécutés dans des laboratoires médicaux ne sont pas non plus au-dessus de tout reproche. Le médecin a-t-il demandé le test voulu ? Les échantillons ont-ils été manipulés avec soin ? Les résultats ont-ils été déterminés avec précision ? Et plus important encore, notre technologie actuelle peut-elle déceler la cause de la situation ? À mesure que vous acquérez de la confiance, vous pouvez vous ôter du chemin et laisser l'intelligence qui guérit choisir ce qui est nécessaire. Peu importe que nous fassions un scannage, utilisions un pendule ou montions sur le toit par jour de grands vents en prétendant être une girouette ! Quelle que soit la forme de diagnostic employée, celle-ci ne fait qu'amplifier la distance entre le patient et son processus de guérison.

Quel que soit le mode employé pour déterminer ce que nous pensons qui ne va pas chez le patient, nous émettons une supposition ayant trait à un problème particulier, nous déterminons une démarche logique en fonction du principe que nous en savons plus que l'univers parfait. Mais la réalité est tout autre. Très souvent, cette forme de diagnostic fait obstruction parce que, d'une façon ou d'une autre, elle encourage notre mental à tenter de prendre les choses en main.

Dans ce nouveau chapitre de l'humanité, nous reconnaissons et honorons enfin l'intelligence d'une force de guérison supérieure. Nous pouvons certes reconnaître que cette énergie sait ce qui ne va pas chez nous, ce qu'il faut corriger et qu'elle est la priorité.

Pour les guérisseurs, il ne s'agit plus dorénavant de faire appel à nos vieilles techniques fondées sur le diagnostic et le dirigisme. Il s'agit simplement de nous « ôter du chemin » et de laisser une force omnisciente prendre les décisions appropriées. Parfois, les résultats ne nous confirmeront pas si la démarche entreprise était la bonne ou si le résultat de la séance était bénéfique au patient. La démarche était la bonne, même si nous ne voyons pas toujours les choses en ayant une perspective plus large. Heureusement, quelqu'un d'autre le fait à notre place. Alors ne nous préoccupons pas d'avoir des intuitions ou des visions. Dieu merci, nous n'avons plus besoin de faire cela. Il suffit simplement de faire partie de l'équation à trois et de lâcher prise.

Telle est la nature de la guérison dans le présent. Et telle sera la nature de la guérison dans le futur.

CHAPITRE 14

Donner le ton

*« L'oie blanche n'a pas besoin de se laver pour être blanche.
Et vous n'avez pas besoin de faire quoi que ce soit,
sinon que d'être vous-même. »*

Lao-tseu

Les émotions

Il n'est pas nécessaire d'atteindre un état de détachement zen pour reconnaître que l'on n'est qu'un des éléments du grand processus de guérison. En ce qui me concerne, j'estime qu'il y a une intensification de l'énergie quand mes émotions sont tout d'abord amplifiées. Et, chose étrange, mon état émotif semble importer peu, que je me sente très touché, très attristé ou très heureux.

Il est par contre important de maintenir un certain détachement par rapport aux résultats de la séance, vu que le fait d'entretenir des attentes peut amoindrir le processus de guérison. Et votre capacité à pouvoir apprécier vos émotions favorise en réalité votre présence et votre détachement. La félicité et d'autres grands états émotionnels similaires contribuent souvent beaucoup au détachement. En effet, ce détachement n'éloigne pas de la vie, mais du besoin de diriger ou de contrôler. Il vous amène donc à faire partie du processus sans être axé sur les résultats.

147

Une intensification des émotions vous permet de rester centré sur votre propre expérience et d'y contribuer en étant aussi bien l'observateur que l'observé. Quand le guérisseur se trouve dans un tel état, le patient peut à son tour connaître son propre *samadhi**, sa propre intégralité et être tout à son expérience. Et comme tout ne fait qu'un, si le processus s'approfondit pour le patient, il s'ensuivra chez vous une incroyable intensité. Ceci vous conduira immédiatement à une intensification de la présence et de l'observation qui, à son tour, viendra de nouveau intensifier l'interaction entre vous et le patient. À mesure que cette circularité progresse, vous vous retrouvez dans un merveilleux état de connaissance immédiate, état indescriptible et intemporel.

Du nouveau pour le guérisseur

Soyons honnêtes, le rire n'est pas une chose que nous associons habituellement à la douleur, à la maladie et à une mauvaise santé. Les écoles de médecine traditionnelle réussissent à vous soustraire votre sens de l'humour plus rapidement qu'un chirurgien vous enlevant les amygdales. Et les écoles de médecine autres qu'allopathique ne font guère mieux. Les guérisseurs arborant une expression solennelle et un corps médical adoptant des attitudes rigides ne sont pas d'une grande aide.

Heureusement qu'il existe des gens comme Bernie Siegel, auteur de *Love, Medicine & Miracles* ! Mais les gens comme lui sont rares. Il est l'exemple vivant que sens de l'humour est synonyme de bonne santé. Le rire engendre une sensation de bien-être, ce bien-être se traduisant lui-même par un système immunitaire fort et une capacité à se remettre plus rapidement de la maladie et des blessures.

Si vous acceptez que la guérison par la « reconnexion » s'effectue par le truchement d'une intelligence supérieure, les résultats s'avéreront ce qu'il y a de plus approprié, peu importe ce que vous ou votre patient estimez être approprié. Alors pourquoi tant de sé-

---

* État profond de silence et de vide intérieurs. (NDT)

rieux ? À en voir certains, je pense que quelques pruneaux leur seraient d'un bon aloi !

Allégez votre expression ! Le rire met les gens à l'aise. Une de vos priorités est de pousser vos patients à sortir de l'inconfort et à trouver le confort sur les plans physique, émotionnel, mental, spirituel ou autre.

La vérité, c'est que les choses et la vie sont drôles. Et si le rire ne fait pas partie de votre vie, alors la vie ne fait pas partie de votre quotidien. Comme l'auteur de *Holy Spirit for Healing*, Ron Roth, le dit si bien : « Arrêtez de vous prendre tellement au sérieux, puisque personne d'autre que vous ne le fait ! »

Qu'est-ce que l'amour ?

Lorsque ces premières expériences de guérison commencèrent un jour à se produire, personne n'avait eu la bonne idée de m'envoyer le manuel d'instruction. Un vendredi soir, j'avais quitté mon cabinet en pensant être un chiropraticien, mais j'étais revenu le lundi matin suivant pour découvrir que j'étais devenu autre chose. Pour trouver réponse à mes questions, je m'en référai donc aux autres, ainsi que je l'ai mentionné ci-devant dans le texte. J'achetai des magazines Nouvel Âge, y consultai les annonces de gens pratiquant diverses formes de guérison et, parmi eux, appelai ceux qui, sur les photos, me paraissaient les plus sains d'esprit.

Je pris rendez-vous avec ces personnes, leur décrivis mon travail et leur en fis même la démonstration. Après qu'elles eurent vu les réactions que ces fréquences élevées provoquaient, plusieurs semblèrent soudain éprouver de la colère. Ou tout au moins, certaines d'entre elles adoptèrent-elles ce que je qualifierais d'attitude fermée. Surpris par leur réaction, je leur demandai si j'avais posé un geste provocateur à leur égard. Et elles de me répondre : « Ça fait des années que nous apprenons à nous brancher sur nos cœurs et à travailler dans l'amour. Et vous, vous vous êtes simplement un jour réveillé avec ce don. Vous faites tout de façon mécanique et pourtant vous obtenez ces merveilleux résultats que nous-mêmes n'avons pas avec nos patients. » Puis, j'entendis aussi des paroles que je n'étais pas prêt à entendre : « Cependant, vous avez besoin d'ouvrir votre cœur. »

Mon Dieu, pensai-je, qu'est-ce qui ne tourne pas rond chez moi ? Après ces rencontres avec divers guérisseurs qui me parlaient d'ouverture du cœur, je rentrai chez moi avec un sentiment grandissant d'abattement, me demandant comment ouvrir mon cœur. Un jour, alors que cette préoccupation me taraudait et me déprimait particulièrement, j'eus soudainement une révélation : *Comment mon cœur peut-il être à ce point fermé si j'éprouve autant de tourments quant à la possibilité qu'il soit justement fermé ?* Ce fut à cette époque que je compris plus clairement quelles sont les différentes formes d'amour.

Forts en technique, ces guérisseurs confondaient amour et eau de rose. En toute honnêteté, ils estimaient que, au cours d'une séance, ils devaient susciter quelques larmes chez leurs patients pour pouvoir les aider.

L'amour à l'eau de rose n'est pas le genre d'amour qui engendre ces guérisons. Il est même très loin de l'amour à l'origine de l'univers. Il suffit pour le savoir de questionner une personne qui a vécu une expérience de vie après la mort et qui est allée assez loin pour saisir que l'amour est, à proprement parler, cette expérience même.

La plupart des guérisseurs confondent complaisance et amour. L'amour sur lequel la guérison se fonde est celui sur lequel toute vie et l'univers entier se basent. C'est un amour qui n'a rien à voir avec les hormones, ni avec le désir compulsif, ni encore avec le larmoiement. C'est un amour qui vous permet de sortir de l'ego, de vous ôter de votre chemin et d'être à la fois l'observateur et l'observé, et par ce fait même, qui entraîne le patient dans un état identique au vôtre. C'est un amour qui permet au pouvoir qui a créé le corps de guérir ce corps. C'est quand la transformation a lieu. C'est quand la lumière et l'information passent. C'est ça, l'amour.

Les peurs cachées derrière nos rituels

*« Le plus difficile pour soigner les peuples indigènes fut de leur
faire abandonner leurs superstitions. »*

Albert Schweitzer

Jamais la peur n'est plus insidieuse que lorsqu'elle se cache
sous les atours de l'amour. La peur est la seule chose qui fasse
écran entre vous et quelqu'un, entre vous et quelque chose, y
compris votre désir de devenir guérisseur. J'espère que ce livre
saura au moins vous donner la chance d'acquérir la capacité de
détecter la peur sous quelque forme qu'elle se cache et de la
transformer en amour. Tout comme l'obscurité est absence de
lumière, la peur est absence d'amour. Quand vous allumez la
lumière dans l'obscurité, il ne reste que cette lumière. Il en va de
même avec l'amour. Quand vous amenez l'amour là où il y a eu la
peur, il n'y a plus de peur.

Les rituels viennent s'infiltrer dans les techniques de guérison
pour combler une multitude de vides, entre autres celui voulant que
ce que nous sommes ne suffit pas. Nous entretenons ces vides en
les enjolivant de rituels que nous perpétuons en créant de la beauté
autour d'eux, et inversement. Et quand ils se poursuivent dans la
beauté, les rituels tournent astucieusement dans le vide et le
perpétuent. Si j'avais des questions à poser à ces gens, eux aussi en
avaient à me poser. En fait, leur première question était en général
la suivante : « Vous protégez-vous ? »

« De quoi ? » leur rétorquai-je en regardant par-dessus mon
épaule.

Ils ne savaient pas. Ils savaient tout juste que quelqu'un à qui
on avait dit de se protéger leur avait retourné le même conseil.
Tout cela n'était que vieilles traditions devenues désuètes. Qui
donc avait parti toute l'affaire ? Et dans quel but ?

Si un truisme est transmis à travers les âges – et si ce qui est
vrai est vrai –, alors il se peut que la même vérité persiste encore
aujourd'hui. Mais si quelque chose était faux il y a bien
longtemps – et si ce qui est vrai est encore vrai –, alors ce quelque

chose de faux reste encore faux. Bien que cette chose soit beaucoup plus ancienne, il n'en demeure pas moins qu'elle est tout
aussi fausse. Prenez le temps de vous asseoir quelques instants,
carrez-vous bien dans votre fauteuil, et si vous avez un collier d'ail
sous la main, mettez-le autour de votre cou, parce que je m'apprête
à vous transmettre quelque chose qui va venir ébranler les fon-
dements de vos croyances. *Le diable comme tel n'existe pas.*

Pas plus que n'existent des entités dont l'unique rôle ici-bas
est d'errer çà et là pour mettre votre vie sens dessus dessous ou de
se cacher dans des placards obscurs et d'en sortir au moment
opportun en criant « Bouh ! ». Non seulement ça, mais elles n'ont
ni frère ni sœur qui viendront se coller à vous comme une ombre
et dont vous devrez vous débarrasser par des séances hebdo-
madaires ou mensuelles de guérison, ou encore par le port de
pendentifs de cristaux hors de prix. Arrêtez de flatter votre ego.
Tout cela n'est que fantaisies et fruits de l'imagination renforcés
uniquement par la peur qu'ils suscitent en vous. Si jamais une de
ces entités a existé, elle est de toute façon morte maintenant. Elle
est morte de rire en voyant toutes les singeries que vous avez faites
pour tenter de vous protéger contre elle. Justement, une de ces
entités est morte de rire hier quand elle a découvert combien vous
avez payé pour cette amulette.

Jetons maintenant un coup d'œil à quelques-uns des éléments
de rituel fondés sur la peur :

- Les fleurs : elles servent à éloigner les fantômes.
- Le secouement des mains : il sert à se débarrasser de
  l'énergie négative des gens absorbée en les traitant.
- Les récipients pleins d'eau : ils reçoivent l'énergie
  négative quand vous secouez vos mains.
- Le sel : mélangé à de l'eau, il permet de neutraliser l'éner-
  gie négative que vous venez de secouer dans l'eau.
- L'alcool : à vaporiser sur vos mains si vous n'avez ni eau,
  ni sel, ni récipient où secouer les mains.
- Les bougies : certaines couleurs de cire offrent une protec-
  tion particulière.
- Le sens des mouvements : il faut tourner ou marcher seu-

lement dans certaines directions (à gauche, à droite, dans le sens des aiguilles d'une montre ou dans le sens contraire des aiguilles d'une montre, selon votre formation ou votre école de pensée).

- L'orientation de votre patient dans la salle de traitements : il doit être allongé selon une certaine orientation (tête au nord, au sud, à l'est ou à l'ouest, selon votre formation ou votre école de pensée).
- Les mains : la main droite donne et la gauche reçoit.
- Les bijoux et le cuir : il faut les retirer, sinon ils peuvent interférer avec la guérison.
- L'expiration : en soufflant de l'air ou en toussant, on peut expulser de l'énergie négative.
- La non-interférence par rapport à la colonne vertébrale : il faut se tenir sur le côté droit d'une personne si on travaille son côté droit, et idem pour le côté gauche, afin de ne pas croiser la colonne vertébrale.
- Les mouchoirs en papier : pour essuyer vos yeux après avoir ri si fort que vous en avez éteint vos bougies ou après avoir pleuré parce que vous avez accidentellement occis vos fleurs en les mettant dans l'eau salée où vous étiez censé secouer vos mains et que vos prières ne les ramèneront pas à la vie.

Il est impossible de fonctionner à partir de l'amour quand on renforce le concept de la peur. Il appartient à notre culture d'ornementer nos peurs de toutes sortes de rituels pour ensuite nous laisser croire que ces rituels sont en fait des expressions de l'amour. C'est diminuer la prière que de s'en servir pour se protéger de quelque chose, car de quoi avons-nous à nous protéger avec ces prières et ces rituels ? De rien de plus que de la nature amorphe de nos peurs, puisque nous avalisons le concept du mal. Nous ne réussissons cependant pas à voir que le mal n'est rien d'autre qu'une illusion fallacieuse. Nous gaspillons tellement de temps à nous protéger contre quelque chose qui en fait n'existe pas, qu'il n'est pas étonnant que nous en ayons si peu à consacrer à ce qui est. Lorsque notre attention fomente des concrétisations illusoires du mal – ce qui à son tour demande davantage de notre attention –, nos systèmes de croyances se renforcent d'eux-mêmes. Très souvent, nous ne nous rendons même pas compte de la cible de notre attention.

Croyez-vous vraiment que si vous brandissez un bouquet de fleurs sous le nez d'un fantôme, il s'enfuira à toutes jambes en hurlant ? Peut-être que oui. Mais seulement s'il a le rhume des foins. Si un fantôme erre dans les parages, ce n'est pas à cause de vous. C'est parce qu'il a ses propres problématiques à résoudre, ses propres raisons pour avoir interrompu un certain cycle.

Qu'en est-il du secouement des mains pour faire tomber l'énergie négative dans un récipient d'eau salée ? Essayez-vous de noyer l'énergie ?

Le problème avec ces rituels de protection, c'est que, en même temps que vous faites quelque chose qui est censé vous protéger, vous vous dites inconsciemment, par la bande, qu'il y a quelque chose dont vous devez avoir peur. Vous vous inquiétez de la position du patient, de la main à employer ou vous craignez simplement de mal faire. Moins vous reconnaissez consciemment que le rituel est issu de la peur, plus les effets de celle-ci se feront sentir. C'est également la peur qui dicte le rituel nécessitant le retrait des bijoux et du cuir. Lorsque vous demandez à vos patients de retirer leurs bijoux et leurs articles de cuir, vous vous dites en fait que, à vous seul, vous ne suffisez pas. Que vous et votre apport avez vos limites.

Je vais vous expliquer comment je sais que cela est vrai. Quand ces guérisons ont commencé à s'effectuer sur mes patients, ces derniers pensaient recevoir le traitement d'un chiropraticien. Et c'est ce que je croyais être. Personne ne savait vraiment à quoi s'en tenir. Les patients s'amenaient avec leurs bottes de construction en cuir à capuchon d'acier, leurs lourdes ceintures de cuir, leurs appareils orthopédiques de métal et leurs bijoux habituels. En tant que chiropraticien, je n'avais aucune raison de leur demander de retirer bijoux ou cuir. Rien ne me motivait non plus à prendre le temps de réciter une prière ou de faire brûler de la sauge ou de l'encens, ou à ancrer l'énergie de la pièce à l'aide de cristaux correspondant aux couleurs des chakras. Tout ce que je pouvais faire, c'était regarder les guérisons s'opérer avec un émerveillement d'enfant. Pas d'attachements, pas de contraintes, pas de rituels, pas de peurs. Seulement des guérisons provenant purement et simplement de l'univers.

L'importance de la motivation

Réciter une prière avant chaque traitement est de la manipulation spirituelle. Tout comme vous savez qu'un enfant ou un conjoint essaie de vous manipuler lorsqu'il ponctue chacune de ses demandes d'un « Je t'aime », vous êtes conscient que si vous faites une prière, c'est pour quémander quelque chose à Dieu, que ce soit pour vous ou pour quelqu'un d'autre. Alors, au lieu de demander, offrez quelque chose. Vous pourriez commencer par offrir vos remerciements. Je dis moi-même une prière de remerciements tous les matins parce que je ressens véritablement de la gratitude. Cette prière m'installe parfaitement dans ce sentiment de gratitude, et j'entreprends ma journée sans ressentir le besoin d'implorer une protection ou une dispense spéciale.

Quelle est la différence entre une prière de remerciements et une prière de demande ? Tout d'abord, les prières qui réclament engendrent d'autres prières du même ordre. Les prières demandant protection focalisent votre attention sur la peur, entraînant ainsi d'autres prières de protection. Il est parfois agréable de ne plus faire ou entendre constamment de prières demandant des faveurs. Par une prière de remerciements, vous avancerez dans votre journée tout en sentant l'harmonie que vous entretenez avec l'univers. J'ose penser que Dieu doit aimer cela.

Que pensez-vous faire quand vous invoquez Dieu ou des archanges avant chaque traitement ? Vous vous dites tout simplement que vous doutez que Dieu soit avec vous en tout temps, que lui et les anges sont partis boire un café et vous ont laissé vous débrouiller tout seul avec un fantôme qui a des problèmes de sinusite.

Comment pouvez-vous sortir de vos scénarios de peur ? Tout d'abord en les reconnaissant. En effet, la lumière de la conscience dissipe l'obscurité sans que vous ayez grand-chose d'autre à faire que de rester conscient. Comment pouvez-vous accélérer le processus ? C'est simple : chaque fois qu'une peur surgit, prenez-la à bras-le-corps. Par exemple, si vous craignez de faire un traitement sans votre chemise violette, ne portez consciemment rien de violet cette journée-là. Si vous vous surprenez à glisser dans votre poche votre cristal préféré parce que vous avez l'impression que cela vous aiderait d'une quelconque façon, retirez-le de votre poche et laissez-le à la maison. Vous pourrez toujours mettre la pierre dans votre poche ou porter du violet un autre jour. Mais n'oubliez pas que le pouvoir personnel que vous reprenez chaque fois que vous laissez tomber un attachement face à une peur vous rapproche un peu plus de votre but (être un guérisseur) et vous permet de vous défaire de l'illusion de la séparation et de vivre dans une infinie unité.

Abandonner l'attachement aux rituels

Pouvez-vous disposer des fleurs dans la pièce juste pour le plaisir des yeux ou faire brûler des chandelles parce que la lumière douce qui en émane rend la pièce plus chaleureuse ? Bien sûr que si ! Mais attention ! Si un jour vous choisissez vos bougies en raison de la symbolique de leurs couleurs, vous êtes en passe de réintroduire les peurs dans votre travail.

Quand j'ai moi-même amené les concepts et les rituels de protection dans mon travail, les guérisons se sont avérées moins spectaculaires. Par contre, les traitements, eux, y ont gagné en caractère théâtral. Un jour, j'ai pris conscience que je n'abordais plus mes séances avec autant d'enthousiasme qu'avant. Je n'arrivais plus à mon bureau avec l'insouciance et l'esprit d'un enfant. J'arrivais plutôt avec le poids du sens de la responsabilité de mon don. J'ai compris alors ce que les gens entendaient par : « Vous devez sentir une grande responsabilité. » Jusque-là, je n'avais rien ressenti de la sorte et tout allait pour le mieux, que ce soit pour moi ou pour mes patients.

Un jour, le lien entre ces rituels, la peur et la diminution des guérisons me sauta aux yeux. Je mis fin à tous les rituels, du moins tous ceux dont j'étais conscient. Je jetai les récipients d'eau salée, j'arrêtai d'invoquer les archanges et tout autre protecteur. Je cessai même de faire appel à Dieu, car je compris que Dieu était avec moi en tout temps. Je mis au rancart toutes les supplications et récitai dorénavant une petite prière de gratitude avant de quitter la maison le matin. Et depuis ce temps, je n'en fais pas toute une histoire si j'oublie de la dire de temps à autre. Je me rappelle tout simplement de le faire le lendemain. Je ne me secoue plus les mains non plus, car je sais maintenant que l'incroyable beauté de la transformation s'effectue dans l'interaction même avec la personne qui se trouve sur la table à massage. Et s'il reste quelque chose, ce ne peut être que quelque chose de bon.

Lorsque j'ai abandonné les rituels fondés sur la peur, ainsi que leurs beaux atours, les guérisons ont repris de plus belle avec leur splendeur d'origine. J'ai réalisé à un moment donné que c'était une bonne chose que j'aie pu faire l'expérience de ces guérisons à leur potentiel maximal. Je savais de cette façon qu'elles existaient. C'est cette expérience – ainsi que le sentiment de les avoir perdues – qui m'a donné l'allant et la détermination absolue de les retrouver. Ce faisant, c'était comme si je réapprenais à marcher tout seul, chose très complexe et difficile que seuls ceux qui ont été confrontés à cela peuvent comprendre.

Quelle était la raison d'être de tout cela ? Le fait de savoir marcher, en soi et de par soi, ne vous confère pas automatiquement le don de pouvoir l'enseigner aux autres. Il se peut que vous aidiez un enfant dans cet apprentissage, mais il aurait appris de toute façon vu son absence de peur. Quant à l'adulte qui n'a jamais marché, c'est une tout autre histoire. Je ne faisais pas honneur à mon plein potentiel. Je ne réalisais pas ma raison d'être en restant dans une pièce, heure après heure, jour après jour, opérant des guérisons sur une personne à la fois. Mon rôle allait être d'enseigner. Et pour cela, il faut non seulement faire preuve de discernement quant à la façon de faire, mais aussi quant à la façon de ne pas faire. Il faut montrer aux gens comment ne pas tomber dans les pièges et comment maintenir leur attention sur leurs objectifs. Il faut leur indiquer comment sortir de l'ombre pour rester dans la lumière, comment sortir des peurs et rester dans l'amour.

Point n'est besoin de laisser tomber toutes nos peurs d'un seul coup avant d'être prêt à connaître l'amour. Vous pouvez très bien prendre vos peurs dans vos bras et les faire porter par l'amour qui est en vous. Car une fois que vous avez amorcé votre route dans l'amour, la peur demeure l'illusion qu'elle a toujours été. Et tout ce qui reste alors, c'est l'amour.

CHAPITRE 15

Éléments à prendre en considération

*« Si vous poussez la compréhension du fondement
physiologique de la médecine assez loin,
vous arriverez en général à un point qui ne peut plus
se défendre scientifiquement
et qui nécessite un acte de foi. »*

Tiré de *Healing from the Heart*, de Mehmet Oz

Qui est guérisseur ou ne l'est pas ?

Rendus à cette phase transitoire de notre évolution humaine, nous sommes tous des guérisseurs en herbe. Pas besoin d'avoir de solides croyances religieuses ou spirituelles. Pas besoin de n'avoir que des pensées agréables ou de ne jamais émettre de sarcasmes. Pas besoin non plus de devenir végétarien. Et vous pouvez vous permettre ce petit verre de vin en mangeant. Ou encore ce martini ou cette margarita. En fait, toute autre chose qui vous plaît de faire ne présente pas d'inconvénient non plus. Je peux me porter garant de tout cela puisque j'en fais l'expérience moi-même.

Toutes ces considérations ramènent à la problématique de la valeur personnelle. De toute manière, notre valeur personnelle est déjà préétablie en fonction de notre être. Bien entendu, il est très louable de vouloir devenir une meilleure personne. Ne sommes-nous pas ici-bas pour apprendre et évoluer ? Cependant, la mesure selon laquelle nous réussissons à le faire ne change aucunement notre valeur personnelle. Nous n'avons rien à prouver ni à accomplir, rien à faire pour avoir du mérite. Nous l'avons déjà. Nous ne pouvons donc pas aspirer à ce qui est déjà nôtre.

Si vous cherchez à rétablir le contact avec Dieu, c'est que vous en êtes digne. N'attendez pas que votre ego ait été débusqué de ses positions, que votre esprit soit dénué de tout jugement ou que la pizza au jambon soit chose du passé. Cela reviendrait à attendre le moment parfait pour se marier ou avoir des enfants. Ce moment pourrait en fait ne jamais venir, du moins pas sous une forme reconnaissable.

La guérison, la médecine et le futur système de soins de santé

Selon moi, les forces de la médecine se jouent actuellement sur deux terrains. Le premier est celui que je qualifie de « premiers secours » ou de « soins d'urgence ». Je mentionnais récemment dans un atelier que si, Dieu m'en garde, une automobile me renversait, il faudrait que TOUT LE MONDE SE RETIRE DU CHEMIN pour laisser passer l'ambulance qui arrive. Je suis sérieux quand je dis ça. Personne d'autre qu'un auxiliaire médical et un médecin ne sont mieux désignés dans de tels moments pour juguler une hémorragie et replacer un os cassé. Une fois mon corps bien stabilisé, je peux alors faire appel à la chiropraxie, à l'homéopathie, à une bonne alimentation ou à toute autre forme de guérison. Et la convalescence permet au corps de guérir.

Quant au deuxième terrain, c'est celui de la démarche médicalisée choisie parce que tout le reste n'a pas fonctionné. Si notre corps n'a pas pu guérir tout seul, alors les médicaments, la chirurgie ou une autre mesure extrême peuvent s'avérer nécessaires. Nous avons toujours vu et voyons encore trop souvent les gens se précipiter chez leur médecin dès un premier signe de déséquilibre. Plus souvent qu'autrement, la principale réponse des médecins consiste à recourir aux médicaments ou à la chirurgie. Ils ne peuvent s'en empêcher puisque c'est ce qu'on leur a appris. Malheureusement, quand on fait d'abord appel à ces moyens, on retarde la fonction innée d'autoguérison du corps. Par ailleurs, plus vite nous consultons le spécialiste approprié, plus le corps a toutes les chances de se guérir totalement.

Si nous commençons d'emblée à prendre des médicaments, et par conséquent à faire disparaître les symptômes de notre mal-être, quand les choses auront empiré au point où nous devrons consulter un spécialiste qui envisagera d'éliminer la cause de ce mal-être pour permettre à notre corps de pouvoir se guérir, notre situation se sera peut-être dégradée à un point tel que nous ne pourrons plus recouvrer la santé à cent pour cent. Il en va de même pour une intervention chirurgicale. En effet, si celle-ci ne donne pas les résultats escomptés, quand nous irons voir un chiropraticien, un acupuncteur ou tout autre spécialiste du rétablissement naturel de l'équilibre énergétique, nous ne pourrons lui amener que les parties de nous qui restent. De toute évidence, ce sera toujours moins que cent pour cent.

Si, pour une raison ou une autre, la méthode naturelle ne fonctionne pas pour vous, bien sûr qu'il faut avoir recours à la médecine allopathique. Et, Dieu merci, elle est à notre disposition. C'est juste que, parfois, nous ne prenons pas le temps de regarder les choses avec du recul. Si le corps peut guérir tout seul, il me semble logique, avant d'entreprendre une démarche plus radicale, que nous allions consulter le spécialiste qui, justement, renforcera en nous ce processus naturel.

Comment alors concilier médecine et guérison ? Alors que nous entamons ce nouveau millénaire, je constate un changement chez les professionnels de la santé, sur le plan de la conscience. Nombre d'entre eux comprennent qu'ils ne réussissent pas à réaliser le rêve qu'ils avaient en embrassant leur carrière. Ils commencent à peine à entrevoir qu'il y a peut-être autre chose et ils se montrent disposés à trouver ce que c'est.

Le fait que je sois invité à prononcer des allocutions dans des universités et des hôpitaux montre bien l'ouverture d'esprit grandissante des gens de ce domaine aux États-Unis. Le premier pas effectué dans ce sens fut l'intégration de cours facultatifs d'acupuncture et d'homéopathie dans les facultés de médecine. On assiste par ailleurs à l'apparition de cours en médecine énergétique un peu partout. Les hôpitaux spécialisés en ostéopathie ou les collèges de chiropraxie qui m'invitent à faire des présentations évoluent beaucoup dans leur façon de penser. De nombreux médecins, ostéopathes ou chiropraticiens intègrent maintenant la guérison par la « reconnexion » à leur pratique habituelle, certains avec discrétion, d'autres pas. D'après un vieux dicton, la science avance au rythme d'une mort à la fois. Dans bien des cas, ceci est vrai également pour les progrès à réaliser dans tout autre domaine. Dieu merci, le visage de la médecine est actuellement en train de changer. Comme cette transformation s'effectue dans un mouvement qui part de l'intériorité, elle exige un grand nombre de changements intérieurs avant que ces derniers transparaissent à l'extérieur.

Et puisque le public ouvre peu à peu les yeux, la médecine n'a pas d'autre choix que d'ouvrir son esprit. Alors, même si cela peut prendre du temps, il y aura finalement acceptation.

Comment, selon moi, s'accomplit la fusion entre la guérison et la médecine ? Exactement de la manière dont elle le fait actuellement.

Faut-il avoir la foi pour guérir ?

Nous avons déjà clairement établi que ce genre de travail dépasse de loin ce qu'on qualifie de nos jours de « guérison énergétique ». La guérison par la « reconnexion » n'a rien à voir non plus avec la foi. En effet, on n'a pas besoin de croire au processus pour qu'il fonctionne. J'ai compris cela dès le début des guérisons, puisque ni moi ni mes patients ne nous y attendions. D'ailleurs, un autre facteur est venu corroborer ce fait de plus belle. Comme la majorité de mes patients viennent du monde entier pour me consulter, ils se présentent la plupart du temps à mon cabinet accompagnés d'un conjoint ou d'un ami. La rencontre s'amorce par une agréable conversation avec le couple ou ces gens dont un des deux est le nouveau patient. Le conjoint ou l'ami part alors attendre l'autre dans la pièce d'à côté. Et là s'opère une grande virevolte de la part de l'autre qui me lance en grognant et en me regardant de travers : « Je veux seulement vous dire que je pense que tout ce truc, c'est de la foutaise et que je ne serais pas là si mon conjoint ne m'y avait pas forcé. » En général, je réponds à chacun que, vu qu'il est déjà sur place, il ferait aussi bien de s'allonger à son tour sur la table et de rester ouvert à toute éventualité.

Que votre patient ne garde pas les bras croisés sur la poitrine dans une attitude de refus d'être guéri peut certes aider quelque peu. Toutefois, la croyance ne semble pas jouer un grand rôle dans le processus. Vous pouvez toujours encourager un patient sceptique à s'allonger en ayant un état d'esprit où *peut-être que ça va marcher, peut-être pas*. Chose étrange, ce sont souvent sur ces patients que s'opèrent des guérisons spectaculaires accompagnées de tout le « cérémonial » (impressions visuelles, olfactives, auditives et tactiles).

Et je vais vous confier quel genre de personne risque d'en avoir le moins pour son argent. Croyez-le ou non, il s'agit de celle qui se présente en insistant sur le fait que cela va fonctionner, de la personne qui a tout lu et qui estime tout savoir sur le sujet. S'il y a une manière d'interférer avec le processus de guérison, c'est bien par ce genre d'attachement, par ce brûlant besoin de voir les choses marcher comme prévu.

La raison pour laquelle certaines personnes guérissent

Ce n'est pas la maladie ou l'infirmité qui guérit, mais la personne. Peu importe que je m'évertue continuellement à souligner ce fait dans mes ateliers et colloques, ce sont toujours les mêmes questions qui continuent d'affluer : « Est-ce qu'on peut guérir telle maladie ou telle autre ? »

Un des éléments qui peut ralentir votre processus de guérison, c'est votre système de croyances. Une fois que vous avez « avalisé » la croyance que certaines maladies ou infirmités ne peuvent être guéries, il est fort possible que votre pronostic s'actualise. Je dis « possible » parce que l'univers pourrait très bien prendre les devants et vous amener à dépasser vos croyances. De toute façon, c'est un obstacle inutile.

Vous pensez, j'en suis sûr, qu'une personne qui vient à une séance de guérison veut guérir. Certaines personnes pourraient cependant vous surprendre.

La sclérose en plaques est une maladie dégénérative du système nerveux qui frappe habituellement les jeunes adultes. Cette maladie a tendance à évoluer au fil des ans et à graduellement détériorer la coordination, la mobilité et, finalement, tout contrôle musculaire.

Il y a quelque temps, une Allemande atteinte de cette maladie est venue me voir. Son époux, Karl, l'amena jusqu'à la salle de traitements dans son fauteuil roulant, qui lui était devenu nécessaire depuis environ trois ans. Karl m'aida à la soulever pour l'étendre sur la table à massage, puis il alla s'asseoir dans la salle d'attente.

La séance avec Hannah se déroula à merveille. À la fin, elle se leva toute seule, put se tenir debout sans aucune aide et marcher. Bien entendu, elle ne partit pas à la course – elle avait besoin de s'appuyer sur le mur pour avancer à petits pas –, mais elle était loin d'être la personne invalide qui était arrivée en fauteuil roulant.

D'habitude, le conjoint qui voit venir dans la salle d'attente sa compagne totalement transformée déborde de gratitude. Mais, dans ce cas, Karl ne parut pas très heureux de ce qui s'était produit.

Censée revenir le lendemain pour une deuxième séance, Hannah ne se représenta cependant qu'une semaine plus tard. Et elle était de nouveau dans son fauteuil roulant.

Tout ceci me paraissait assez étrange. En effet, la plupart du temps, les guérisons chez les gens semblaient être permanentes, que ce soit dans l'immédiat ou progressivement. Une fois Karl sorti de la salle de traitements, j'abordai le sujet avec Hannah. Elle me raconta que celui-ci lui avait avoué avoir une maîtresse depuis un certain temps.

Notre conversation permit à Hannah de saisir le sens que la guérison pouvait avoir pour elle et son mari. Plutôt que d'y gagner tous deux quelque chose, ils auraient au contraire quelque chose à perdre. Lui, une excuse pour avoir une maîtresse, et elle, une façon de garder son homme près d'elle.

Pour autant que cela me concernait, Hannah et moi étions réunis pour une seule et unique raison : sa guérison. Mais, je voulais m'assurer qu'elle comprenait bien que le choix de guérir lui appartenait. « Si vous ne le voulez pas vraiment, vous feriez aussi bien de rentrer chez vous », lui dis-je.

Elle comprit parfaitement et fut de nouveau sur pied à la fin de la seconde séance.

Autre raison pour laquelle certaines personnes ne guérissent pas

La résistance à la guérison peut prendre bien des formes, certaines étant si intimement liées à d'autres aspects de la vie du patient qu'il vous est seulement possible de les voir avec du recul. Laissez-moi vous en donner un exemple. Il y a quelques années, je passai quelque temps à New York. Parmi les gens qui vinrent me consulter se trouvait un groupe d'environ huit personnes souffrant de polyarthrite rhumatoïde. Il ne s'agissait pas pour ces gens d'une affection bénigne ou moyenne, comme on le remarque chez certaines personnes qui ont les jointures enflées et les doigts peu mobiles. Non, ces individus étaient atteints de polyarthrite rhumatoïde sérieuse, ce qui déformait et estropiait leurs membres. Plusieurs d'entre eux avaient au moins une main ou un pied dont la structure osseuse était si altérée que la forme de leurs membres ne ressemblait en rien à ce qu'elle avait dû être à l'origine. Le moindre mouvement suscitait chez eux des douleurs atroces. Et le temps qu'il faisait à l'époque n'arrangeait rien. En effet, ma visite à New York coïncida avec une de ces fameuses tempêtes de neige que New York essuie parfois, avec pluie verglaçante, grêle et froid mordant qui vous transperce de part en part. Ce genre de temps confine en général à la maison les gens souffrant de polyarthrite rhumatoïde.

Ces huit personnes avaient pour la plupart pris trois rendez-vous chacune. Après la première séance, aucune d'entre elles n'affirma avoir senti un quelconque soulagement. Et même si je n'avais jamais traité quiconque si durement atteint, je m'attendais tout de même à ce qu'au moins certaines parmi elles se sentent mieux. Quand elles se présentèrent pour leur deuxième séance, je commençai à me sentir un peu mal à l'aise. Je savais qu'elles avaient dû s'emmitoufler jusqu'aux oreilles pour traverser péniblement la ville par une telle tempête. Leurs jointures rougies et glacées en étaient la preuve flagrante. Leur seconde séance ne donna pas plus de résultats que la première.

Rendu à ce point-là, mon ego se mit à s'affoler. J'appréhendais donc leur troisième visite. Certaines téléphonèrent pour annuler, ce qui me soulagea en fait. Je me forçai à aller de l'avant avec celles qui étaient venues, mais une fois encore, aucune n'eut l'impression d'aller mieux ou ne présenta une quelconque amélioration.

Par après, lorsque d'autres gens atteints de polyarthrite rhumatoïde appelaient pour prendre rendez-vous, je les dissuadais toujours de venir. J'avais décidé que la guérison par la « reconnexion » ne fonctionnait pas avec les personnes atteintes de ce mal. Je ne voulais pas répéter l'épreuve de New York, que ce soit pour eux ou pour moi.

Il s'avéra toutefois que les patients de New York avaient tous une chose en commun en dehors de leur polyarthrite rhumatoïde : une implantation de silicone, sous une forme ou une autre. J'en conclus donc que les fréquences de « reconnexion » n'avaient aucun effet sur la polyarthrite rhumatoïde induite par le silicone.

Cette conclusion me redonna un peu de courage. Seulement un peu.

Plus tard, au cours d'une discussion avec mon assistante, je découvris que ces gens avaient en fait une autre chose en commun : ils poursuivaient tous en justice le fabricant de silicone. Autrement dit, ils avaient tous intérêt à ne pas guérir. Plus ils pouvaient fournir à la cour de renseignements prouvant leur mauvaise santé et leur incapacité à aller mieux, plus leur cas serait grave et leur cause reconnue, ceci se traduisant à la fin des procédures légales par des compensations financières significatives.

En réalisant ce qui se passait chez ces individus, je réussis à me défaire de la culpabilité que je ressentais, ainsi que de mon anxiété à ne pas avoir pu faire mieux. En effet, je me disais que j'aurais pu être plus clair, plus centré, plus présent, etc.

Une certaine insécurité continua à m'habiter jusqu'à ce qu'un jour je prenne la parole à un groupe de médecins et d'infirmières au Jackson Memorial Hospital de Miami. Vers le milieu de mon allocution, je demandai à l'assistance, comme je le fais toujours, si quelqu'un voulait venir expérimenter ces énergies curatives. Une infirmière bondit de sa chaise et se mit à marcher dans ma direction avec le bras et la main tendus devant elle. J'étais hypnotisé par sa main alors qu'elle s'approchait. Et chacun de ses pas me rapprochait de ses jointures rougies, gonflées et déformées par la polyarthrite rhumatoïde. Le reste de l'assistance devint flou pour moi.

« J'ai de l'arthrite et je ne peux pas bouger ces doigts-là », annonça-t-elle comme si c'était nécessaire. Ce que je craignais le plus dans le monde de la guérison m'arrivait et se dirigeait vers moi devant une assemblée de médecins, d'infirmières et d'internes. « Pouvez-vous guérir ma main ? Je ne peux pas fermer mes doigts plus que ça. »

« Il s'agit juste d'une petite démonstration pour voir si vous réussissez à percevoir l'énergie de guérison », lui répondis-je mal assuré. Je savais que personne d'autre n'avait entendu ce que je venais de dire. Ils voulaient tous voir une guérison ou son contraire. Ils ne voulaient pas d'une « petite démonstration pour voir si vous sentez l'énergie de guérison ».

La femme se rendit jusqu'à moi et me tendit sa main. Elle entreprit alors de montrer à tout le monde ses doigts aux mouvements limités, tout en faisant un compte-rendu des soins orthopédiques et thérapeutiques reçus, ainsi que de l'absence de résultats. J'entrepris donc la démonstration. Immédiatement, elle sentit l'énergie et un de ses doigts se mit à remuer involontairement. Tous les yeux étaient braqués sur nous en même temps que j'exultais en pensée : « Mon Dieu ! De la polyarthrite rhumatoïde ! »

« Bon, voyons voir votre main maintenant ! » dis-je à l'infirmière 45 secondes plus tard. Elle ferma tous ses doigts complètement. Ils touchaient la paume de sa main pour la première fois depuis une éternité. Ouverts. Fermés. Ouverts. Fermés. Ils avaient retrouvé leur mobilité. La rougeur des jointures avait disparu et avait laissé place à une couleur de peau normale. Deux de ses jointures restaient cependant un peu enflées, bien que la raideur et la douleur aient disparu.

Et avait disparu par la même occasion ma peur inconsciente de travailler avec des patients atteints de cette affection grave et l'idée que celle-ci ne réagissait pas à mon travail.

Il existe de nombreuses raisons pour lesquelles certaines personnes choisissent de ne pas guérir. Et ces raisons n'ont en général rien à voir avec le guérisseur.

Est-ce que la guérison par la « reconnexion » marche dans le cas d'une polyarthrite rhumatoïde ?

Réponse : Ce n'est pas la maladie ou l'infirmité qui guérit, c'est la personne.

PARTIE III

La guérison par la « reconnexion » et vous

« Une fois que vous êtes établi dans l'être-là, passez à l'action »

Extrait de la *Bhagavad-Gita*

CHAPITRE 16

Rencontre avec l'énergie de « reconnexion »

*« Affairez-vous autant que vous le pouvez
à étudier tout ce qui est divin,
pas seulement pour savoir de quoi il en retourne,
mais pour mettre cela en application.
Et quand vous refermerez les livres,
regardez autour de vous et en vous
pour voir si vous pouvez passer à l'action. »*

Moïse d'Évreux (1240 apr. J.-C.)

Remarques préliminaires

Nous sommes maintenant rendus à la partie pratique de cet ouvrage. Cette section n'est cependant pas aussi volumineuse que son pendant dans d'autres ouvrages. Pourquoi ? Parce qu'il est impossible de « mettre en œuvre » une guérison par la « reconnexion ». Si on essaie de le faire, on interfère avec le processus. Ne paniquez pas si la confusion vous assaille. Depuis le moment où vous avez entrepris la lecture de ce livre (en fait dès l'instant où vous avez décidé de le lire), vous vous trouvez dans un processus de transformation, de devenir. Et celui-ci est rendu tellement avancé dorénavant que vous ne pourriez pas revenir en arrière même si vous le vouliez. Tout au plus, vous pourriez essayer d'ignorer l'évolution en question pendant un bout de temps, mais vous découvririez tôt ou tard que l'ignorer s'avère de plus en plus difficile et même impossible à un moment donné.

Vous êtes intrigué ? Moi aussi je l'étais au début. C'est d'ailleurs ce qui me poussa à arrêter d'organiser des colloques et des ateliers sur la guérison par la « reconnexion ». Lorsque le mot se passa au sujet des guérisons qui se produisaient dans mon cabinet, de plus en plus de particuliers et d'établissements d'enseignement m'appelèrent pour me demander d'enseigner. Immanquablement, je leur répondais : « La guérison ne s'enseigne pas. » Depuis, j'ai changé d'avis.

Dans le cours des choses, j'ai appris une chose importante, voire que la phrase *« Ce que vous faites apporte à la planète lumière et information »*, transmise par channeling, implique bien plus que le seul fait qu'une personne – moi en l'occurrence – reste debout heure après heure dans une pièce à permettre à un individu à la fois de guérir. D'une certaine façon, l'interaction entre mes patients et moi semblait donner accès à un niveau autre de réceptivité permettant de capter les nouvelles fréquences – cette lumière et cette information – qui nous arrivent maintenant. À un moment donné, un fait me frappa : *toute une génération de nouveaux guérisseurs voyait le jour* et tous étaient des gens avec qui j'avais été en contact.

À l'époque, je n'avais pas la moindre idée du nombre de personnes que cela représenterait en bout de ligne et j'avais seulement une très vague impression de l'ampleur et des répercussions de ce processus. Tout ce que je savais au début, c'est que quelque chose de vital et de puissant était à l'œuvre et allait en s'intensifiant avec chaque client que je traitais. Je me mis donc à prêter plus attention à ce qui se passait en moi et autour de moi pendant que je travaillais avec cette énergie de guérison.

Chemin faisant, je découvris que ce que je m'évertuais à répéter était vrai : on ne peut pas enseigner la guérison.

Par contre, il y a une chose que je pouvais faire : amener sur la planète cette nouvelle lumière et cette nouvelle information. Les gens pourraient apprendre de leur côté à partir de cela.

Des béquilles

Avant d'aller plus loin, je voudrais préciser qu'il y a une chose que vous n'apprendrez pas de moi : une technique. La guérison par la « reconnexion » n'est pas du Toucher de guérison, du Toucher thérapeutique, ni du Toucher de santé. Ce n'est pas non plus du reiki, du Johrei, ni du Jin Shin. Ce n'est pas du Chi Kung, du mah-jong, ni du Beijing ! Ce n'est aucune des techniques que vous avez pu connaître. La guérison par la « reconnexion » n'est pas une technique. C'est quelque chose qui transcende la technique.

J'espère que vous aurez maintenant compris que les techniques sont essentiellement des rituels destinés à vous amener dans un état particulier. Malheureusement, comme vous avez peut-être pu le constater *de visu*, le processus même vous permettant de maîtriser une technique a intrinsèquement tendance à vous empêcher d'atteindre le but, qui est justement cet état particulier. C'est un peu comme apprendre à faire du vélo en ajoutant de petites roues d'appoint sur la roue arrière sans jamais les enlever : ainsi, vous n'apprendrez jamais vraiment à aller à bicyclette et ne connaîtrez jamais cette véritable expérience.

La guérison par la « reconnexion » vous amène, au-delà de la technique, à un état d'être. Vous êtes cette énergie de guérison et elle est vous. Vous ne pouvez vous empêcher d'entrer en résonance avec elle. Elle émane de vous dès que vous concentrez votre attention sur elle et, parfois, vous découvrez que votre attention est concentrée sur elle parce qu'elle émane de vous. Le travail avec l'énergie de « reconnexion » commence par le fait de la remarquer et de centrer votre attention sur elle.

Ceci peut vous paraître un peu simpliste. C'est pourquoi j'aimerais vous poser une question (et y répondre !) que vous vous posez probablement déjà : « Comment puis-je apprendre à remarquer ce type d'énergie à partir d'un livre ? » Je répondrai à cela par les plus importants quatre mots que, en tant que guérisseur, vous pouvez ajouter à votre lexique et que j'emploie sans ménagement dans cet ouvrage : *Je ne sais pas.*

Je ne sais pas comment il se fait que l'énergie des gens se trouve à être activée quand j'interagis avec eux individuellement. Je ne sais pas comment il se fait que des personnes se tenant dans les coins les plus éloignés de moi dans une immense salle de réception d'hôtel sentent leur énergie activée quand je m'avance parmi elles. Je ne sais pas comment il se fait que les gens qui sont au balcon et à la mezzanine d'une salle de théâtre éprouvent des sensations indiquant la présence de ces énergies, même quand je passe près de la scène.

Et que dire des conversations téléphoniques ? Plusieurs réalisateurs ont éprouvé de telles sensations en me parlant au téléphone, qu'ils se sont sentis obligés de m'inviter à leur émission télévisée. Ces fréquences semblent également pouvoir se transmettre par le truchement de cassettes audio, de disques compacts, de radios et de téléviseurs. Vous verrez que les gens se mettent aussi à ressentir cette activation quand ils interagissent avec vous.

Mais ce qu'il y a de plus surprenant, c'est que cette activation se transmet également par les vocables écrits, que ce soit par l'intermédiaire d'Internet, des magazines, des journaux ou des livres. Et je ne parle pas ici d'une transmission intellectuelle (je vous dis à quoi vous attendre, vous y réfléchissez et cela se produit peut-être). Je parle plutôt d'une véritable transmission, de l'énergie elle-même qui passe de ce livre à vous. Comment cela peut-il être ? Je ne sais pas. Certainement pas en vêtant une robe de druide et en me baladant dans l'entrepôt de la maison d'édition tout en hurlant en direction des livres : « Prenez cette énergie ! Guérissez ! Prenez cette énergie ! »

Il y a une explication plausible à cela : l'activation a lieu par le truchement d'une énergie qui est transportée et transmise par le choix de mes mots – pas nécessairement choisis consciemment. À cela s'ajoute mon intention d'origine d'écrire ce livre. Cette explication semble en tout cas vraie pour ce qui est des cassettes audio. En effet, j'ai remarqué que dans de nombreux cas, entre autres pour Deepak Chopra, Lee Carroll et Caroline Myss pour ne nommer que ces trois personnes, le don de transmission de l'information est en grande partie inhérent à la voix. Il y a tant de choses transmises à tellement de niveaux par les subtilités et les fréquences de leurs trois voix, que j'écoute leurs cassettes même si j'ai déjà lu leurs livres.

Évidemment, il y a des gens dont la voix est aussi vivifiante qu'un somnifère et on devrait prévenir la population de ne pas écouter leurs cassettes audio en conduisant ou en opérant de la machinerie lourde. Malgré cela, quelque chose est transmis. Peut-être l'activation est-elle déclenchée par la voix elle-même ? En ce qui concerne les livres, peut-être l'est-elle par les images visuelles que le lecteur reçoit. D'une façon comme d'une autre, l'activation semblerait engrammée dans la communication comme telle. N'oubliez pas que les sens physiques de l'humain ne sont pas dissociés les uns des autres. Ils reçoivent la même énergie mais différemment, selon les sens. Par exemple, la lumière et le son sont tous deux des vibrations (du moins d'une certaine manière), mais leurs fréquences sont très variées.

Par ailleurs, l'activation n'a peut-être rien à voir avec nos sens et n'a pas non plus besoin de nos instruments actuels pour véhiculer cette énergie. Nous savons en tout cas que cette communication s'établit en dehors des limites du temps et de l'espace, alors que nous sommes aux prises avec ses illusions, déterminés que nous sommes à découvrir le mécanisme permettant de l'expliquer. Notre aveuglement peut nous faire prendre au piège de la roue où le hamster court sans jamais réussir à aboutir quelque part.

Quel que soit le mécanisme qui sous-tend le phénomène, notre capacité à activer la réceptivité à ces énergies chez des gens avec qui nous n'interagissons jamais directement n'est pas la première ni la dernière chose dont nous discuterons sans que je puisse les expliquer. Toujours est-il que cette forme fascinante de transmission continue encore de se produire.

À vous de jouer

Cette partie du livre aborde bien plus que le fait de simplement reconnaître, intensifier et utiliser l'énergie de la « reconnexion ». Elle s'attarde plutôt aux questions rudimentaires que les éventuels guérisseurs posent typiquement au cours des ateliers. Cependant, avant d'aborder quelque question que ce soit, j'aimerais insister sur un élément que j'ai déjà mentionné plusieurs fois : *vous n'avez pas besoin de moi*. Vous n'avez aucunement besoin de moi pour faire ceci ou cela. Alors, pour aller plus loin, pourquoi gaspiller votre temps et votre argent en écoutant des cassettes audio ou en prenant même part à un atelier ?

Il y a plusieurs raisons à cela. Voyons d'abord la principale. Pourquoi pensez-vous que tellement de gens gagnent leur vie comme enseignants, entraîneurs et répétiteurs ? Parce que, en règle générale, ils nous permettent d'apprendre à faire quelque chose de nouveau ou d'inhabituel. Parce que quelqu'un de plus expérimenté peut aider les débutants à avancer plus rapidement, théoriquement du moins.

Mais, une fois de plus, j'insiste pour rappeler que vous n'avez pas besoin de moi en permanence à vos côtés ni de recommandations particulières – entre autres des diagrammes vous indiquant exactement où mettre vos mains, comment vous mouvoir, quoi éviter de faire ou de penser, etc. Tous ces éléments ne sont une fois de plus que des béquilles.

Nos souvenirs d'enfance nous rappellent clairement qu'apprendre à faire de la bicyclette sans roues d'appoint peut se traduire par bien plus de bobos et de difficultés que de le faire à l'aide de celles-ci. Échecs et souffrances à répétition se soldent rarement par l'acquisition de compétences. Ils finissent plutôt par le contraire, c'est-à-dire la capitulation. Et je ne parle pas ici du lâcher-prise qui peut parfois être tout à fait valable. Je parle de la résignation.

Donc, quand il s'agit de guérison, les guérisseurs se dotent de toutes sortes de « béquilles » physiques ou symboliques : cristaux, statuettes, emblèmes, prières, etc. Pourquoi ne pas employer de talismans aussi longtemps qu'ils nous confèrent un pouvoir, me demanderez-vous ? Parce qu'ils représentent un faux pouvoir, un pouvoir qui provient d'une source extérieure, artificielle, illusoire

et non authentique. En faisant appel à ces béquilles, nous attri-
buons inconsciemment à des objets externes l'authentique pouvoir
qui est en nous. Donc, se défaire symboliquement de notre pouvoir
revient à s'en défaire réellement. Dieu merci, nous pouvons
seulement nous défaire de l'illusion.

Imaginez maintenant le scénario suivant. Vous êtes en déplacement hors de la ville pour la journée. Vous rencontrez une
femme et, en conversant avec elle, vous découvrez que l'enfant qui
l'attend à la maison aurait grandement besoin d'une séance de
guérison. Elle vous demande de l'aide. Allez-vous lui dire : « Mon
Dieu, je voudrais bien, mais j'ai oublié ma pyramide portable à
Washington » ? Pour l'amour de Dieu, ressaisissez-vous !

Mais, me lancerez-vous, comment savoir à quel moment laisser tomber les roues d'appoint, les béquilles ? En réalité, cela a
toujours été le bon moment pour le faire. C'est juste que vous ne
vous en étiez pas rendu compte.

CHAPITRE 17

Le milieu ambiant du guérisseur

« Conceptualisez toujours un milieu de vie en tenant
compte de son inclusion
dans un contexte plus grand :
une chaise dans une pièce, une pièce dans une maison,
une maison dans un quartier et
un quartier dans une trame urbaine. »

Eliel Saarinen, dans le numéro de juillet 1956 du magazine *Time*

Avant d'aborder à proprement parler la question des énergies, j'aimerais dire quelques mots au sujet de l'aspect temporel et pratique de cette activité, en particulier les aspects qui assurent une bonne « conduction » de l'énergie de guérison. Un grand nombre d'entre vous décideront de se doter d'un lieu physique précis qui leur sera propre et qui sera représentatif de ce qu'ils sont. Par conséquent, avant de travailler avec l'énergie de guérison, il faudra vous préoccuper de quelques éléments pratiques.

Tout se passe dans votre cabinet

Quand vous vous représentez visuellement le cabinet d'un médecin, l'image qui vient à l'esprit de presque tout le monde, vous y compris, est celle du docteur en blouse blanche, d'une pièce aseptisée, d'un lit réglable haut sur pattes et d'une infirmière ou deux très affairées. Il y aura peut-être aussi des moniteurs, des solutés, des tubes, des électrodes et de la nourriture infecte sur un plateau.

En dehors des occasions où vous pourriez procéder à des séances de guérison dans un milieu hospitalier, ce type de milieu n'a pas grand-chose à voir avec la guérison par la « reconnexion ». En vérité, il vous suffirait d'aller vers les gens dans la rue et de laisser l'énergie de guérison couler vers eux pour que s'effectue sur place une guérison. Vous pourriez même entreprendre une séance de guérison avec une personne se trouvant dans un autre endroit que vous.

À mesure que vos aptitudes se préciseront, vous vous sentirez de plus en plus à l'aise de travailler dans des milieux de plus en plus simples. La guérison à distance est une possibilité. Mais il se peut que, pour bien des raisons, ce ne soit pas ce que vous vouliez faire la majorité du temps. Alors, quel est le milieu de travail idéal ? Qu'y a-t-il autour de vous ou que n'y a-t-il pas ?

En réalité, peu de choses : l'endroit où vous effectuez votre travail de guérison doit simplement être aussi agréable que possible pour vous et vos patients. Vous trouverez ci-dessous quelques généralités à garder à l'esprit.

Le confort avant tout

Le patient qui baigne dans l'énergie de « reconnexion » vit une expérience profonde et intense. Il est empli de lumière et procède à un échange d'information de haut niveau avec l'univers. Qu'il soit ou non totalement conscient de l'aspect opérant du travail en cours, une telle séance est quelque chose de précieux et de rare, souvent même une expérience unique. Quand vous créez un milieu favorable, vous honorez cet aspect-là.

Par conséquent, le confort du patient est primordial. En général, ce dernier s'allongera sur une table de massage ou sur un lit. Habituellement, il vaut mieux l'installer sur le dos, surtout parce que c'est la position la plus confortable pour la plupart des gens et aussi parce que c'est une position ouverte qui leur permet d'être plus réceptifs et plus conscients. Je préfère personnellement qu'ils ne se servent pas d'oreiller. Non pas parce que je pense que cela créera une interférence (même une cloison de plomb ne pourrait interférer avec ce genre d'énergie !), mais parce que les oreillers peuvent les encombrer s'ils sentent le besoin de bouger certaines parties du corps. Évidemment, si une personne a des problèmes au cou ou au dos, il vous faudra peut-être glisser un petit coussin sous sa tête ou un oreiller sous ses genoux. N'oubliez pas que la séance de guérison sera aussi efficace, que les gens soient sur le dos, sur le ventre ou sur le côté, ou bien encore qu'ils aient les yeux ouverts et qu'ils parlent ou qu'ils aient les yeux fermés et se taisent. La différence se situe sur le plan de l'expérience même, expérience qui fournit souvent aux individus des révélations précieuses venant bouleverser leur vie.

Donc, rappelez-vous que le confort est votre priorité pour que le patient soit détendu et réceptif.

Votre confort à vous est également important. En effet, vous voulez rester dans un certain état d'esprit quand les énergies de guérison se révèlent par vous, mais le stress physique peut interférer avec cet état d'esprit. Quand vous êtes distrait par l'inconfort, la personne qui est venue vous consulter en subit les conséquences. Je vous invite donc à vous assurer que votre table est bien à la bonne hauteur pour que vous n'ayez pas à vous pencher, à vous courber ni à vous agenouiller. Si la pièce est suffisamment grande, installez la table à massage ou le lit de façon à pouvoir vous déplacer autour du patient. Par contre, si vous travaillez dans un espace plus restreint, comme ce fut mon cas au cours des premières années, je vous conseille de positionner un côté du lit ou de la table contre un mur afin de pouvoir amplement vous mouvoir sur les autres côtés. Ceci n'interférera nullement en rien.

À mes débuts, il est régulièrement arrivé que mes « patients à la table contre le mur » ouvrent leurs yeux en plein milieu d'une séance, complètement effarés. Me fixant, ils pointaient du doigt ou tapotaient le mur contre lequel la table de massage était appuyée en disant : « Mais je vous ai senti de ce côté-là ! » D'une manière ou d'une autre, la Lumière ne reconnaît aucunement ce que nous percevons comme des limites spatiales ou physiques.

Même à cela, si vous voulez vous déplacer autour de la table, faites-le.

Effet d'éclairage

Règle générale, vous voudrez que les gens gardent leurs yeux fermés. Cela élimine les distractions et leur permet de relaxer. Une lumière forte braquée sur les paupières du patient n'est pas particulièrement apaisante. Par contre, s'il fait trop sombre, ce n'est pas à votre avantage. En tant que guérisseur, vous voudrez aussi bien voir ce qui se passe sur le plan physique que sentir les énergies. Un degré de luminosité neutre est donc recommandé. Mon premier choix va vers l'éclairage incandescent avec rhéostat (lampes sur pied ou appliques murales), mais j'aime bien les lampes à halogène, à rhéostat également. L'éclairage au néon en plafonnier est, quant à lui, absolument déconseillé.

Il faut tenir compte de la projection des ombres dans l'éclairage. En vous déplaçant autour du patient, vous pouvez projeter des ombres sur ses paupières, ce qui le fera cligner des yeux, mouvement que vous pourrez prendre pour autre chose. En effet, certains mouvements involontaires des paupières indiquent qu'il y a établissement de contact avec les énergies de guérison. Les ombres peuvent donc fausser votre perception de la réaction du patient puisque vous concentrerez votre attention sur des réactions autres. Vous voulez par conséquent faire honneur à l'expérience réelle et ne pas faire une mauvaise lecture de ce qui se passe. Si votre patient cligne des yeux ou voit une ombre passer, vous voulez qu'il sache que vous n'en êtes pas la cause, pas plus qu'autre chose sur le plan physique.

Senteurs, parfums et arômes

Et pour les mêmes raisons, vous ne voudrez pas faire intervenir d'odeurs terrestres dans votre cabinet. Dans l'état de transcendance des sens où ils se retrouvent pendant la séance, les patients sentent souvent des fragrances particulières. Vous ne voudrez donc pas tromper leur sens olfactif et les empêcher de sentir une odeur qui vient d'ailleurs. Rappelez-vous qu'ils n'auront peut-être jamais plus l'occasion de sentir une telle fragrance. Évitez donc de faire brûler de l'encens et des bougies parfumées, de mettre du parfum, de l'eau de Cologne ou des huiles essentielles. Évitez également les fleurs trop parfumées ou trop chargées en pollen, ainsi que les purificateurs d'air parfumés et les produits de nettoyage trop forts.

Certains patients ont de fortes allergies. Pour eux, le moindre résidu d'odeur d'encens ou de bougie parfumée peut déclencher une réaction d'obturation de la gorge ou des difficultés respiratoires. Ils peuvent aussi réagir aux produits chimiques laissés par les poudres à lessive (dans les draps qui recouvrent votre table à massage) et les produits de nettoyage. Les purificateurs ne font qu'empirer les choses. Quand une telle situation survient, autant vous faire à l'idée que la séance s'arrêtera là pour tout le monde. Autrement dit, l'air doit être aussi pur que possible.

Musique

Quand je pratiquais la chiropraxie, je faisais toujours jouer de la musique pour le plaisir de mes patients et le mien. Mais depuis que je travaille avec les énergies de guérison, je ne fais plus jouer de musique, car cela tend à les induire vers des expériences toutes faites. Ils se souviendront de la première fois où ils ont entendu cette musique, penseront au fait qu'ils l'aiment ou ne l'aiment pas, ou bien encore suivront le cours des pensées que la musique éveille en eux. Ainsi, ils seront moins portés à remarquer les véritables réactions au processus de guérison. En d'autres mots, la musique amène les gens ailleurs.

Cela ne veut pas dire que la pièce doit être totalement insonorisée ou dépouillée de tout bruit. Personnellement, j'aime bien entendre un bruit de fond neutre, mais rien de plus. Par là, j'entends un bruit léger, comme celui d'un vieux ventilateur. C'est très bon pour neutraliser les bruits provenant de l'extérieur. Ce son devra être doux et régulier, pas comme celui de la pluie ou des vagues qui comportent des espaces de silence. C'est dans ces espaces de silence que les bruits extérieurs ressortent le plus et font sursauter.

Tenue du guérisseur

Vous n'avez pas besoin de porter de blouse blanche ni de toge. Pas besoin non plus de stéthoscope ou d'un bracelet composé d'un alliage particulier. Habillez-vous confortablement.

Cependant, évitez de porter des chemises amples non rentrées dans vos pantalons ou vos jupes et dont les manches sans poignets traînent partout. Ou bien des colliers qui pendouillent au point de toucher le patient. Faites attention aussi aux bracelets et aux gourmettes, aux montres qui émettent un tic-tac fort, aux tissus raides ainsi qu'à ceux qui sont bruyants comme le taffetas et le velours côtelé. Si vos cheveux sont très longs et rebelles, faites-vous une queue de cheval ou relevez-les sur le dessus de la tête. Une fois de plus, évitez de donner à votre patient de faux signaux. Ceci concerne particulièrement le sens du toucher. Si votre patient sent que quelqu'un le touche, vous voulez qu'il sache bien qu'il ne s'agit pas de vous.

Réaction des proches

À mon avis, il ne devrait y avoir dans la salle de traitements que vous et votre patient. Et ce, pour plusieurs bonnes raisons, la plus importante étant que tous deux avez besoin de rester centrés sur le processus. En effet, il est difficile de ne pas s'attacher aux résultats si des amis ou des membres de la famille attendent impatiemment que quelque chose advienne. La présence de spectateurs peut distraire.

Cependant, je me permets de remarquer qu'il y a certaines situations où il est préférable d'avoir quelqu'un d'autre avec vous. Par exemple, si vous traitez un enfant mineur, il est recommandé de demander à un parent d'assister à la séance. Il arrive souvent aux enfants (à certains adultes aussi) de se sentir mal à l'aise, seuls avec un étranger. La présence d'une personne qu'ils connaissent peut les rassurer.

À part votre désir de bien faire ou de vous surpasser aux yeux de l'accompagnateur, il existe une autre problématique dont il faut tenir compte lorsqu'un parent est présent. Il s'agit de l'irritation à son comble dont font souvent preuve ces gens : ils marmonnent entre leurs dents, serrent les poings, transpirent et lèvent les yeux au ciel d'exaspération. Si vous ne regardez pas la personne en question, vous ne pouvez pas savoir si elle est sujette à ce genre d'énervement. Le seul indice d'un tel comportement, c'est qu'il y a très peu de réaction de la part de votre patient. Pour réduire l'énervement, je vous conseille de donner à la personne en question des revues (que vous gardez dans la pièce) et de lui demander, après lui avoir expliqué pourquoi, de lire tranquillement dans un coin en ne levant pas son nez de ces magazines. Vous remarquerez alors que les réactions physiques chez votre patient reprennent de plus belle et qu'il peut alors pleinement profiter de sa séance.

Durée des séances

Nous y voici donc. Maintenant que tout est en place physiquement, vous pouvez faire entrer votre patient et entreprendre la séance. Mais comment savoir le temps que celle-ci durera ou combien de séances s'avéreront nécessaires pour que les traitements atteignent leur potentiel de guérison optimal ?

En réalité, vous ne pouvez pas savoir combien de temps cela peut prendre pour qu'un patient réagisse à l'énergie de guérison. Il se peut qu'il réponde immédiatement ou qu'il ne réagisse pas du tout, si l'univers a décidé que la guérison dont il a besoin diffère de celle dont lui-même pense qu'il a besoin ou de ce que vous pensez qu'il a besoin.

Au fil des années, j'ai appris qu'il ne servait pas à grand-chose de garder les gens trop longtemps sur la table à massage. Du point de vue de la guérison, le temps ne compte pas. Certaines des guérisons les plus marquantes auxquelles j'ai assisté ont pris moins d'une minute. Par contre, il est nécessaire d'allouer un certain temps pour la séance afin d'établir et de maintenir un rapport avec la personne qui a pris le temps de venir vous voir. Si quelqu'un a dû conduire 30 minutes afin de se rendre à votre cabinet et que la séance ne dure que deux minutes, celui-ci aura l'impression que quelque chose va de travers. Alors, même si le temps n'est pas un facteur pertinent dans le cas des guérisons, reste qu'il est tout de même assez important aux yeux des gens. Et pour certains, il peut jouer un rôle majeur, car il les incite à se permettre de recevoir.

La plupart des gens s'attendent à ce qu'une séance dure de 45 à 60 minutes. Pour d'autres, 30 minutes suffisent, pourvu que cela vous convienne aussi. Ce qui compte, c'est le processus, et non la finalité. Et ce processus ne s'interrompt pas une fois la séance finie, puisque la guérison n'est jamais achevée. Vous pouvez toujours évoluer. Vous pouvez toujours vous améliorer.

Les séances peuvent être aussi courtes ou aussi longues que vous le voudrez. D'ailleurs, elles se poursuivent d'elles-mêmes après le temps alloué. Il y a un grand avantage à déterminer d'avance la durée des séances : cela vous permet de programmer votre journée. Croyez-le ou non, ceci est très important étant donné que les patients ont eux-mêmes des horaires à respecter et qu'ils ne veulent pas attendre des heures que votre pendule décide à un moment donné que la séance est terminée.

Combien de séances faut-il à une personne ? Autant qu'il en faut pour que celle-ci accepte la guérison. Il n'y a pas deux séances pareilles, pas plus qu'il n'y a deux personnes identiques. Vous constaterez donc que certaines d'entre elles demandent à venir plusieurs fois et d'autres, une fois. Si je ne constate aucun changement évident chez le patient au bout de la troisième séance, j'ai souvent tendance à penser que ce genre d'approche n'est pas la meilleure pour qu'il atteigne les résultats escomptés. Comme il ne s'agit pas d'une méthode thérapeutique, des visites régulières ne sont ni recommandées ni souhaitables.

Un grand nombre de mes patients prennent l'avion pour venir me voir. Il a donc fallu qu'ils planifient leur déplacement, qu'ils s'organisent pour se libérer du travail, pour acheter un billet aller-retour et pour réserver une chambre d'hôtel. Il est donc évident que ces gens veulent au préalable avoir une idée du temps qu'ils devront passer à Los Angeles et du nombre de fois qu'ils devront venir à mon cabinet. La plupart d'entre eux veulent s'éloigner le moins longtemps possible de leur travail et de leur famille. Pour ces raisons, je prévois des séances quotidiennes ou tous les deux jours. Je ne désire pas que ces gens restent loin de chez eux plus longtemps que nécessaire et je veux qu'ils repartent en sentant qu'une boucle est bouclée.

Lorsqu'on me demande combien de visites il faudra, le chiffre trois me sort souvent de la bouche. « Restez suffisamment long-temps pour venir trois fois. Vous pouvez décider d'une fois à l'autre si vous viendrez pour la visite suivante. Mais en réservant trois visites, vous êtes assuré de pouvoir venir si vous le décidez. » Par ailleurs, les gens m'ont maintes et maintes fois précisé que, même si chaque visite est unique en soi, la troisième a toujours quelque chose de spécial.

Je n'affirme pas qu'il faut absolument trois rencontres. Une seule, ou même encore une partie d'une seule, peut amplement suffire. Si les gens qui viennent vous voir habitent la même ville que vous et que votre horaire vous le permet, vous pouvez choisir de fixer des rendez-vous au fur et à mesure.

Prêtez toutefois attention aux individus qui pourraient devenir dépendants de vous. Les patients n'ont pas besoin de venir chaque semaine, ni de vous voir de façon continue. Certaines personnes vont chez le docteur ou chez les guérisseurs tout simplement pour avoir un peu d'attention. Mais la guérison par la « reconnexion » n'a rien à voir avec cela.

Par ailleurs, les catharsis n'ont pas leur place dans ces traite-ments. Les gens allongés sur votre table n'ont pas besoin de hurler ni de revivre de vieilles et souffrantes expériences. Ce genre de thérapie les maintiendrait dans le passé au lieu de leur donner la possibilité d'aller de l'avant. L'univers se recrée en fonction de l'image que nous nous faisons de la réalité. Si nous faisons sans arrêt jouer nos mêmes vieux disques, nous aurons tout bonnement tendance à les répéter. Le concept qui veut qu'il faille souffrir pour grandir est périmé.

Deux choses semblent vouloir bien fonctionner dans le cadre des limites illusoires du temps : notre décision d'accepter la guéri-son, ainsi que son immédiateté et sa totalité. Si une personne se met à crier pendant une séance, vous pouvez décider de lui laisser savoir que cela n'est pas nécessaire dans le cadre de cette expérience. Et si un certain nombre de personnes font des catharsis pendant vos traitements, c'est que vous avez peut-être vous-même du mal à vous débarrasser de votre croyance à ce propos et que vos patients le sentent, tout simplement. Rendez-leur service ainsi qu'à tous les guérisseurs : débarrassez-vous de cette vieille forme-pensée. Elle ne peut que vous ralentir. Les guérisons dont il est question ici ont lieu instantanément avec la force de la grâce et, fort probablement grâce à elle.

Médicaments

Les patients vous demanderont souvent s'ils doivent cesser toute prise de médicaments avant de venir vous voir. Même s'il est tentant de le faire, je vous recommande de ne pas leur donner de conseil à ce sujet, et ce, pour plusieurs raisons. Tout d'abord, à moins d'être aussi le médecin du patient, pas question de jouer au plus fin en ce qui a trait à leur traitement médical : le médecin est là pour ça. Les conséquences pourraient être graves dans ce sens, tant sur le plan physique, émotionnel ou éthique que légal. Ne vous placez pas dans l'embarras.

Il existe une autre raison pour laquelle il est recommandé de ne pas interférer avec les traitements médicaux des patients. Une fois, un de mes patients a semblé très mal à l'aise, bougeant sans arrêt tout au long de son traitement. Il m'expliqua par la suite qu'il avait décidé d'arrêter de prendre ses médicaments. Conséquemment, des démangeaisons incroyables le tenaillèrent pendant la séance et il ne put rester allongé en paix pour profiter pleinement du traitement.

Pourquoi introduire une nouvelle variable dans les règles du jeu ? Si un patient a trouvé l'équilibre qui lui convient grâce à ses médicaments (comme c'est souvent le cas pour ceux qui prennent des médicaments depuis longtemps), l'élimination d'un ou de plusieurs d'entre eux peut se traduire par des réactions imprévues parfois désagréables.

CHAPITRE 18

Comment éveiller le guérisseur en vous

« *La plus grande révolution de notre
génération est d'avoir découvert
que les êtres humains peuvent changer
les circonstances extérieures de leur vie
en modifiant leur attitude d'esprit.* »

William James

Avant de transmettre l'énergie de guérison, il est bon d'apprendre à la reconnaître. Elle est prête à venir à votre rencontre maintenant. Et le fait qu'elle soit identifiable peut grandement vous aider. Comment donc apprendre à reconnaître quelque chose que nous n'avons jamais ressenti auparavant ? Les descriptions d'un livre suffisent-elles vraiment ?

Une des choses les plus frappantes que vous découvrirez quand vous vous mettrez à interagir avec cette énergie, c'est que, à l'inverse des autres méthodes fondées sur la technique, ce processus vous donne des signaux qu'il est à l'œuvre et que vous y êtes impliqué. À cet égard, il ne s'agit pas d'une énergie subtile – c'est tout sauf subtil – et vous n'avez pas non plus besoin de vous y aguerrir pendant des années avant de commencer. La guérison par la « reconnexion » n'est pas seulement quelque chose que nous sentons ou que le patient sent ; c'est quelque chose que l'on peut effectivement voir à l'œuvre.

Je le répète, le lien entre vous et cette énergie s'est établi depuis que vous avez entamé la lecture de ce livre.

Passons donc maintenant à l'étape suivante.

Activation des mains

Lorsque j'enseigne, la première partie pratique est consacrée à l'activation des mains des participants. Par activation, j'entends la création d'une certaine réceptivité pour qu'ils puissent recevoir l'énergie de guérison qui passe, par le conduit que je suis, de l'univers jusqu'à eux. Cette première étape sert de catalyseur amorçant le processus qui vous lance dans l'aventure de cette autre dimension énergétique. C'est l'étape qui vous permet d'acquérir et de maintenir chez vous ces nouvelles fréquences.

Étant donné que nos mains constituent les parties du corps qui sont si consciemment réceptives, c'est elles que j'emploie comme « paratonnerre » pour faire passer l'énergie. Tout d'abord, je demande aux participants de laisser leurs mains prendre une position anatomique naturelle. Par là, j'entends celle que les mains adoptent lorsque vous n'en êtes pas conscients. Pour y arriver, il suffit de laisser les bras tomber sur vos côtés, mains pendantes. Secouez-les un peu pour en faire sortir la tension, le cas échéant. Maintenant, sans les bouger, baissez les yeux et observez la position dans laquelle elles se trouvent. Les doigts sont légèrement recourbés et ne se touchent probablement pas. C'est la position que vous voudrez que vos mains gardent pendant que vous travaillez. C'est une position d'aise. Si nous voulons aider les gens à sortir de leur « mal-aise », entre autres, il nous faut nous-mêmes commencer par une position d'aise. L'aise est quelque chose d'omniprésent dans la guérison par la « reconnexion ». Nous tenons nos mains dans une position d'aise, nous nous assurons que notre corps est à l'aise à l'endroit où il est et que notre esprit et notre pensée sont dans un état d'aise. Nous nous assurons également que le patient est aussi à l'aise que possible.

Pour activer les mains des gens, je place les miennes (qui sont aussi dans la position anatomique naturelle décrite ci-dessus) de chaque côté d'une de leurs mains, 30 centimètres environ séparant nos mains.

Et l'activation débute. Tout simplement, je cherche l'énergie, je la trouve et je la pétris. Je laisse l'énergie que je viens d'amener dans mes paumes prendre de l'expansion et aller d'une paume à l'autre ; je la laisse également envelopper mes avant-bras et traverser la main de l'autre personne. Cette énergie passe ensuite dans le reste de son corps, se faisant plus particulièrement remarquer dans des endroits comme la tête ou le cœur. Par ce processus est activée sa réceptivité latente à ces nouvelles fréquences de guérison. Par résonance, il se produit en réalité un effet d'entraînement d'une personne à une autre qui rappelle un peu la façon dont les horloges à balancier s'entraînent les unes les autres quand elles sont placées dans la même pièce.

L'activation a également une autre raison d'être : elle prouve la réalité de l'énergie aux participants puisqu'ils peuvent la sentir dans leurs mains. En effet, celle-ci est sans conteste très palpable. Les sensations peuvent varier d'un individu à un autre et même d'une main à une autre. Il y a cependant une constante irréfutable par rapport à cette énergie, si l'on s'en tient aux témoignages des gens. En fait, ces derniers relatent souvent que des sensations de picotement, d'élancement, de froid, de chaud, de tiraillement, de poussée ou de vent traversent leurs mains.

Il est important de se souvenir de ces variantes parce que nous avons tendance à juger nos expériences en fonction des histoires que nous avons entendues. Par exemple, en Occident, le blanc est en général perçu comme le bien et le noir, comme le mal. En Occident, le noir est synonyme de mort alors que, dans d'autres cultures, c'est le blanc qui représente la mort.

Quand nous pensons aux mains d'un guérisseur, nous pensons « chaud » et nous n'envisageons pas le froid comme un signe de guérison, mais bien comme un signe de maladie ou de mort. Dans de nombreuses écoles de guérison orientales, la chaleur symbolise la guérison qui vient de la Terre et le froid, celle qui vient du ciel.

Ni l'une ni l'autre n'est meilleure ni pire. Nous ne pouvons nous attendre à avoir une vision plus vaste des choses si nous vivons en fonction de définitions si restreignantes. En définitive, ces variantes – et leur détermination par un pouvoir supérieur – permettent à ce qui est le plus approprié d'agir. Par un « système » d'autorégulation, d'autodétermination et d'autoajustement, ce processus est toujours parfaitement adapté à la situation.

L'éclairage que la guérison par la « reconnexion » amène sur ces croyances souligne à quel point il est futile de vouloir essayer de leur attribuer un sens. Les sensations que vous et votre patient avez font précisément partie du processus. En effet, elles sont représentatives de ce que vous avez besoin et de ce que vous recevez effectivement tous les deux.

Mais que se passe-t-il en réalité quand les gens éprouvent réellement ces étranges sensations dans leurs mains ? Il semblerait que nous disposions de cellules réceptrices particulières dotées d'un engramme voulant qu'elles se mettent en activité dès le moment où elles entrent en contact avec ces fréquences. Et ce moment est maintenant venu. Donc, quand nos mains – ou toute autre partie de notre corps – sont activées, ces cellules réceptrices s'éveillent. Une fois qu'elles sont entrées en fonction, la réceptivité s'est installée et fait désormais partie de nous.

Il est important que vous saisissiez bien cela, car lorsque vous avez senti l'énergie une fois, vous pouvez répéter cela à volonté en y prêtant simplement attention.

Réactions à l'énergie

Les sensations que vous avez dans les mains quand celles-ci sont activées varient en intensité et en qualité. Certaines personnes restent bouche bée ou éclatent de rire devant la magnitude de l'énergie qu'elles perçoivent dans leurs mains. D'autres froncent les sourcils et s'efforcent de discerner quelque chose pour pouvoir dire : « Je sens quelque chose ! » Et seulement quelques-unes restent inconscientes – du moins au début ou jusqu'à ce qu'elles travaillent avec l'énergie – de la différence qui peut exister entre l'énergie de guérison et les techniques auxquelles elles ont été habituées. Cette inconscience provient du fait que ces personnes reviennent automatiquement au connu, à cette première étape qu'elles ont atteinte il y a si longtemps et à laquelle elles sont restées attachées. Mais les fréquences de l'énergie de guérison deviennent évidentes à un moment donné et, la plupart du temps, ces mêmes individus racontent que les énergies propres à la technique avec laquelle ils travaillaient avant leur échappent dorénavant.

Ce n'est pas que ces énergies aient disparu. C'est plutôt qu'elles ont été récupérées par l'énergie de « reconnexion » et incorporées aux fréquences de celle-ci, un peu comme le ferait la marée montante avec une petite flaque d'eau. Même si on ne peut retrouver cette flaque, elle n'en est pas pour autant perdue. Elle fait dorénavant partie d'un plus grand tout. Autrement dit, votre ascension sur le plan du raffinement des fréquences a commencé.

Si vous touchez un mur avec votre main, vous le saurez immédiatement. Si quelqu'un d'autre le touche, il le saura immédiatement aussi et vous décrira son expérience à peu près de la même façon que vous le feriez. De toute évidence, aucune de ces deux qualités ne s'avère nécessairement vraie en ce qui concerne l'énergie que les gens sentent dans leur corps lorsque celui-ci est activé. Ce qui amènera une personne sceptique à déclarer que cette activation procède de l'imagination, que la force et la nature des sensations chez les gens dépendent du pouvoir de leur imagination et non pas du pouvoir d'une force réelle. Que, autrement dit, cette activation n'existe pas.

Cette supposition est compréhensible. Pourtant, les découvertes actuelles semblent prouver le contraire.

Parmi les expériences que nous avons tentées à l'université de l'Arizona, il y en a une, entre autres, où nous avons installé un groupe d'étudiants dans une pièce totalement scellée. Les murs et les plafonds étaient peints en noir, les fenêtres, obturées par d'épais rideaux noirs, et les portes, verrouillées. Nous voulions maintenir toute influence externe en dehors du champ de l'expérience. Trois personnes changeaient au hasard de rôle : celui de receveur, de transmetteur et d'observateur. Le receveur portait un épais bandeau doublé de fourrure, le transmetteur dirigeait l'énergie vers le receveur, et l'observateur chronométrait chaque séance et prenait des notes sur ce qui se passait. Par ailleurs, on avait installé dans la pièce plusieurs caméscopes pour tout enregistrer, y compris les mouvements et les voix.

Cette expérience avait pour unique but de déterminer si le receveur pouvait détecter le moment et l'endroit où l'énergie était dirigée vers lui, même s'il était coupé de presque tout stimulus physique. En pratique, le receveur devait tenir ses mains, sur demande, dans une de ces deux positions prédéterminées : parfois en mouvement et parfois en restant immobile. L'observateur devait alors tirer une carte sur laquelle était imprimée d'avance la position de la main, la faire voir au transmetteur et la lire au receveur. Le transmetteur envoyait alors l'énergie vers la main droite ou gauche du receveur, qui indiquait verbalement vers laquelle de ses mains il sentait que l'énergie venait d'être acheminée. Seuls le transmetteur et l'observateur avaient le droit de savoir vers laquelle des deux mains l'énergie était dirigée.

Bien entendu, le receveur pouvait deviner au hasard une fois sur deux la main qui recevait, comme lorsqu'on joue à pile ou face. Nous avons poursuivi l'expérience pendant cinq jours d'affilée. Le premier jour, le receveur reconnut 65 fois sur 100 la main vers laquelle l'énergie était dirigée. Ceci dépasse de loin le pourcentage de 50 % correspondant à un pile ou face. Le deuxième jour, ce pourcentage augmenta. Le troisième, il augmenta encore davantage. Le quatrième jour, probablement parce que tout le monde était stressé d'être enfermé dans un laboratoire dix heures par jour, le pourcentage chuta. Mais le cinquième jour, non seulement il remonta mais il dépassa les 90 %, atteignant même parfois 96 %. Ce résultat dépasse de tellement loin le chiffre jugé comme « statistiquement significatif », qu'il ne vaut même pas la peine de parler ne serait-ce que de la possibilité que cette énergie soit imaginaire. Cette expérience simple indique qu'il y a une courbe d'apprentissage qui va en s'intensifiant pour ce qui est de la reconnaissance des énergies de « reconnexion », une courbe d'apprentissage très nette. Et il ne peut pas y avoir de courbe d'apprentissage si quelque chose n'existe pas réellement.

Avec ou sans mains

Comme il a déjà été mentionné, dans ce type de traitement, les gens ont tendance à mettre l'accent sur les mains. Après tout, pourquoi pas ? Mais ce n'est pas obligatoire. On pourrait se faire couper les mains et tout de même transmettre ces énergies. Quant à moi, je ne suis pas prêt à tenter cette expérience pour prouver la chose ! Toutefois, j'ai effectué des traitements où je ne me servais que de mes yeux. J'en ai même réalisé certains où mes patients se trouvaient à plusieurs milliers de kilomètres de moi.

Toujours est-il que je préfère employer mes mains, comme la plupart d'entre vous. La vérité, c'est que je ne me sens pas prêt à procéder à de longues séances uniquement avec mes yeux. En raison de l'absence de mouvements de ma part, je ne sens pas beaucoup l'interaction avec l'énergie. Les séances sont par conséquent moins intéressantes qu'elles pourraient l'être. Pour l'instant, c'est ce que je fais et ce que je vous recommande de faire. Pourquoi ? Tout bonnement parce que, même si cette énergie est invisible, nous qui l'utilisons sommes des créatures de chair et d'os. Par conséquent, nous servir de nos mains nous aide à concentrer notre attention, à rester dans le présent et dans le processus.

Processus de groupe

Malgré le fait que, en activant votre potentiel à la seule lecture de cet ouvrage, vous n'ayez pas besoin d'aide supplémentaire pour entrer en contact avec les fréquences de l'énergie de « reconnexion », je vous recommande néanmoins, si cela vous est possible, d'assister à un atelier où vos mains pourront être activées. À la lecture de ce livre, il se peut que votre degré d'ouverture à ces fréquences s'intensifie de façon telle qu'il atteigne celui de ceux qui ont assisté aux ateliers. Il se peut que cela prenne aussi du temps. La simplicité avec laquelle ces fréquences sont maîtrisées est particulièrement évidente au cours de telles rencontres. En effet, l'interaction physique directe accentue davantage le processus. Et n'oublions pas que nous pouvons être nos propres pires ennemis. Quand il s'agit de quelque chose d'une si grande simplicité, nos croyances nous font souvent penser à tort que des fréquences possédant une telle puissance et une telle magnitude exigent forcément une procédure plus complexe que celle qui nous a été donnée ou que nous avons pu comprendre dans ces pages. Et, même si les manuels constituent souvent une source de connaissances, ils ne remplacent pas l'expérience et la constatation personnelles.

Et quand vous constatez, vous savez. Et quand vous savez, vous maîtrisez. On pourrait s'étendre sur les détails de ces ateliers où on trempe totalement dans cette énergie. On pourrait aussi s'étendre sur la supervision directe, sur les réponses instantanées aux questions posées et sur l'évolution des participants qui se trouvent à pouvoir accueillir des fréquences de plus en plus élevées. Le fait de voir et de rencontrer d'autres personnes qui connaissent de telles expériences donne davantage de corps à la vôtre. Participer physiquement à cet immense changement, vous voir vous et les autres réussir à maîtriser cela si facilement, vous confère une confiance et un entendement qui dépassent de loin tout ce que les écrits peuvent transmettre.

Les ateliers et les livres sont donc complémentaires. Dans un atelier, il y a interaction personnelle, intensité et dynamisme par l'échange. Avec un volume, vous disposez d'une information plus réfléchie et précise qui correspond à un aspect différent de votre conscience. Vous lisez et absorbez une publication à un rythme différent, c'est-à-dire le vôtre. L'information qu'elle vous transmet est encodée en vous de manière différente, en plus d'être disponible en tout temps.

Par contre, ces pages ne vous transmettent pas la précieuse interaction qui vient avec les questions, l'incertitude, le scepticisme et l'expression de surprise constatée chez les autres. Le processus de découverte est remarquablement différent d'un atelier à l'autre. Pourtant, à chacun d'eux, l'imprévisibilité et la grande honnêteté des émotions du groupe contribuent à l'évolution de chaque groupe comme une entité en soi.

Tous les participants partent du même niveau, quels que soient leur degré de scolarité et leur expérience. Et croyez-moi, la diversité est grande. Ces groupes sont composés moitié-moitié d'hommes et de femmes. On y trouve des enseignants de reiki, des massothérapeutes, des femmes d'intérieur, des étudiants, des médecins, des infirmières, des membres du clergé, des ouvriers, des scientifiques, des maîtres d'école, des analystes-programmeurs, des fonctionnaires, des plombiers, des électriciens, des banquiers, des avocats et des notaires. Et bien entendu, on y trouve également la personne qui ne voulait pas venir et qui est assise à côté d'une autre, qui l'a contrainte à venir à son corps défendant.

Cette diversité est la constante qui vous assure que, durant le week-end, la nature de ce travail concerne tous et chacun, ainsi que tous les aspects de la vie. Ceux qui fonctionnaient uniquement avec l'hémisphère cérébral gauche avant l'atelier transcendent à un point tel leurs limites, qu'on se demande parfois, après l'atelier, si vraiment seulement un jour ou deux se sont écoulés. Et quand vous remarquez que l'ouvrier procède avec la même aisance que le maître reiki, vous ne pouvez vous empêcher de constater la beauté pure et simple de ce processus.

Ces ateliers n'ont rien à voir avec les conférences où un orateur, un prophète ou un gourou débite un discours et où les autres écoutent passivement. Il y règne une atmosphère qui se crée par la participation interactive de tous, participation qui engendre exploration et apprentissage. Il y règne un esprit de partage des expériences. Quand des personnes se rassemblent en groupe pour « travailler » avec ces énergies, c'est comme si un champ particulier les reliait fortement, intensifiait leur niveau énergétique et les faisait évoluer avec une rapidité exponentielle. Individuellement, nous le savons, nous changeons tous à chaque seconde qui passe. On peut imaginer ce que passer un week-end ensemble plongés dans cette énergie peut réussir à faire !

Contact avec l'énergie

Supposons que vous ayez décidé de trouver et sentir cette énergie pour vous-même. Que devez-vous faire ? Postez-vous devant un miroir en pied et laissez vos mains tomber dans une position naturelle, tout en relaxant. Puis regardez dans le miroir pendant que vous soulevez doucement vos avant-bras pour amener vos mains dans la région de votre plexus solaire, les paumes se faisant face à une distance de 15 centimètres environ. Assurez-vous toutefois que vos mains ne se touchent pas. Dans cette position, les doigts de la main droite devraient naturellement être à la position de 10 h et ceux de la main gauche, à la position de 14 h.

Maintenant, concentrez votre attention sur les paumes de vos mains et attendez l'arrivée d'une quelconque sensation. Cela pourrait être une pression, un picotement, un changement de densité dans l'air ou bien encore une petite brise. Il se peut aussi que vous ayez la sensation d'un changement de température, d'une lourdeur, d'une légèreté, d'une expansion, d'électricité ou d'une attraction-répulsion d'ordre magnétique. Ne vous acharnez pas à essayer de visualiser que l'énergie se déplace dans une certaine direction ou est d'une couleur particulière. Concentrez simplement votre attention sur vos mains et attendez que l'énergie se présente.

En général, la sensation se concentre dans la paume des mains. Parfois, elle est forte et ne laisse aucun doute. D'autres fois, ou pour certaines personnes, elle paraît faible au début. Il se peut que vous ressentiez d'autres réactions sensorielles également, comme voir ou entendre des choses, ou humer des odeurs qui ne semblent pas venir de la pièce ne même de la planète Terre. Pour quelques-uns, il ne se passera rien du tout, du moins au début.

Les recherches entreprises par nos soins dans ce domaine nous ont, entre autres, permis de vérifier scientifiquement si certaines de ces sensations correspondaient réellement au flux de l'énergie ou si elles n'étaient que des réactions nerveuses ou musculaires engendrées par la position du bras ou de la main.

Les premiers tests furent effectués sur les volontaires ayant tour à tour les mains élevées, baissées, de côté, appuyées sur une table ou des accoudoirs (rembourrés ou pas), ou bien flottant dans l'air pendant divers laps de temps. Les tests permirent de conclure qu'on pouvait éliminer le phénomène vasculaire (modifications du flot sanguin induites sur le plan physique) comme étant à l'origine de ces sensations. Il est par ailleurs intéressant de remarquer que les changements physiologiques se produisent très rapidement, aussi bien pour le responsable des expériences que pour les volontaires, le plus souvent sous la forme d'une modification cutanée et de mouvements musculaires involontaires, à peine 15 à 45 secondes après le début du travail ou encore presque instantanément une fois que l'on sait les reconnaître.

Ceci étant dit, j'aimerais préciser deux choses importantes. Tout d'abord, comme je l'ai déjà mentionné, il ne s'agit pas d'une technique. Même si je vous explique comment trouver une posture initiale d'aise (la position naturelle du corps) pour permettre à vos mains de sentir cette énergie, une fois que vous l'aurez trouvée, vous pourrez la reprendre à votre façon. Ensuite, ne forcez rien. Laissez la sensation faire son chemin par elle-même. Ne vous en faites pas, elle viendra. Il ne s'agit pas de forcer les choses, de pousser ou de tirer l'énergie. Concentrez simplement votre attention sur les paumes de vos mains et attendez que les sensations montent. Mettez de côté votre mental, votre ego et vos attentes, et permettez seulement à ce qui va arriver d'être.

Cela fonctionne-t-il ?

J'aimerais même pousser les choses un peu plus loin en ajoutant que vous n'avez pas nécessairement besoin de sentir une réaction pour qu'elle soit. Il est important de comprendre cela si vous voulez travailler avec cette énergie. Le moment est donc venu de mettre de côté jugement et évaluation, qui, de toute façon, ne seraient qu'obstacles sur votre chemin.

Par juger et évaluer, j'entends accorder une valeur quelconque aux sensations, en bien ou en mal. Je ne dis pas cependant de mettre de côté tout discernement, puisque celui-ci vous amène à noter les diverses sensations qui se présentent. Ce faisant, votre intérêt est soutenu et vous restez dans le moment présent. Le fait de les juger pourrait par contre interférer avec leur rythme. Quelque forme que prenne la sensation, c'est la bonne pour la situation du moment. Gardez à l'esprit que les fréquences de l'énergie de « reconnexion » s'ajustent et se régulent d'elles-mêmes, et qu'elles sont dirigées par l'intelligence supérieure de l'univers.

La guérison s'effectue par l'unité et l'harmonie. Quand on juge les choses comme bonnes ou mauvaises, on divise. Une des meilleures façons d'améliorer vos qualités de guérisseur est de rester dans un état de non-jugement. Essayez d'abord de rester cinq minutes sans juger. Pas une heure ni une journée. Ce serait vous préparer à l'échec, car les mécanismes actionnant nos jugements sont profondément ancrés en nous. Quand vous aurez réussi à rester cinq minutes sans juger, passez à dix, puis à quinze et ensuite à vingt minutes. Il ne s'agit pas tant d'être totalement dénué de jugement que d'intensifier la conscience de la présence de celui-ci dans votre vie. Je ne vous suggère pas ici de mettre le jugement au rancart. Comme l'ego, il nous a été donné pour une bonne raison.

CHAPITRE 19

Comment trouver l'énergie

*« La seule manière de connaître une personne,
ou quoi que ce soit d'autre,
dans le monde dit extérieur,
c'est par les sensations du corps.
C'est par elles que l'on fait l'expérience
du cosmos tout entier. »*

Tiré de *Living This Moment, Sutras for Instant Enlightenment*

Démystification du processus

Une fois que vous avez une bonne idée de la façon particulière que l'énergie résonne en vous, il est temps de commencer à « jouer » avec elle. Le concept de jeu est important dans la guérison par la « reconnexion ». Il ne s'agit pas ici d'être frivole ou de faire l'imbécile ! Ni de cibler l'énergie, de la concentrer, de l'adoucir ou d'en changer la couleur ou la fréquence. Il s'agit plutôt d'acquérir le sens de la relaxation et de l'émerveillement pendant que vous travaillez avec elle. Rappelez-vous que tout ce que vous faites interagit avec l'énergie dans le but de permettre à des changements de s'opérer chez une personne. Tout ce que vous faites, c'est jouer avec l'énergie et apprécier ses mutations.

Pour certaines personnes, ce concept est incroyablement difficile à saisir. Il semble trop simple, trop enfantin, pas assez complexe. Pourtant, pour vraiment maîtriser cette énergie, il est nécessaire d'avoir l'âme d'un enfant.

La guérison par la « reconnexion » n'est ni une technique ni un ensemble de techniques. Elle n'a rien à voir avec les règles et les procédures. C'est en fait une nouvelle façon d'être. L'énergie devient vous et vous devenez elle. Et vous êtes changé à tout jamais. Un point c'est tout.

Ceux qui ont déjà appris diverses techniques reconnaîtront probablement les exercices initiaux que je vais vous indiquer. Bien que certaines des méthodes donnant accès aux fréquences de l'énergie en question soient du connu pour vous, ne vous méprenez pas : vous les appliquerez dorénavant avec quelque chose de différent. L'énergie maintenant transmise est d'un ordre nouveau. Cela vous deviendra très évident sous peu.

Concentration de l'attention

Tenez vos mains dans la position naturelle du corps, les paumes se faisant face à environ 30 centimètres de distance (position explicitée dans le chapitre précédent). En douceur, prêtez attention à l'énergie dans une paume ou l'autre, ou bien dans les deux. Laissez-lui le temps de se manifester. Si vous sentez l'énergie seulement dans une main, ouvrez légèrement les mains de sorte que les deux paumes soient exposées. Regardez une des deux paumes lorsque vous réussissez à percevoir l'énergie. Prenez note de la sensation propre à cette énergie. Ensuite, regardez l'autre paume et attendez que la sensation y arrive. Cela ne prend en général que 10 à 15 secondes. Une fois que cela est, regardez à nouveau la première paume et attendez que la sensation y revienne. Répétez l'exercice lentement à quelques reprises, puis faites-le à diverses vitesses. Pour certains d'entre vous, la sensation se déplacera d'une main à l'autre avec le regard. Pour d'autres, la sensation restera dans les deux mains et s'intensifiera.

La balle de ping-pong

Une fois cet exercice bien maîtrisé, vous allez conférer une certaine forme et une certaine substance à la sensation. Visualisez et sentez l'énergie sous la forme d'une balle de ping-pong. Imaginez que cette balle est dans une de vos paumes et donnez-lui une petite poussée. En même temps, visualisez la trajectoire que la balle suit pour se rendre dans l'autre paume. Reportez votre attention dans la main receveuse et prêtez attention à la sensation de la balle qui échoit dans la paume. Dès ce moment, donnez-lui une petite poussée et renvoyez-la dans l'autre main. Au début, cela prend parfois un peu plus de temps pour que la balle se rende d'une main à l'autre. Il s'agit simplement pour vous de vous habituer à l'exercice et de vous familiariser avec la sensation.

Le serpentin métallique

C'est une variante de la balle de ping-pong. Imaginez l'énergie comme étant une sorte de serpentin éthéré. Que ceux qui ne connaissent pas cet objet sachent qu'il s'agit d'un jouet constitué d'une tige métallique étroite et aplatie enroulée sur elle-même selon une forme cylindrique. Si vous attrapez la base du cylindre d'une main et laissez tomber le reste du cylindre, le ressort se détendra et atteindra une longueur incroyable pour ensuite revenir à son point de départ. Vous pouvez « faire passer » le ressort d'une main à l'autre, et vice versa, et continuer selon le même rythme. Le jouet « sautera » alors d'une paume à l'autre.

Une autre image peut vous aider à avoir conscience de l'énergie : imaginez le serpentin dans une de vos paumes, qui est tournée vers le haut. Envoyez-le vers le haut et visualisez-le en train de décrire un arc de cercle alors qu'il quitte une main pour aller jusqu'à l'autre. Sentez le poids de l'objet qui quitte votre main et qui apparaît dans l'autre progressivement jusqu'à ce que tout le serpentin ait atterri dans votre main. Faites la même chose dans l'autre sens, et ce, à des vitesses variables.

Cherchez l'énergie, trouvez-la et « pétrissez-la »

Quand vous sentez l'énergie (et même dans le cas contraire), imaginez qu'il y a une sorte de lien éthéré entre vos deux paumes, un peu comme du caramel que vous pourriez étirer. Sans changer la position de vos mains (qui restent donc dans la position naturelle du corps), sentez l'énergie bouger et s'étirer. Lentement, vous pouvez faire de petits cercles avec vos mains avant d'étirer l'énergie pour vous familiariser avec cette nouvelle sensation. Cet exercice vous aide également à déterminer la meilleure position de relation entre vos mains pour pouvoir sentir le plus clairement possible cette sensation. Pendant que vous maintenez cette sensation dans vos mains, éloignez-les lentement l'une de l'autre, le « caramel » éthéré restant attaché à chaque bout dans le creux de chacune de vos mains. Si vous éloignez encore vos mains, vous percevez le « caramel » s'étirer encore plus. Si la sensation s'amoindrit à un moment donné, rapprochez vos mains un peu et refaites de petits cercles avec elles jusqu'à ce que la sensation revienne. Reprenez ensuite l'étirement.

Quand vous commencez à recourir à cet exercice, il est bon de ne pas aller trop vite. Prenez votre temps et jouez. Par la suite, lorsque vous travaillerez sur vos patients, rappelez-vous que votre unique responsabilité sera de recevoir et de sentir. Et c'est ce que vous êtes en train de faire.

Une fois que vous maîtrisez cet exercice, vous pouvez travailler peu à peu avec un objet ou une personne. Allez-y simplement en plaçant la main d'une autre personne entre les vôtres et répétez l'exercice. Par après, vous pouvez continuer le même exercice en plaçant vos mains d'un côté et de l'autre du corps de la personne. Pour ce processus, imaginez qu'il n'y a pas de mains ni de corps et que vous permettez seulement à l'énergie de circuler entre vos mains. Vous n'êtes pas en train d'essayer de faire passer l'énergie à travers les mains ou le corps de l'autre.

L'exercice de « flottaison »

L'exercice suivant s'appelle l'exercice de « flottaison ». Imaginez que la pièce dans laquelle vous êtes est remplie d'eau jusqu'à votre diaphragme. En tenant vos mains dans la position naturelle du corps, laissez-les flotter à la surface de l'eau. Sentez leur flottabilité au contact de l'eau qui les supporte. Sentez aussi l'effet soutenant de la surface de l'eau sur vos paumes. Ce faisant, prenez note des diverses sensations ressenties. Lorsque vous travaillez sur un patient, ceci représente une des façons d'établir un contact avec son champ énergétique. Si vous le faites bien, cela déclenchera chez la plupart des gens des mouvements physiques involontaires visibles.

Si vous ne trouvez pas, c'est que vous cherchez trop

Au début, il peut arriver que vous ne soyez pas toujours certain de la présence de l'énergie. La seule manière de vous assurer que l'énergie ne vienne pas, c'est justement de craindre qu'elle ne vienne pas ou de trop le vouloir. Une fois l'énergie activée, il n'y a aucun doute : elle vous traversera et ne partira jamais. Cependant, pour vous aider à la trouver dans vos moments d'incertitude, tournez les yeux vers le haut en regardant vers la droite ou vers la gauche. Cette position des yeux est souvent celle que l'on adopte en écoutant un interlocuteur au téléphone. Elle nous permet d'accéder à la partie de notre cerveau qui écoute et interprète, et ce, pas seulement avec nos oreilles, mais avec notre essence même. N'essayez surtout pas d'envoyer l'énergie. Il ne s'agit pas ici de forcer les choses. Il s'agit de recevoir. De prêter attention à une sensation autre. D'écouter avec un sens autre.

Si vous attendez et que vous finissez par sentir l'énergie, règle générale, l'autre personne la percevra aussi et vous le confirmera. Elle vous confirmera qu'elle perçoit la sensation. C'est pour vous une façon de savoir que l'énergie est bien là, que vous avez réussi. Avec le temps, la sensation deviendra aussi familière que celle de l'eau ou du vent sur votre peau.

Bien que l'attention soit axée sur l'aspect « réception », ces exercices comportent tout de même un aspect « transmission ». Souvenez-vous qu'ils sont conçus pour vous aider à raffiner vos perceptions. Une fois que vous aurez développé votre acuité, votre capacité à faire la distinction entre ces deux aspects s'améliorera beaucoup.

CHAPITRE 20

Le troisième élément

*« Rien de tout ce que nous avons pu jamais imaginer
ne se situe au-delà de notre pouvoir.
C'est seulement au-delà de la connaissance que
nous avons de nous-mêmes. »*

Theodore Rozak

Sur la table de massage

Maintenant que vous avez activé vos mains, que vous avez découvert comment vous ressentez cette énergie, que vous avez appris à jouer avec elle et que vous savez la maintenir tout en bougeant vos mains, vous êtes prêt à aborder ce qui se produit lorsque le troisième élément de l'équation – le patient – entre en jeu.

Comment intégrer le patient au courant d'énergie qui passe entre vous et l'univers ? À quelles réactions pouvez-vous vous attendre de la part de votre patient et de vous-même ?

Avant de répondre à ces questions, j'aimerais vous suggérer, pour vous faciliter les choses, qu'une de vos connaissances vous serve de « cobaye » au début. Ainsi, vous vous exercez sur une personne qui ne s'attend pas nécessairement à une guérison et ne cherche pas à vous prendre en défaut. Gardez de la légèreté dans cet exercice. Vous ne voulez surtout pas sentir la pression d'avoir à accomplir quelque chose ou à « performer ». Pourquoi ne pas dire simplement à la personne en question : « Tu sais, je suis en train de lire ce livre bizarre... Est-ce que je peux voir tes mains une minute ou deux ? » Si elle est d'accord, mettez vos mains en position près des siennes et appliquez la technique « chercher l'énergie, trouver l'énergie et pétrir l'énergie ». Dès que vous sentez une réaction dans vos mains, demandez au sujet ce qu'il sent. Ne l'influencez pas en lui faisant part de ce que vous pensez qu'il devrait sentir. Contentez-vous de jouer. Cherchez l'énergie, trouvez l'énergie et pétrissez-la. Attendez qu'elle arrive et suivez-la. Écoutez avec vos mains, avec votre sixième sens.

Si le milieu ambiant le permet, vous pouvez demander à votre « cobaye » de s'allonger sur le dos, sur une table à massage ou sur tout autre support choisi pour l'occasion. Demandez-lui de fermer les yeux et rappelez-lui de seulement noter ce qui se passe et non pas de penser à ce qui se déroule. Demandez-lui de simplement observer s'il se passe quelque chose ou non. Dites-lui de se détendre comme s'il faisait une petite sieste.

Je ne vous suggère pas de lui proposer d'avoir l'esprit totalement vide et de ne penser à rien. En règle générale, les gens éprouvent de la difficulté à ne penser à rien. En effet, le mental est toujours en action. Suggérez à la personne de tout bonnement prendre note de ce qui se présente à son attention. Ainsi, elle aura quelque chose à faire et évitera le stress qui accompagne souvent l'effort fourni pour éviter de penser. Guidez-la pour qu'elle dirige son attention vers l'intérieur de son corps et l'y déplace par sa volonté. L'observation de tout ce qu'elle peut percevoir comme sortant de l'ordinaire occupera suffisamment son esprit pour l'empêcher de se perdre dans les « je devrais » et « je ne devrais pas ».

Vous êtes maintenant prêt à commencer.

Créez l'atmosphère appropriée

Comme je l'ai déjà mentionné, en ce qui a trait à la guérison par la « reconnexion », l'expérience que la plupart des gens font au cours d'une telle séance est principalement constituée de diverses sensations. En effet, ils réagissent par des mouvements ou des réactions physiques quand vous « travaillez » sur eux. Et ceci est à l'avantage du guérisseur. D'autres personnes entendront ou verront des choses, ou humeront des odeurs que personne d'autre dans la pièce ne captera. Bien sûr, vous voulez laisser ce processus se produire sans restriction aucune. Pour cela, comme je l'ai déjà dit, évitez de porter des vêtements amples pouvant effleurer le patient, de laisser pendre vos cheveux sur lui, de vaporiser du parfum sur vous ou dans la pièce, de chantonner, de faire jouer de la musique ou même de projeter des ombres sur ses paupières. Au travail maintenant !

Positionnement près du patient

Au départ, positionnez-vous près du patient. À quelle distance ? En ce qui me concerne, une fois que j'ai établi le contact avec son champ énergétique, j'aime placer mes mains au-dessus de son corps à une distance qui varie de trente centimètres à un mètre. L'énergie change-t-elle quand j'éloigne mes mains ? Oui, en fait elle s'accentue ! Pourquoi cela ? Je ne sais pas !

Rapprochez-vous et éloignez-vous de votre sujet en observant ses réactions et en restant conscient de vos propres sensations. Bien entendu, vos yeux à vous sont ouverts et font intégralement partie du processus de guérison.

Explorez à loisir pendant que vous suivez l'énergie. Laissez-la vous guider. Observez bien comment vos mouvements génèrent des réactions chez le patient. Voyez aussi de quelle façon les modifications de ces réactions correspondent aux différences d'intensité et de qualité que vous ressentez dans vos mains et autour d'elles. Avec la pratique, vous finirez par remarquer aussi chez vous des réactions sensorielles spontanées.

Par quelle partie du corps du patient commencer ? La tête ? Les mains ? Un chakra particulier ? Cela n'a aucune importance. Quant à moi, je me dirige souvent vers la tête ou la poitrine d'abord. Il m'arrive aussi souvent d'amorcer le processus par les pieds. Cela dépend de l'intuition du moment et de l'angle selon lequel je veux entamer la séance. Autrement dit, n'accordez pas à cela plus d'attention que vous ne le feriez au moment de vous asseoir sur une chaise. À droite ou à gauche, c'est pareil. Plus vous pensez la chose, plus vous vous éloignez du fil conducteur.

Si vous décidez de commencer par le haut, placez-vous de manière à pouvoir confortablement disposer vos mains de chaque côté de la tête de la personne. Vos bras doivent être détendus et dans la position naturelle du corps. Maintenant, trouvez l'énergie, ou plutôt laissez-la vous trouver. Cherchez-la, trouvez-la et pétrissez-la. Sentez le picotement, la chaleur, le froid ou quoi que ce soit d'autre qui vous est particulier. Ne vous préoccupez pas de savoir si ce que vous percevez est juste ou pas. Toutes les sensations que vous avez sont les bonnes. L'important n'est pas ce que vous sentez, mais le fait de sentir. Une fois que vous y êtes, travaillez l'énergie un peu (étirez le « caramel » ou faites onduler le serpentin).

Maintenant, tout en gardant vos mains dans une position de détente, rapprochez-les et éloignez-les. Ou bien encore faites-leur faire de petits mouvements circulaires. Alternez les mouvements et combinez-les jusqu'à ce que vous sentiez une convergence. Il s'agit là du propre rythme de votre vie. Votre énergie évolue maintenant sur un autre plan. Votre être est passé à un plan plus élevé de perception et l'intègre à votre vie. Vous trouvez le rythme qui amplifie la longueur d'onde qui, à son tour, amplifie la force qui passe par vous. Cette capacité qui vous permet d'amplifier cette énergie réside en vous et reste sous votre contrôle.

J'entame mes séances en effectuant des mouvements circulaires à la verticale, si je me trouve à la tête ou aux pieds du patient, ou bien à l'horizontale, si je suis penché au-dessus de son corps. Ou bien encore, je laisse une main, sinon les deux, se promener en faisant des mouvements exploratoires. N'analysez pas trop ce que vous faites. Laissez juste vos mains se déplacer et explorer en fonction de ce que votre instinct vous dicte.

Vous êtes en réalité en train d'établir un contact entre votre champ énergétique et celui de votre patient. En entrant en communication avec son champ énergétique, vous entrez aussi en communication avec le champ énergétique du reste de l'univers.

Par ailleurs, vous sentirez dans une de vos mains le mouvement de l'autre, mouvement que le patient percevra aussi.

Imaginez par exemple que vous avez une personne sur votre table à massage et que vous vous tenez debout sur sa gauche en lui faisant face. De votre main gauche, la paume dirigée vers le bas, vous effectuez de petits mouvements circulaires au-dessus d'une zone située dans les jambes. Laissez la sensation prendre de l'ampleur dans votre main. Puis, éloignez-la un peu tout en maintenant l'intensité énergétique. Placez votre main droite à environ 30 centimètres au-dessus d'un point localisé sur la poitrine de la personne. De nouveau, reprenez votre exploration en répétant les mêmes petits mouvements circulaires, puis éloignez votre main en conservant l'intensité énergétique. Pendant que vous gardez cette intensité dans vos deux mains, prenez note du fait que vous pouvez très nettement sentir dans la paume de votre main gauche le mouvement que votre main droite est en train de faire. Lorsque votre sensibilité est aiguisée à ce degré-ci, vous prenez conscience d'autres éléments plus subtils dans cette résonance énergétique entre vos deux mains. Étant donné que la résonance est cruciale à ce point-ci, il s'agit donc d'une nouvelle étape vers la maîtrise de ce travail. C'est par le truchement de votre être que ces énergies s'écoulent en vous. Non seulement vous êtes partie intégrante du processus, mais vous êtes un participant à part entière. Le processus ne se déroule pas en dehors de vous, mais bien en vous.

Pour la première fois, vous faites donc intervenir l'énergie d'une autre personne dans ce processus. Et ce que vous sentez, c'est une convergence vous permettant de faire l'expérience d'une perception approfondie aussi bien dans les traitements que dans votre vie en général.

Il ne peut y avoir d'interférence

L'important ici, c'est la convergence, l'essence. Les vieilles visions du monde fondées sur le concept de la matière, ainsi que la perception des limites découlant de notre prétendue existence à quatre dimensions, vous amèneront peut-être à conclure que le corps physique d'une personne pourrait bloquer l'énergie ou l'empêcher de s'écouler. Vous savez que certains guérisseurs avalisent cette croyance lorsqu'ils demandent à leurs patients de se tourner pour qu'ils puissent avoir accès à l'autre côté. Il n'y a pas d'autre côté. Il s'agit d'une illusion fondée sur la peur. L'être humain vivant que vous avez devant vous ne constitue aucunement une interférence au courant de l'énergie de « reconnexion ». En réalité, il fait intégralement partie du processus. Son essence est l'élément même qui permet justement à cette convergence de se produire.

Si tout cela vous semble un peu trop ésotérique, laissez-moi vous l'expliquer par un exemple concret emprunté au domaine de la physique. Si vous éliminiez tous les espaces vides d'un corps humain, le petit morceau de matière restant aurait, toutes proportions gardées, la taille d'une balle de golf sur un terrain de football. Ou encore, si vous agrandissiez un atome d'hydrogène pour qu'il atteigne les dimensions d'un terrain de football, son noyau aurait la taille d'une balle de golf, alors que ses électrons tourneraient en orbite aux confins du terrain. Entre les électrons et le noyau, il n'y aurait rien d'autre que de l'espace vide, un grand espace permettant à l'énergie d'une de vos mains de se déplacer vers votre autre main.

Faites ce qui vous semble juste

À ce point-ci de la séance, vous et votre patient êtes pénétrés de la même énergie. Commencez maintenant à vous déplacer lentement le long de son corps. Laissez vos mains continuer à s'éloigner et à se rapprocher de son corps avec l'énergie. Dans quelle direction vous déplacez-vous ? Dans la direction qui vous paraît juste. Comment bougez-vous vos mains ? En effectuant des cercles, en les éloignant ou en les laissant flotter ? Laissez vos mains vous donner la réponse. Vous êtes en interaction avec la force vitale. Votre énergie se retrouve dans une sphère d'influence qui est essentielle à la compréhension du fait que justement existe une sphère d'influence différente. Vous êtes l'intermédiaire par lequel cette force passe de façons multiples et variées.

Vous êtes un récepteur. Et il ne s'agit pas d'un processus

conscient déterminé par la volonté. Pas plus que ne l'est l'acte de vous déplacer en marchant. Quand vous marchez, vous savez que vous vous déplacez d'un point à un autre. Vous n'avez pas besoin de vous dire : « *Bon, je vais soulever mon pied gauche et poser mon talon par terre, puis les orteils. Ensuite, je déplace le poids de mon corps vers l'avant, je soulève mon pied droit et je pose mon talon par terre, puis les orteils.* » Non, vous vous contentez de marcher.

Si vous éprouvez de la difficulté à vous détacher du processus, remémorez-vous un exercice que je vous ai déjà indiqué. Imaginez que vous jasez au téléphone avec quelqu'un. Tournez vos yeux vers le haut du côté gauche ou du côté droit. Puis écoutez attentivement. Rappelez-vous que vous écoutez avec vos mains. Contentez-vous de prêter attention à ce que vous sentez, pas d'analyser ce que vous sentez.

Pour illustrer cela, je vais vous réexpliquer comment je procède en général pour une séance. Il se peut que je commence par les pieds de la personne en faisant des mouvements circulaires d'une main devant la plante de ses pieds. Cela me donne l'impression de remuer quelque chose, bien que je doive avouer ne pas savoir pour quelle raison j'amorce si souvent mes traitements par là. Je ne fais pas ce choix consciemment. Et il m'arrive tout aussi fréquemment de commencer au-dessus du ventre ou de la tête. Le mouvement circulaire permet simplement à la sensation initiale de s'amplifier. Je me mets souvent en branle en cherchant sur le corps de la personne les zones qui me procurent le plus de réactions ou de sensations. Pendant que j'entreprends des mouvements circulaires d'une main et que l'autre pousse ou tire l'énergie, le sujet peut avoir les yeux ouverts et nous bavardons. Puis je lui demande de fermer les yeux et je poursuis de la même façon.

Votre main droite sait ce que votre main gauche fait

Soit dit en passant, il est rare que je déplace mes deux mains de la même manière ensemble. Ce serait bouger pour le plaisir de bouger. Comment savoir si c'est ce que vous faites ? Il vous suffit de penser au mouvement des essuie-glaces qui s'effectue en synchronicité et avec régularité, que ce soit en parallèle ou en opposition. Ce mouvement est valable dans le cas des essuie-glaces parce que ces derniers agissent indifféremment sur toutes les gouttes d'eau. Chose que vous ne pouvez pas faire en travaillant avec l'énergie, puisqu'une zone peut éveiller tel type de sensation et une autre, tel autre type de sensation. Étant donné que chaque sensation a ses caractéristiques propres, nous ne serions pas honnêtes envers le processus si nous ne tenions pas compte de ce fait et bougions pour le plaisir de bouger.

Supposons que vous êtes dans une salle de cinéma obscure. Votre verre de coca-cola se trouve par terre près de votre pied gauche et votre sac de pop-corn est sur les genoux de la personne qui vous accompagne, à votre droite. Fermez les yeux et remarquez la façon dont vos mains gauche et droite évoluent indépendamment l'une de l'autre pour saisir le verre et prendre du maïs soufflé. Cela se produit ainsi parce que vous prenez le temps d'apprivoiser la sensation, de laisser vos mains réagir différemment aux deux objets, chacun ayant un emplacement, une densité et un toucher distincts de l'autre. Si vos mains effectuaient le même mouvement en symétrie, soit vous ne mangeriez pas de pop-corn, soit vous ne boiriez pas de coca-cola. Vous pouvez aussi penser au pianiste et au guitariste : chacune de leurs mains fait quelque chose de différent, mais elles produisent ensemble un tout harmonieux.

Lorsque vous déplacez vos mains le long du corps de votre patient, vous accomplissez quelque chose de semblable à cela. Vous essayez de détecter les différences de sensation engendrées par l'énergie. Et quand vous sentez que l'énergie est plus forte ou plus faible, ou bien inhabituelle d'une façon ou d'une autre, jouez avec elle en l'étirant et en la remuant. Voyez si elle vous semble pétillante comme de l'eau gazéifiée, fraîche et aérée comme une brise, ou chaude et démarquée comme si vous veniez de tremper vos doigts dans de la cire chaude. Prenez le temps de jouer avec tout ce qui peut retenir votre attention dans l'énergie de votre sujet, sans pour cela avoir un but précis à l'esprit. Centrez votre attention sur le processus, pas sur les résultats. Jouez avec ce qui est là aussi longtemps que cela vous semble intéressant et stimulant. Puis, passez à autre chose.

Pendant ce temps, restez attentif au reste du corps de la personne. Observez ses yeux sans perdre le reste du regard. Du mieux que vous le pouvez, soyez conscient de tous les changements ayant lieu et établissez un rapport entre ces derniers et les sensations éprouvées dans vos mains au même moment.

Il est très important que vous le fassiez, car cela vous permet d'éviter de confondre des sensations imaginaires avec un véritable courant énergétique et un contact vrai.

Réactions communes

Ainsi que je l'ai déjà mentionné, ces réactions sont des réponses involontaires physiques ou physiologiques aux fréquences de l'énergie de guérison. Elles sont aussi diverses et aléatoires que les sensations ressenties dans les mains. Il ne faut s'attendre à aucune réaction en particulier. Certaines personnes réagissent plus fortement que d'autres. Par contre, il y a des chances que quelque chose se manifeste d'une façon ou d'une autre pendant que vous établissez le contact avec votre patient. Ainsi, pendant que vous déplacez vos mains tout en explorant et en découvrant les détails du lien énergétique entre vous et lui, vous remarquerez que les signes réactifs varient aussi bien en intensité qu'en caractère. Au cours de mes ateliers, ces signes sont tellement évidents chez certains, que les participants les plus éloignés dans l'auditorium peuvent les voir, alors que chez d'autres, ils sont si infimes que seuls ceux qui sont très près de moi peuvent les distinguer. Une fois que l'énergie est bien installée entre vous et le patient, il y a de fortes chances que vous puissiez clairement voir ces signes.

Quel que soit le signe ou la réaction, considérez qu'il est juste de votre part de ne pas les définir ou de leur attribuer de signification. Ces réactions et ces signes sont automatiques, comme l'est le réflexe du mouvement de la jambe lorsque le médecin frappe sous la rotule avec son marteau de caoutchouc. Les larmes peuvent indiquer de la peine, de la joie ou la résorption d'une douleur. Il vaut mieux considérer ces réactions comme l'indication que vous avez trouvé un bon endroit dans le champ énergétique, un endroit où vous pouvez établir le contact avec l'énergie de guérison.

Vous finirez par remarquer que plus vous travaillez sur une zone qui déclenche une réaction, plus cette réaction s'accentuera chez le patient. Par ailleurs, quand la réaction s'estompe ou que votre intérêt pour la réaction en question diminue, continuez votre exploration et trouvez-en une autre ailleurs. Que signifient donc ces mouvements involontaires ? Ils indiquent que la personne que vous traitez s'est rendue là où des décisions sont en train d'être prises en ce qui concerne sa guérison.

Il existe trois choses qui, en apparence, semblent n'avoir aucun rapport entre elles : l'emplacement où ces réactions ont lieu, celui où vous tenez vos mains et l'endroit du corps où il y a une problématique. Autrement dit, les réactions ne sont pas souvent localisées là où le patient a une blessure ou un problème.

Il se peut par exemple que les maux de tête d'une personne disparaissent si vous vous tenez à ses pieds. Il pourrait se produire la même chose, si vous vous teniez à sa tête. Il se peut aussi que travailler sur la tête d'un sujet amène celui-ci à recouvrer l'ouïe aussi bien qu'à se débarrasser de ses cors au pied. Et les réactions concomitantes pourraient aussi bien avoir lieu dans la région des genoux que du visage. Peu importe où vous vous tenez ou où vous placez vos mains. Votre rôle est de déceler un endroit intéressant dans le champ énergétique de la personne et de jouer avec ce que vous avez trouvé jusqu'à ce que vous sentiez le besoin de continuer ailleurs. Et pourquoi un endroit intéressant ? Parce que, lorsque votre intérêt est accru, vous restez présent et en contact avec ce qui est. Et chaque fois que vous allez vers un nouvel emplacement sur le corps, vous redevenez présent et rétablissez le contact.

Eh oui ! C'est tout ce que vous faites. Vous sentez l'énergie concentrée en un point particulier, vous jouez avec elle, la découvrez et l'explorez, sans attente ni finalité aucune. L'énergie présente résonne intérieurement en vous, ainsi que dans vos mains. De par sa nature, elle est circulaire. Rapprochez ou éloignez vos mains, faites-leur faire des mouvements circulaires ou quelque mouvement vous paraissant juste ou pouvant intensifier le contact. Ne battez pas l'air pour rien et ne faites pas de jolis mouvements pour le plaisir de les faire. Soyez totalement conscient de la corrélation entre les sensations de vos mains et les mouvements involontaires du patient. Vous remarquerez éventuellement que plus vous travaillez sur une zone, plus ces réactions s'accentuent ou plus d'autres entrent en jeu. Et vous devenez le metteur en scène qui dirige l'énergie d'une façon qui convient à une convergence harmonieuse entre toutes les vies présentes.

Vous trouverez ci-dessous quelques-unes des réactions les plus communes.

Les mouvements oculaires rapides (MOR)

Ces mouvements, qui sont souvent les premières réactions à apparaître chez le patient, constituent un fascinant exemple de dichotomie. Pourquoi ? Parce que même si celui-ci fait souvent l'expérience d'un incroyable état de paix intérieure, de l'extérieur il donne l'impression d'être tout, sauf paisible. Ce phénomène ressemble en définitive à ce qui se produit lorsqu'une personne endormie rêve. Dans le cas du sujet qui reçoit un traitement de guérison par la « reconnexion », la cause du phénomène diffère totalement de celle de l'état onirique, puisque le patient n'est pas endormi. Les mouvements oculaires rapides provoqués par les fréquences de l'énergie de « reconnexion » présentent habituellement un certain nombre de caractéristiques particulières. Il peut parfois s'agir d'un imperceptible mouvement de la paupière et, d'autres fois, d'un mouvement très marqué de celle-ci. Parfois, l'agitation est rapide, parfois elle est lente. En général, il se fait selon un rythme régulier, même s'il est quelquefois peu aisé à reconnaître. Une fois sur deux, ce sont les paupières qui bougent. Sinon, c'est l'œil lui-même. Et lorsque c'est l'œil qui est en action, le mouvement est parfois lent et hésitant. D'autres fois, il se fait très rapidement d'un côté à l'autre. Il arrive aussi de temps en temps qu'un des deux yeux (ou les deux) s'ouvre partiellement. Mais, habituellement, ils restent tous les deux fermés. Cependant, il y a presque toujours une réaction dans les yeux. Qu'il y ait mouvements oculaires rapides ou pas, le patient est le plus souvent totalement conscient de ce qui se passe.

Les modifications de la respiration

Les modifications de la respiration sont une des réactions initiales ; elles surviennent en général en même temps ou juste après les réactions des yeux. Elles ont plusieurs variantes : respiration plus rapide, plus profonde, plus irrégulière, ou qui « ressemble à une cheminée ». Par cette expression, je fais référence à un genre inhabituel de respiration qui a lieu lorsque les lèvres sont détendues et à peine décollées l'une de l'autre et qu'il y a un « Pouf » à chaque expiration. Cela peut se produire au centre ou bien à la commissure des lèvres. Enfin, il y a les ronflements, qui se distinguent de la forme traditionnelle en ce sens que le patient est éveillé et conscient d'émettre un bruit.

Il arrive parfois aussi qu'une personne cesse de respirer, du moins pour un certain temps. Elle se remettra à respirer au moment opportun. Cette réaction est très positive et correspond à un état de fusion puissant avec le patient au cours duquel vous pouvez connaître intensément la tranquillité et le silence de l'univers.

Il existe un fil conducteur dans ces modifications respiratoires. C'est ce que le terme védique *samadhi* qualifie d'harmonie, cet état d'unité et de béatitude. Ni éveil, ni sommeil, le *samadhi* est, selon les gens qui connaissent cet état, quelque chose de plus réel. C'est de ce genre d'état que parlent les gens familiers avec les états modifiés de conscience, les modifications du rythme respiratoire. Bien que les patients soient ignorants du terme *samadhi*, ils n'en décrivent pas moins un état très similaire et sont souvent conscients des modifications inhabituelles de leur respiration.

Les choses ne sont pas toujours faciles cependant. D'un côté, vous ne voulez pas influer sur l'expérience de votre patient au cours de la séance, mais de l'autre, vous ne voulez pas non plus que des expériences trop surprenantes les extirpent brusquement de leur état de paix. En effet, la plupart des gens se retrouvent dans un tel état de béatitude au moment où ces modifications respiratoires surviennent, qu'ils sont tout simplement pris par l'extase. Il arrive parfois que le patient revienne à la réalité et prenne conscience qu'il a cessé de respirer. Alors, même si l'expérience est en elle-même sublime, il se forcera tout de même à recommencer à respirer. Si, après un traitement, votre client vous raconte que c'est ce qui lui est arrivé, dites-lui que, à l'avenir, il n'y aura aucun danger et qu'il n'aura pas besoin de se forcer à reprendre sa respiration. Que, dans une séance de guérison, la respiration s'arrête parfois pendant quelques instants parce que l'expérience comme telle est censée comprendre un moment de totale placidité, qui n'est que le reflet du contact total qu'il a avec le Grand Tout. Que lorsque le moment sera venu de respirer, il recommencera. Tout simplement.

La déglutition

La déglutition vient en troisième position pour ce qui est des réactions. On remarque souvent une augmentation de la fréquence ou de l'intensité de la déglutition. Même si ces réactions durent parfois toute la séance, elles ne sont pour la plupart du temps présentes qu'au début. Cette réaction très commune fait fréquemment son apparition quelques minutes après le début de la séance. Par contre, elle est moins fréquente et moins intense que les mouvements oculaires et les modifications respiratoires.

Les larmes

L'apparition soudaine de larmes est une autre réaction fascinante. Sans aucun avertissement, les larmes montent aux yeux de la personne, débordent et coulent sans arrêt sur ses joues alors que son expression est celle de la béatitude. Les larmes sont l'indice qu'elle est en contact avec la Vérité, qu'elle en fait l'expérience et s'en souvient. La personne reconnaît la Vérité comme étant le lieu originel dont nous provenons tous et où nous retournerons tous, le lieu que nous n'avons pas vu depuis ce qui nous semble être une éternité. Quand nous avons l'honneur d'entrer en contact avec la Vérité et d'interagir avec elle, ne serait-ce que momentanément, nous en sommes bouleversés parce que nous avons enfin l'impression d'avoir retrouvé notre vraie demeure et que nous savons que nous y retournerons bientôt.

Le rire

Il arrivera parfois que le sujet sur la table à massage éclate de rire de façon incontrôlée et vous dise fort probablement ne pas savoir pourquoi il rit. Il est bon de lui rappeler qu'il n'y a pas de mal à cela. Si cela n'est pas convenable à ses yeux, il rira même deux fois plus fort, chose qui pourrait venir interférer avec son traitement. Donc, si vous lui donnez verbalement la permission de rire dès les premiers éclats, la réaction pourra se dissiper aisément.

Le mouvement des doigts

Cette réaction ne fait en général son apparition que plusieurs minutes après le début d'un traitement. Le mouvement involontaire des doigts a tendance à s'exercer simultanément des deux côtés, de manière synchrone ou asynchrone. Parfois, ce sont les doigts des deux mains qui bougent en même temps, alors que d'autres fois, ceux d'une main bougeront et seront ensuite suivis par ceux de l'autre main. À mesure que la séance progresse, il advient souvent que la main et le poignet entrent en jeu. Chez certaines personnes, le bras intervient aussi. Ces descriptions concernent également les orteils.

Les rotations de la tête et les mouvements corporels

Il arrive quelquefois que la tête roule lentement sur le côté ou s'étire d'un côté ou de l'autre.

En ce qui a trait aux mouvements du corps, ils se rapportent dans l'ensemble au ventre et à la poitrine. Il est également possible que les bras et les jambes sursautent.

Les gargouillis d'estomac

Souvent, l'estomac de certaines personnes gargouille ou fait du bruit pendant les séances, surtout lorsque vos mains se trouvent au-dessus de cette partie du corps. Avant de commencer, je vous suggère de prévenir les gens que ceci se produit souvent. Étant donné que certaines personnes pourraient en éprouver de la gêne et que cela les empêcherait de profiter pleinement de leur traitement, il vaut mieux les prévenir.

Laissez les choses suivre leur cours et assumez votre responsabilité

J'aimerais prendre le temps de vous dire à quel point il est important de laisser les choses suivre leur cours. Même s'il est vrai que, de l'extérieur, vous ne pouvez pas vraiment interpréter avec précision ce que le patient sur votre table de massage vit, il est tout aussi vrai que cette force possède sa propre intelligence, une intelligence supérieure. Elle sait ce qui est approprié à chacun, alors que nos esprits limités, instruits et inductifs n'en ont aucune idée.

Les séances de guérison par la « reconnexion » sont presque toujours considérées par les gens qui les reçoivent comme agréables, précieuses et uniques. Il arrive cependant que le patient voie les choses d'un autre œil, mais c'est rare. Vous n'êtes pas responsable de leur interprétation du traitement reçu. Par contre, vous voudrez faire preuve d'un minimum de bon sens. Comme je l'ai expliqué plus haut, la personne sur votre table qui crie ou semble physiquement en détresse ne vit pas intérieurement ce qu'elle a l'air de vivre extérieurement. Toutefois, si une autre venait à se tenir la poitrine du côté du cœur et à regarder vers le ciel en s'écriant : « Je te rejoins, Robert ! », il vaudrait la peine de vérifier ce qui se passe pour elle. Avec le temps, vous apprendrez à utiliser votre appréciation et votre discernement pour déterminer si vous devez ou non interrompre la séance.

Jusqu'ici, les rares fois, depuis 1993, où j'ai décidé d'intervenir dans ce sens auprès de mes patients, ces derniers m'ont toujours indiqué que tout allait à merveille et qu'ils voulaient poursuivre.

Il se peut fort bien qu'il n'y ait jamais vraiment de raison pour intervenir, étant donné que ce processus en soi est guidé par une force dépassant notre entendement. Cependant, si vous choisissez de le faire, il suffit de souffler un mot à votre patient pour établir le contact avec lui et vérifier ce qu'il en est. S'il ne réagit pas, vous pourriez le ramener doucement en touchant délicatement (ou fermement selon la situation) sa clavicule ou son épaule et en l'appelant par son prénom. Il m'est très rarement arrivé de ressentir le besoin de faire claquer mes doigts près des oreilles d'un patient à quelques reprises en plus de le toucher. Vous voudrez peut-être lui demander d'ouvrir les yeux et de les garder ouverts jusqu'à ce qu'il se sente calmé. Il est également utile d'avoir un verre d'eau à portée de la main.

De temps en temps, il se peut qu'un individu ne voie pas qu'il y a eu séance de guérison. Vous n'êtes pas non plus responsable de cela. La guérison peut s'être effectuée sous une forme qui ne deviendra apparente que plus tard sinon jamais. Par ailleurs, comme je le mentionnais dans un autre chapitre, j'avais auparavant l'habitude de répondre par la négative quand on me demandait si tout le monde bénéficiait d'une guérison. Je ne le fais plus, car je pense que tous bénéficient effectivement d'une guérison, mais que celle-ci ne s'annonce peut-être pas avec une grande fanfare.

Les sensations possibles

Jusqu'ici, je n'ai parlé que de quelques-unes des sensations qui peuvent survenir dans vos mains et votre corps. Mon intention était de vous donner l'occasion de faire en premier lieu vos propres découvertes sans vous influencer. J'aimerais maintenant vous donner une liste plus détaillée de ces sensations afin que vous puissiez voir noir sur blanc ce que vous avez déjà rencontré sur la voie de la transcendance des sens. Le rapport et l'interaction entre vous et les énergies sont uniques, individuels et très intimes. Il est essentiel que vous intensifiiez votre conscience de la complexité de ces sensations, car c'est en les reconnaissant que vous raffinez votre art. Et cet art peut vous amener à des niveaux d'excellence incroyables.

Voici les sensations les plus fréquemment ressenties par les praticiens :

• Des bulles : sensation dans la paume de la main de

minuscules bulles, comme celles d'une boisson gazeuse ;
ou des bulles de la taille de billes ou de la grosseur d'une
boule de billard ou d'une balle de tennis.

- De l'eau : souvent comme une sensation de gouttelettes ou
de fine pluie.
- Des étincelles : comme celles des feux d'artifice de la fête
nationale d'un pays.

Voici quelques autres sensations communes que vous pourriez
avoir :

- Sécheresse
- Chaleur
- Froid
- Chaud, froid, moite et sec en même temps (cela semble
inexplicable, mais une fois que vous en aurez fait l'expé-
rience, vous saurez ce que je veux dire)
- Tiraillement
- Poussée
- Pulsation
- Électricité
- Attraction magnétique
- Répulsion magnétique
- Modifications de la densité de l'air
- Brise (habituellement fraîche et localisée)
- Expansion (sensation que votre corps prend de l'expan-
sion, un peu comme si vous portiez un costume spatial
rempli d'air autour de votre corps, mais en plus grand.
Cette sensation se limite parfois à un bras ou une jambe,
certaines autres fois, à un quart ou à la moitié du corps,
mais d'autres fois, s'étend à tout le corps.)

Poursuivez sur votre lancée

Continuez de vous déplacer le long du corps de votre patient
pour déceler des zones énergétiques avec lesquelles vous avez
envie de jouer. Si vous ne sentez absolument rien, c'est proba-

blement parce que vous voulez trop. Lâchez prise et attendez un peu. Vous n'avez pas besoin de vous mettre en mode performance, de lever les bras au ciel et d'invoquer la venue de l'Esprit ou de Dieu. Il suffit de peu pour retrouver la sensation. Laissez aller les choses et dites-vous : « Bon, je suis un peu trop concentré sur ça. Je vais prendre un peu de recul et laisser les sensations revenir dans mes mains. » Puis, laissez aller, reportez votre attention sur vos mains et attendez que les sensations reviennent. Ce n'est pas plus compliqué que ça.

Cherchez l'énergie, trouvez-la et explorez-la ! À mesure que vous acquérez de la compétence, la vitesse de vos mouvements et de vos déplacements augmente. Lorsque vous trouvez un point sur lequel vous voulez travailler, ralentissez le rythme et prenez le temps de faire connaissance avec lui. Gardez le contact avec lui, travaillez-le et amplifiez-le. Ce sont parfois les explorations les plus complexes qui donnent les résultats les plus puissants. Vous pouvez travailler avec les deux mains sur l'emplacement en question ou avec une seule, pendant que l'autre se déplace à la recherche d'un second endroit, qui présentera un intérêt nouveau. Les deux mains auront donc chacune une zone sur laquelle agir. Pendant le processus, laissez vos mains procéder par elles-mêmes, avec leur curiosité propre.

Cependant, rappelez-vous que vous ne cherchez pas de localisations prédéterminées. Ceci est très important. À la diffé-rence des méthodes précédentes empreintes de limites et de fausses conceptions, celle-ci ne postule rien d'avance.

Autrefois, vous avez peut-être assisté à des cours où le professeur ou le guérisseur déclarait qu'il allait vous apprendre à « scanner ». Il se plaçait alors près du patient, positionnait ses mains au-dessus de son corps et disait : « Voyons voir, c'est... oh, c'est ici. C'est exactement ça, ici. Bon, tout le monde en ligne maintenant ! Chacun à votre tour, venez sentir. Vous sentez ? Oui ?Bon. Au suivant. Vous sentez ? Oui ? Bon. Au suivant. »

Eh bien, il n'y a pas de « ça » ni de « ici ». Il n'y a aucun point prédéterminé à sentir. Rappelez-vous qu'une séance de guérison, ce n'est pas brandir ses mains au-dessus du patient en dirigeant l'énergie vers son corps. Ce n'est pas non plus chercher des zones de congestion. Les transformations de la guérison par la « reconnexion » se font en fonction d'une équation. Et comme c'est le cas pour toute équation, si vous en changez les données, vous obtiendrez des résultats différents. Par conséquent, si deux personnes essaient de tomber sur le même point, elles ne le trouveront pas pour la bonne raison qu'il n'y est pas.

Ainsi que la science le prétend, la découverte pourrait bel et bien être un acte de création. Le point qui apparaît pour moi n'est pas celui qui apparaît pour vous. Le point est une création commune, un produit de l'amour, des sentiments et de la communication entre vous, le patient et l'univers. Ce trio appelle l'essence éternelle et sans forme de notre univers constamment en évolution à émerger.

Points de contact omnidirectionnels

Cela étant dit, j'aimerais ajouter que certaines zones particulières du corps ont tendance à susciter de fortes réactions. Vous créez quand même ces points, mais vous vous dirigez peut-être vers des zones plus « fertiles » du champ énergétique. Vous obtiendrez probablement les réactions les plus fortes lorsque vous jouerez avec l'énergie se trouvant à proximité du sommet de la tête (chakra de la couronne), de la zone située entre les deux yeux (troisième œil), de la gorge, du cœur, du ventre, du dessus des mains et des poignets, du dessus des pieds et des parties délicates autour des chevilles. Je qualifie ces points, où les réactions sont souvent plus fortes qu'ailleurs, de points de contact. Il est très facile d'avoir accès au champ énergétique d'une personne et d'établir un contact pour communiquer avec celui-ci à partir de là. On peut les considérer comme des points de jonction où s'effectue un échange d'information.

Système de rétroaction dynamique, interactif et à niveaux multiples

La réaction globale de votre patient dépasse de loin les signes réactifs dont il est question ci-dessus. Il s'agit d'un phénomène rétroactif dynamique, interactif et à niveaux multiples. À un niveau, il y a vous. Vous étirez l'énergie et ressentez des sensations. Puis, lorsque vous l'étirez vers le haut, les yeux de votre patient se déplacent d'une certaine manière. C'est le signe réactif. En même temps, par contre, vous sentez un changement d'intensité dans vos propres sensations. C'est ce qui vous permet de savoir que le mouvement des yeux résulte de ce que vous faisiez.

Par rapport à la réaction globale, le patient présente une réaction externe. À un autre niveau, même s'il peut ne pas y avoir de réponse visible, il se produit tout de même une réaction dans vos mains ou dans votre corps. Par ailleurs, si vous combinez les deux niveaux, vous observez un phénomène de rétroaction dynamique qui permet de peaufiner les choses. Il ne s'agit pas seulement de sentir quelque chose et de remarquer la réaction de la personne. En fait, c'est vous qui êtes en syntonie avec ce qui se passe, qui vous allouez le droit de le sentir et qui constatez que, au moment du changement (net et reconnaissable) dans vos sensations, il y a un changement simultané ou une réaction particulière chez le patient. Votre état de conscience est maintenant très alerte. En utilisant vos mains de façon dissociée, vous développez chez vous une sensibilité vous amenant à sentir dans une main ce que l'autre main fait. Autrement dit, vous pourriez détecter un filon et trouver un point avec votre main gauche, puis reprendre le filon avec votre main droite et, à partir de là, découvrir un autre point. De cette main, vous effectuez maintenant des mouvements circulaires et vous en prenez conscience dans votre main gauche, qui elle ne fait aucun mouvement circulaire. De la sorte, l'intensité du champ énergétique autour de la personne s'intensifiera, ainsi que ses signes réactifs.

Vous le constatez non seulement en fonction de ce que vous faites, mais de ce que vous voyez et sentez par rapport à ce que vous faites. En d'autres mots, le nouveau niveau d'intensité que vous avez trouvé en vous correspond à des réactions plus intenses et plus marquées chez le patient. Souvent, il arrive que vous obteniez des réponses marquées lorsque vos mouvements sont plus petits. Au moment même où vous vous sentez pris par l'extase, le bras ou le genou du patient se met à sursauter. Comme si une particule subatomique répondait simultanément ici au mouvement d'une particule subatomique de là-bas. Ceci est le fondement même de la guérison à distance.

Tout en continuant d'observer votre patient, vous notez qu'il n'y a pas grand mouvement et qu'il n'y a pas grande sensation dans vos mains. Vous poursuivez votre observation et, tout d'un coup, il y a une autre réaction, un autre grand mouvement des yeux. Et à ce moment même, le patient sent quelque chose dans ses mains. Il vous faut accepter qu'il y ait chez certaines personnes beaucoup plus de signes réactifs que chez d'autres. Cela ne signifie pas que la guérison s'avère de meilleure ou de moindre qualité, ni qu'elle est plus ou moins efficace. C'est comme le tableau de bord des voitures. Certaines ont toutes sortes de compteurs (tachymètre, pression d'huile, température du moteur, niveau du liquide à freins), alors que d'autres plus vieilles vous indiqueront simplement que le radiateur chauffe ou que vous allez manquer d'essence. Pourtant, toutes les deux roulent très bien. En définitive, n'évaluez pas ce que vous faites avec votre patient en fonction de ce que vous voyez.

Par contre, il vous faut développer de la sensibilité, une forme de toucher artistique, pour pouvoir reconnaître le senti. Maintenez votre observation sur les principales zones de réaction de votre patient, entre autres ses yeux, sa respiration ou sa déglutition. Et faites en sorte que votre vision périphérique détecte elle aussi d'autres signes, dans les doigts, les orteils ou ailleurs. En même temps, apprenez à reconnaître les sensations qui accompagnent ces mouvements respectifs. Voilà, en somme, ce qu'est votre système de rétroaction dynamique, interactif et à niveaux multiples.

Imaginons que vous êtes au volant d'une voiture à trans-mission automatique. De votre pied, vous cherchez la pédale d'accélération et la trouvez. Ce faisant, vous êtes en train d'instaurer un système de rétroaction : quand vous appuyez sur l'accélérateur et que la voiture prend de la vitesse, vous devenez partie intégrante du système de rétroaction. Les récepteurs sensoriels de votre pied instaurent un système de rétroaction qui vous montre en permanence quelles pression et tension vous appliquez sur la pédale. L'accélération de la voiture vous donne quant à elle une autre indication, celle du degré de pression et de tension que vous avez appliqué sur la pédale.

Puisque vous avez deux séries de rétroaction, on peut dire que le système comporte plusieurs niveaux. Et comme ces deux séries de rétroaction ont un effet l'une sur l'autre, on peut affirmer que ce système est interactif. Et vu aussi que la réception des réactions s'effectue de façon continue et changeante selon l'accélération ou la pression sur l'accélérateur, on peut en conclure que ce système est dynamique. Vous avez donc un système de rétroaction dynamique, interactif et à niveaux multiples. À un moment donné, vous accélérez, la transmission automatique passe à une autre vitesse et vous sentez la voiture faire un petit bond en avant.

Vous êtes à ce moment-là en corrélation avec un autre système de rétroaction, tout en restant dans le système original. Non seulement vous recevez des indications sur la pression et la tension que vous exercez sur la pédale en fonction de l'accélération de la voiture et des récepteurs sensoriels de votre pied, mais vous en recevez également par la pression de votre corps contre le dossier de votre siège. Vous avez ainsi trois niveaux d'indications qui vous renseignent sur la pression et la tension exercées sur l'accélérateur. À cela viennent même s'ajouter des indicateurs visuels, qui se déclenchent simultanément avec tout le reste et qui fonctionnent eux aussi à des niveaux multiples puisque vous évaluez à la fois la vitesse d'objets immobiles, comme les arbres, et d'objets mobiles, comme les oiseaux et les autres véhicules.

Quand votre transmission automatique passe à une autre vitesse et que la voiture fait un bond plus perceptible et par à-coups vers l'avant, vous ressentez une secousse dans votre corps. Vous enregistrez un changement de pression sur l'accélérateur et votre cerveau doit une fois de plus tenir compte des changements des points de référence visuels (véhicules, oiseaux, arbres, etc.). Vous vous retrouvez dans un système de rétroaction, lui-même dans un système de rétroaction, qui est lui aussi dans un système de rétroaction.

Imaginons maintenant que vous venez d'acheter une nouvelle voiture et que celle-ci est dotée d'une transmission manuelle alors que vous ne savez conduire qu'une voiture à transmission automatique. Non seulement vous devez tenir compte ici du système précédent, mais en plus vous devez y intégrer le nouvel apprentissage du changement de vitesses (le comment et le quand) basé sur le tachymètre, le bruit du moteur et d'autres éléments. Ceci n'est qu'un des nombreux systèmes de rétroaction interactifs et dynamiques à niveaux multiples avec lesquels nous devons composer quotidiennement. C'est un système appris, comme l'est celui qui est présenté dans cet ouvrage. Bien que les réactions soient subtiles quand il s'agit d'énergie, il n'en ressort pas moins que vous devez passer par une courbe d'apprentissage puisque la chose est réelle, comme l'a révélé l'étude menée à l'université de l'Arizona.

À la manière de l'enfant en nous qui a appris à distinguer les profondeurs de champ et les divers éléments de sa réalité – fenêtre, miroir, tableau, ouverture dans une cloison –, nous apprenons à percevoir ces énergies. Elles sont réelles, même si la personne non initiée est convaincue du contraire. Et une fois qu'elles sont reconnues et devenues « automatiques », ces énergies ne sont plus subtiles. Elles deviennent en quelque sorte une seconde nature.

CHAPITRE 21

Comment interagir avec le patient

*« La chose la plus puissante que vous puissiez
faire pour transformer le monde,
c'est d'adopter des croyances plus
positives sur la vie, les gens, la réalité...
et de commencer à vivre conformément à ces croyances. »*

Tiré de *Creative Visualization*, de Shakti Gawain*

Devenez votre propre instrument

Dorénavant, vous savez reconnaître le moment où l'énergie de
« reconnexion » circule par votre truchement. Vous savez repérer les
réactions de votre patient et vous reconnaissez la « sensation »
émanant de son corps énergétique. Vous vous sentez à l'aise de jouer
avec cette énergie et de laisser venir ce qui doit venir.

Autrement dit, vous êtes prêt à aider quelqu'un dans son processus de guérison.

Rappelez-vous que le but premier d'une séance de guérison par
la « reconnexion » est de faire place à l'énergie sans y faire entrave.
À mesure que votre corps se transformera et s'habituera à ressentir de

---

* Disponible en français aux Éditions Soleil. (NDE)

nouvelles fréquences vibratoires et que vous vous familiariserez avec les réactions inhérentes à la présence de l'énergie de « reconnexion », vous verrez que tout rentrera dans l'ordre. Il vous faudra tout de même en arriver à un certain état d'esprit avant de pouvoir commencer à travailler avec d'autres personnes que vous-même. J'espère que vous vous êtes enfin défait de votre dépendance aux « béquilles de guérison », que vous savez désormais que le seul « instrument » dont vous ayez besoin pour ce genre de guérison, c'est *vous-même*.

Paroles guérissantes

Cultivez le sens de l'émerveillement.

Comment ? En étant comme un enfant. En voyant tout d'un regard neuf. En ne concluant pas trop vite que vous comprenez ce dont vous êtes témoin. Ce que vous croyez saisir se résume sans doute à une compréhension superficielle qu'on vous a transmise après qu'elle a été d'innombrables fois tamisée et mal interprétée. Ce n'est plus qu'une compréhension étroite, diluée et sans contenu. Sachez que ce qui vous maintient dans cet état de révérence, état que personne ne peut vous ravir, procède de votre capacité à dire « je ne sais pas ». Dans cet état d'esprit, vous avez la faculté de tout envisager avec un véritable sens de l'émerveillement.

Vous rappelez-vous votre innocence enfantine et votre capacité à vous émerveiller devant tout ?

Souvenez-vous de ces qualités !

Pouvoir tout envisager avec ébahissement confère à votre attitude de révérence l'innocence de l'enfance, innocence qui vous lie éternellement à Dieu et vous libère du besoin d'analyser, d'expliciter, de tester, de faire, de forcer, de pousser ou de contraindre. Cette innocence vous libère en outre du besoin de vous approprier un certain mérite.

Vous souvenez-vous de ces qualités ?

Le temps est maintenant venu de mettre de l'ordre dans votre cœur, dans votre esprit et dans vos intentions. Vous êtes sur le point de devenir partie intégrante d'un processus de guérison.

Préparation du patient

En règle générale, il y a deux types de patient : celui qui s'étend sur la table de traitement, s'abandonne et s'ouvre à tout ce qui se présentera, et celui qui arrive la tête pleine d'idées préconçues et qui fait tout ce qu'il juge nécessaire de faire pendant la séance. Ce dernier visualise, répète des mantras, respire à partir de l'abdomen ou de la poitrine, dirige la paume de ses mains vers le ciel ou croise ses doigts en position de prière. Il marmonne. Il pleure, parfois en silence, parfois en gémissant. Dans son for intérieur, il demande à Dieu de lui accorder tout ce qu'il souhaite pour lui-même et, peut-être même aussi, pour tous ceux qu'il connaît. Si ce monologue intérieur et tous ces procédés ne sont pas interrompus, ils se poursuivront tout au long du traitement et la personne risquera de passer à côté de l'expérience qu'est la guérison par la « reconnexion ». La séance n'aura été rien d'autre qu'une prière, une technique ou une méditation personnelle.

Vous voulez donc éviter que cela se produise. Cependant, vous ne pouvez pas dire à votre patient de *ne pas* faire telle ou telle chose avant même qu'il ne l'ait faite. Cela serait comme lui demander de ne pas penser à la couleur rouge. Toutefois, si vous avez devant vous quelqu'un de très fervent, vous voudrez l'orienter dès le début de la rencontre.

Voici ce que je dirais à cette personne : « Entrez, étendez-vous et fermez les yeux. Laissez-vous aller tout en restant éveillée. Ayez confiance ! Vos pensées et vos prières ont déjà été entendues. Non seulement a-t-on entendu ce que vous avez déjà demandé, mais on a aussi entendu ce que vous n'avez pas encore pensé à demander. On l'a toujours su, même avant que vous n'entriez ici. Ne parlez pas. Mettez un frein au babillage mental et ne faites qu'écouter. Permettez à l'univers de vous donner ce dont vous avez besoin. Soyez autant ouvert à ce que *rien* ne se produise qu'à ce que *quelque chose* arrive. Dans cet état d'ouverture d'esprit, il y aura expérience. »

Pour bien des gens, ce conseil ne sera pas facile à suivre. La meilleure chose à faire pour le patient est en effet de s'abandonner, de n'avoir aucune idée préconçue de ce qui doit venir et d'être dans un état de réceptivité. Le défi consiste pour lui à ne pas basculer dans un état d'attente axé sur le résultat qu'il souhaite obtenir de la séance. D'une part, parce que ce n'est peut-être pas ce dont il a vraiment besoin ou ce que l'univers juge être dans son meilleur intérêt, et d'autre part, parce que le fait d'avoir des attentes précises risque de limiter, déformer ou transformer ce qui pourrait advenir.

Il vous incombe aussi d'accueillir ce qui survient sans juger. Votre rôle est d'attendre et d'assimiler ce qui se manifeste, quelle que soit la forme que cela prenne. Cette attente est une forme « d'écoute avec intention ». Vous attendez jusqu'à ce que l'énergie se manifeste. Et elle le fera. En effet, elle se mettra à circuler chez le patient tout en étant *avec* vous, *en* vous et *autour* de vous.

Ce n'est pas à vous de décider de la forme que prendra la guérison dont quelqu'un a besoin. Votre tâche est de consentir à faire partie de la démarche et de laisser la guérison adopter la forme qu'elle voudra.

Dans le but de maintenir cette attitude de non-jugement dont je parle, j'ai l'habitude de ne pas m'attarder au problème précis pour lequel le patient vient me voir. Néanmoins, parce que ça l'aide à établir un lien avec moi et parce que ce lien est important, je le laisse me parler brièvement de son problème particulier. En réalité, que vous soyez au courant ou non du problème de la personne ne change en rien son expérience. J'ai la conviction que l'intelligence universelle au cœur de ce phénomène est autrement supérieure à la vôtre ou à la mienne et qu'elle sait quelle forme de guérison est la plus souhaitable à chacun.

Laissez les choses être

Il est plus important que vous ne le pensez de dissocier l'ego de la démarche de guérison. De nombreux praticiens de la guérison, par contre, ont un ego qui les incite à se concentrer sur le *comment*. Ils font des choses en apparence anodines, entre autres s'imaginer le patient « en santé », faire monter l'énergie par les pieds, la faire descendre par la tête ou la faire sortir par le nez, ou bien envelopper le patient d'une lumière violette ou de nuages roses. Pourquoi font-ils cela ? Parce que c'est ce qu'ils ont entendu dire qu'il fallait faire. Le doute s'est donc déjà insinué dans leur esprit. Tous ces procédés ne sont que des formes d'ingérence. Plus vous voulez *faire* des choses, moins vous êtes en mesure *d'être*. Or, c'est d'abord en *étant* que vous amenez l'énergie à circuler par votre entremise. En adoptant cet état d'être, vous écartez l'ego et permettez à l'âme de faire partie intégrante de la démarche. Lorsque vous êtes dans cet état d'être, vous laissez la guérison s'effectuer.

On nous a appris à contrôler notre propre vie. Par conséquent, une fois que nous pensons savoir comment les choses « doivent » se faire, nous répugnons à modifier nos comportements. En voici pour preuve un petit récit.

Mon arrière-grand-mère, Annie Smith, tenait un petit restaurant dans un quartier où habitaient principalement des catholiques. À cette époque, ces gens n'avaient pas le droit de manger de la viande le vendredi. Le vendredi venu, mon arrière-grand-mère confectionnait donc toujours ce qui était devenu ses célèbres croquettes de poisson. Elle enrobait de chapelure des boulettes constituées de morue, de purée de pommes de terre, d'oignons, de sel, de poivre, d'assaisonnements de son cru, et les faisait frire jusqu'à ce qu'elles soient bien croustillantes.

Chaque vendredi, les clients se massaient devant son restaurant pour déguster ses croquettes. Mais un certain vendredi, la file d'attente fut encore plus longue qu'à l'accoutumée. Plus elle servait des gens, plus la queue semblait s'allonger.

Les clients la complimentèrent, lui disant que c'était les meilleures croquettes qu'elle ait jamais préparées. À court de provisions, Annie dut fermer le restaurant pour la nuit. Ce petit bout de femme vaillante et dynamique mesurant à peine 1,40 mètre gagna enfin la cuisine pour y entreprendre son ménage de fin de journée. En ouvrant le réfrigérateur pour y ranger des choses, quelle ne fut pas sa surprise d'y trouver le grand saladier de chair de morue qu'elle avait soigneusement nettoyée pour l'apprêter. Comment avait-elle pu oublier d'incorporer le poisson aux croquettes ? Quelle horreur ! Toute la journée elle avait servi à ses clients des croquettes de pommes de terre, d'oignons et d'assaisonnements. Comment se pouvait-il que ce

plat se soit si bien vendu ? Des croquettes de poisson sans poisson !
La seule trace de poisson dans ces croquettes était l'arôme qui se
dégageait du comptoir de préparation et quelques miettes se trouvant
peut-être au fond du récipient à mélange. Elle avait en quelque sorte
vendu de *l'essence* ou *l'âme* des croquettes de poisson. Annie n'en
glissa mot à personne et, le vendredi suivant, elle n'oublia pas de
mettre la morue dans sa pâte. Si, à la place, elle avait décidé d'ajouter
à son menu les croquettes de poisson sans poisson, celles-ci seraient
peut-être devenues le plat le plus recherché en ville. On ne le saura
jamais. Cette anecdote illustre bien comment on peut découvrir
quelque chose de nouveau et avoir l'occasion de sortir des sentiers
battus mais préférer, comme dans ce cas-ci, revenir à ce qui est familier.

Nous avons cependant parfois le courage d'emprunter les
nouvelles avenues que la vie nous offre.

Relation thérapeute-patient

Une autre façon de dissocier l'ego de la démarche est de rester
neutre face à ce qui arrive au patient. Comme je l'ai décrit précédemment, la personne étendue sur la table est fort probablement dans
un état de quiétude et de sérénité souvent accompagné de mouvements involontaires du corps. Comme je l'ai déjà souligné, il se peut
même, quoique cela soit rarissime, qu'elle sanglote. Ce n'est pas une
raison pour intervenir par une étreinte ou des paroles de réconfort.
Résistez à la pression culturelle et n'interrompez pas la réaction du
patient. Celle-ci lui appartient et fait partie de son expérience. Ne l'en
privez pas. Malgré les apparences, il est fort probable que la personne
en éprouve un certain bien-être. Si vous devez intervenir, faites-le en
lui demandant délicatement si elle va bien ou si elle souhaite mettre
fin à la séance. Plus souvent qu'autrement, elle vous répondra qu'elle
va bien. Si elle souhaite revenir à elle, elle le fera sans doute de son
propre chef. Comme je l'ai déjà mentionné, si la personne a besoin de
votre aide pour reprendre ses esprits en fin de traitement, vous n'avez
qu'à la toucher légèrement en l'appelant par son prénom et lui offrir
un verre d'eau le cas échéant.

Faites preuve de délicatesse et de présence si quelque chose
d'inattendu devait se produire. Aidez le patient non seulement en tant
que thérapeute, mais aussi en tant qu'être humain compatissant.
Rassurez-le en précisant que tout va bien, que ses réactions sont
normales, opportunes et, sans doute même, nécessaires pour lui. Une
fois qu'il sera calmé, vous pourrez soit continuer, soit remettre la
séance à une autre fois, selon ce qui vous semblera le plus indiqué.

Endormissement

Vous voulez que le patient s'abandonne sans qu'il ait à se
préoccuper de ce qui se passe durant la séance. Cependant, il s'abandonne parfois tellement qu'il s'endort sur la table. À mon avis, ce
n'est pas l'idéal. Mon intuition me dit que le patient qui dort durant
une séance ne profite pas de tous les bienfaits du processus de
guérison. Sans compter que mon ego voudrait bien que la personne
vive consciemment l'expérience.

Mais il faut tout de même reconnaître que si le patient s'endort,
c'est que cela lui convient. De plus, s'il est trop agité (un hyperactif
ou un enfant) pour que vous puissiez travailler autrement, n'hésitez
pas à effectuer le traitement pendant qu'il dort.

Se peut-il que le thérapeute « tombe endormi » ? C'est possible,
mais cela signifie généralement qu'il n'a pas assez dormi ou qu'il
n'est pas « dans le moment présent ». Dans un cas comme dans l'autre, prenez soin de vous pour pouvoir être totalement présent. Ainsi,
vous ferez suffisamment preuve de respect envers le patient et les
circonstances. Cela me fait penser à la consigne de sécurité que l'on
donne dans les avions : *Nous demandons au parent de mettre son
propre masque à oxygène avant de mettre le sien à l'enfant.*

Rappelez-vous que vous permettez à votre esprit d'aller dans un
ailleurs où vous n'êtes ni éveillé ni endormi, un ailleurs d'où l'énergie de guérison parvient jusqu'à la Terre.

Mise au point avec le patient

> *Un vieil oiseau sage était perché sur un chêne.*
> *Plus il entendait, moins il parlait.*
> *Et moins il parlait, plus il entendait.*
> *Pourquoi ne pas être comme ce vieil oiseau sage ?*

Auteur inconnu

Si vous avez l'intention de tenir des dossiers – et je vous y encourage si ce n'est pour vous-même, ne serait-ce que pour m'envoyer ces renseignements en vue de mes prochains ouvrages ! –, il y a une façon de procéder pour faire ce que j'appelle la « mise au point avec le patient ». Croyez-le ou non, celui-ci vous considère comme un expert et cherche à vous plaire. Si vous lui laissez savoir, consciemment ou non, le genre de réponses que vous souhaitez entendre, ce sont celles-là que vous obtiendrez. Si vous voulez avoir des données précises, constituer des dossiers pertinents et ne pas influencer la nature des renseignements glanés, voici la démarche que je vous propose.

À la fin de la séance, touchez légèrement le patient juste en dessous de la clavicule et avisez-le à voix basse que la séance est terminée. Dès qu'il ouvrira les yeux, ayez en main un crayon et une fiche sur laquelle vous aurez préalablement inscrits ses nom, adresse, numéros de téléphone et autres renseignements pertinents. Soyez prêt à prendre des notes. C'est à vous qu'il revient de diriger ce volet de la séance. Et je vous recommande fortement de vous y tenir. Je vous invite donc à procéder de la façon suivante :

1. Posez ces questions au patient : *Quel genre d'expérience avez-vous eue ?* ou *De quoi vous souvenez-vous ?* Veillez à ce qu'il s'en tienne aux faits dans ses réponses : *J'ai ressenti ceci. J'ai vu cela. J'ai entendu ceci. J'ai humé cela.*

2. Demandez au patient de décrire en détail ce dont il se souvient. S'il a vu un homme vêtu d'un sarrau blanc, demandez-lui de préciser.

Amenez-le à décrire ses souvenirs en lui posant des questions objec-
tives : *Vous rappelez-vous autre chose à son sujet ?* Laissez-le parler.
Posez-lui ensuite des questions sur la couleur des cheveux et la taille
de l'homme en blanc, sur la longueur de son sarrau et sur son âge.
Aidez-le au fur et à mesure à exprimer et à se remémorer le plus de
choses possible.

 Ne lui suggérez pas de réponses. Si, par exemple, vous lui
demandez si l'homme était de grande taille, s'il avait des cheveux
noirs ou s'il semblait être dans la trentaine, vous lui suggérez des
réponses. Vous risquez ainsi d'influencer indûment ses souvenirs, à
plus forte raison s'ils sont vagues. Quand vous avez obtenu tous les
renseignements possibles sur l'homme en question, demandez à la
personne *de quoi d'autre* elle se souvient. De la sorte, vous l'invitez
à fouiller dans sa mémoire pour trouver des détails supplémentaires.
Ce n'est pas comme si vous lui demandiez : *Vous rappelez-vous autre
chose ?* Si vous formulez ainsi votre question, sa seule option est de
répondre par l'affirmative ou la négative. Et la personne aura
tendance à répondre par la négative, surtout dans l'état de détente
dans lequel elle sera sans doute en fin de séance.

3.   Une fois que vous aurez en main toutes les réponses et tous les
détails pertinents en lui demandant *Quoi d'autre ?*, posez-lui une
question ayant trait aux cinq sens : *Avez-vous vu, entendu, senti,
humé ou goûté autre chose ?* (Certains ont parfois des expériences
gustatives pendant le traitement.) Je demande aussi à la personne si,
durant la séance, elle se rappelle que je l'ai touchée. Si elle me
répond que je l'ai touchée au pied, je la prie de me montrer comment.
La notion du toucher diffère selon les gens. Pour certains, cela
signifie un toucher léger du doigt tandis que pour d'autres, cela veut
dire un serrement avec la main ou un effleurement des doigts. En
sachant ce que la personne entend par toucher, vous serez en mesure
de rédiger vos notes en vos propres termes.

Remarques à votre intention

 À l'issue de la séance, aidez le patient à rester axé sur ce *qu'il a
vécu durant le traitement*. Ne lui donnez pas l'occasion de vous

fournir une interprétation de son expérience, des explications quant à la façon dont cette expérience vient se greffer à sa vie, ni de vous raconter des souvenirs d'expériences semblables. S'il tend à cela, insistez pour qu'il vous décrive, sans les analyser, les particularités de l'expérience qu'il vient de vivre. Le sens qu'il pourrait attribuer à l'homme en blanc n'est généralement rien d'autre que ce que autrui a proféré à ce sujet et que le patient a entendu ou lu quelque part. C'est souvent sa manière à lui de vous épater avec les connaissances qu'il croit avoir. Il n'a sans doute qu'une très vague compréhension de la réalité qu'il vient d'expérimenter.

Qui plus est, pendant qu'il vous confie ses impressions, il oublie peu à peu ce qu'il a vécu durant la séance. Voilà pourquoi vous devez aussi vous abstenir de lui parler de votre propre expérience. Invitez-le à vous rapporter uniquement l'expérience qu'il a vécue et à réserver ses interprétations pour la fin. Si vous avez de la chance, il n'y repensera plus.

Sachez en outre que vos notes peuvent prendre toute leur valeur longtemps seulement après les avoir écrites. Si, par exemple, je n'avais rien noté la première fois qu'un patient a rencontré « Persillia », « Georges » ou toute autre entité, je n'aurais eu aucune référence lorsque ces mêmes entités se sont manifestées de nouveau à d'autres clients.

Sans toutefois avoir l'air distant, sachez maintenir une expression neutre. Vous pouvez être authentique et réconforter la personne sans pour cela vous emballer à certaines de ses réponses. Qu'adviendra-t-il si votre regard s'illumine chaque fois qu'elle vous apprend avoir vu quelqu'un durant la séance ? Dans le but inconscient d'obtenir votre approbation, elle cherchera, bien malgré elle, à rendre sont récit plus intéressant en se souvenant comme par hasard de certains éléments. Si votre intérêt varie en fonction de ce que votre patient vous relate, il se peut que celui-ci omette des détails importants. Vous risquez ainsi d'influencer sans le vouloir la nature des renseignements obtenus.

Ne passez à la mise au point avec le patient qu'une fois la séance terminée. Ce ne serait pas juste de lui demander de vous relater son expérience au fur et à mesure qu'elle se déroule. Vous devez avoir une raison bien précise pour le faire. Sans cela, cette façon de procéder court-circuite la séance et empêche la personne d'en profiter pleinement. Avant d'entreprendre les traitements, je recommande deux choses aux gens :

- Si quelque chose dans la pièce attire leur attention, qu'ils ouvrent les yeux pour satisfaire leur curiosité et qu'ils les referment ensuite pour revenir au traitement. Je ne précise pas ce que ce *quelque chose* pourrait être afin de ne pas les influencer.

- S'il se produit quelque chose qu'ils jugent très important, je leur demande de m'en faire part au moment où cela arrive. Ceci me permet d'en prendre note et de le leur rappeler après la séance. Ainsi, ils n'auront pas à fournir d'efforts pour retenir cet élément jusqu'à la fin du traitement.

CHAPITRE 22

Qu'est-ce que la guérison ?

*« La vérité ne change pas,
même si la perception que vous en avez peut varier
énormément. »*

John et Lyn St. Clair Thomas

Si rien ne semble vouloir se produire...

Si rien ne semble vouloir se produire pendant une séance, soit vous vouliez trop, ou votre patient voulait trop. Observez le visage de ce dernier. Si vous percevez chez lui de l'agitation mentale ou physique, il y a de fortes chances qu'il fasse autre chose que se laisser aller. En général, lorsque je lui demande ce qu'il est en train de faire, il me répond qu'il prie. Dans sa tête, il se dit : « Jésus, fais en sorte que cette séance de guérison fonctionne pour moi. Mon Dieu, donne-moi ceci. N'oublie pas cela. Et je voudrais que cela survienne de telle ou telle façon...» Et ainsi de suite.

Je ne cherche pas à dissuader quiconque de prier, ni vous ni vos parents. Je rappelle simplement qu'il faut dire une seule prière une seule fois et croire fermement qu'elle aura été entendue.

L'autoguérison

Les gens me demandent souvent s'il est possible d'employer

239

ces énergies pour se guérir soi-même. Bien sûr !

L'autoguérison est très simple. Presque trop. Tout comme la guérison à distance, plus vous essayez de la compliquer, moins elle est efficace.

Vous savez désormais ce qu'est la sensation de l'énergie qui parcourt votre corps. Trouvez-vous un endroit confortable, peut-être un lit ou une chaise à dossier réglable. Soyez conscient du fait que votre intention est d'accéder à l'énergie pour des raisons d'autoguérison.

Ouvrez-vous à l'énergie et attendez de la ressentir dans vos mains. L'énergie apparaît en effet lorsque vous lui accordez votre attention et augmente en intensité si vous maintenez votre attention sur elle. Remarquez donc comment elle s'intensifie, sans essayer de la forcer. Contentez-vous de l'observer. Plus elle s'intensifie, plus vous la remarquez. Et plus vous la remarquez, plus elle s'intensifie.

Prenez aussi conscience du fait que, en s'amplifiant, la sensation prend de l'expansion. Observez d'autres zones de votre corps, comme vos bras, et attendez que la sensation s'y rende, ce qu'elle ne tardera pas à faire. Puis, reportez votre attention dans vos pieds et observez la sensation s'y activer. Vous la sentirez ensuite monter dans vos jambes. Lorsque l'énergie s'est répandue dans tout votre corps, vous commencez à vibrer à une fréquence plus élevée. L'énergie devient par la suite si forte qu'elle se met à freiner les sons et les pensées distrayantes. En fait, elle prend totalement possession de vous et de plus en plus d'expansion. Observez tout cela.

Permettez-vous ici de glisser entre vos pensées. Vous n'êtes plus dans le monde de la pensée consciente. Cela étant, si vous êtes en train de vous répéter : « Je suis en train de guérir. Je suis en train de guérir. Je suis en train de guérir », je vais vous décevoir en vous disant que vous ne l'êtes pas. Laissez aller vos pensées.

Soudainement, vous ne remarquez plus rien, parce que vous êtes dans un vide interstitiel. Il se peut que vous ne vous en rendiez compte qu'une fois que vous en sortirez, soit cinq minutes, vingt minutes ou une heure et demie plus tard. Ou bien, si vous décidez de pratiquer l'autoguérison tard le soir, il se peut que vous n'en sortiez que le lendemain matin. Lorsque le moment sera venu pour vous de sortir de ce vide, vous réaliserez alors où vous étiez. C'est tout et c'est aussi simple que ça.

Une fois sorti de ce vide, laissez aller, sachez que la guérison voulue s'est effectuée et n'essayez pas d'y revenir. Pourquoi ? Parce que, le cas échéant, vous renforcez chez vous la croyance que vous n'en avez pas eu assez la première fois. Par conséquent, laissez aller et n'y revenez pas. Il y a ainsi confirmation dans votre essence que la guérison est complète. Votre intention était la prière. L'énergie était le messager. Votre lâcher-prise à ne pas vouloir y revenir était votre façon de dire merci et d'accepter.

La guérison à distance

Dans son ouvrage *Vibrational Medicine*, Richard Gerber traite du modèle Tiller-Einstein de l'espace-temps positif et négatif. La matière physique existe dans un espace-temps positif. Les énergies plus rapides que la vitesse de la lumière (entre autres les fréquences éthérées et astrales) existent dans un espace-temps négatif. Gerber explique que l'énergie et la matière de l'espace-temps positif sont principalement électriques de par leur nature, alors que l'espace-temps négatif est principalement magnétique de par sa nature. Par conséquent, l'espace-temps positif est aussi le domaine de la radiation électromagnétique, alors que l'espace-temps négatif est celui de la radiation magnétoélectrique. À part le fait d'être magnétique de par sa nature, l'énergie de l'espace-temps négatif possède une autre caractéristique fascinante : la tendance à l'entropie négative. L'entropie est une tendance au désordre, à la désorganisation, au mal-aise. Plus l'entropie est grande, plus le désordre est grand. L'entropie négative est donc la tendance à l'ordre, à l'organisation, à l'aise. C'est la tendance à la régénération et à la guérison.

Mais qu'est-ce que tout cela a à voir avec la guérison à distance ? Les fréquences de l'énergie de guérison par la « reconnexion » ne dépendent pas des lois de l'espace-temps positif. Sur certains plans, elles correspondent à celles de l'espace-temps négatif, qui est un système de référence totalement différent. Ceci explique en partie pourquoi vous n'avez pas besoin d'utiliser vos mains pour l'autoguérison ou la guérison à distance, et pourquoi vous n'avez pas vraiment non plus besoin de les utiliser quand vous vous retrouvez physiquement dans la même pièce qu'un patient.

Comme je l'ai déjà souligné, selon un des principes de la mécanique quantique, les forces s'intensifient avec la distance. Lorsque vous travaillez sur quelqu'un qui n'est pas physiquement près de vous, vous expérimentez ce phénomène.

Pour amorcer votre séance de guérison à distance, trouvez-vous d'abord un endroit confortable où vous installer. Fermez les yeux si vous le voulez et, comme cela est décrit à la section L'autoguérison [p. 238], laissez les sensations de l'énergie s'emparer de vous : de vos mains jusqu'à vos bras, de vos pieds à vos jambes, dans tout votre corps et votre être. Consciemment, devenez votre essence et soyez avec la personne avec laquelle vous voulez entrer en contact (en la visualisant dans son environnement physique ou quelque part dans l'espace, l'obscurité, le vide). Dites-vous que vous êtes là et que l'autre personne est là aussi avec vous. Peu importe que vous sachiez ou pas de quoi elle a l'air. La sensation que vous avez d'elle suffit. Vous n'avez pas besoin de parler avec elle au téléphone, ni de la voir en photo, ni encore de tenir un de ses bijoux, une lettre écrite de sa main ou une boucle de ses cheveux.

Soyez tout bonnement avec cette personne. Laissez les vibrations des fréquences énergétiques devenir plus amples et plus fortes. Ouvrez-vous à l'énergie et attendez qu'elle arrive.

Restez dans cet état aussi longtemps que vous le désirez, que ce soit une minute ou une heure. Vous pourriez vouloir aller plus loin et alors tomber dans le vide. Si c'est le cas, soyez au début conscient de votre intention et laissez-vous-y tomber.

L'autre personne doit-elle être consciente de ce que vous faites ? Non.

Un jour, un ami en Floride m'a appelé parce que sa mère avait été hospitalisée au nord de la Floride, à quatre ou cinq heures de voiture de chez lui, au sud. Il me racontait que les choses avaient empiré pour elle et qu'on lui avait téléphoné de là-bas pour lui annoncer que sa mère ne survivrait pas et qu'il n'aurait sans doute pas le temps de se rendre à l'hôpital pour la voir avant qu'elle ne meure. Il voulait que je fasse une guérison à distance sur elle.

Comme je n'avais jamais rencontré la mère de mon ami, celle-ci ne pouvait donc pas me donner consciemment sa permission ni savoir ce que j'allais faire. J'acceptai quand même.

Je me rendis donc dans cet interstice, ce vide, et elle et moi nous rencontrâmes. Je laissai les sensations énergétiques me parcourir et me traverser. Quinze minutes plus tard, je sentis que la boucle était bouclée. Mon ami me rappela le lendemain pour me laisser savoir que sa mère s'était complètement remise, à la surprise totale du personnel de l'hôpital. Elle reçut son congé le jour suivant. Son rétablissement s'était produit pendant que mon ami roulait vers le nord de la Floride et qu'elle et moi étions ensemble dans le vide.

Son rétablissement fut-il le résultat de notre « rencontre » ? Je ne le sais pas. Les fréquences de l'énergie de « reconnexion » se déplacent-elles plus vite que la lumière ? Fort probablement. Et tout étant lumière et la lumière étant tout, nous devrions peut-être dire plus vite que la lumière visible. Les guérisseurs opèrent-ils sur le plan de l'espace-temps négatif en ce qui concerne les éléments de dimension supérieure des gens ? Est-ce cela que nous faisons ? Pour ensuite organiser et soutenir les structures cellulaires et moléculaires du corps physique ? Pour peut-être les réorganiser ? Les concepts du domaine magnétoélectrique et de l'entropie négative pourraient susciter des révélations intrigantes quant à la guérison par la « reconnexion » à distance et aux fréquences de l'énergie de « reconnexion » dans l'autoguérison et la guérison proximale.

Le choix et la permission

*« Karmagueddon ? C'est quand tout le monde envoie
toutes ces mauvaises vibrations, pas vrai ?
Et que la Terre explose et que tout finit dans le désordre ? »*

The Washington Post

Le choix et la permission sont deux concepts intimement liés. Bien sûr, tout ne fait qu'un de toute manière. Mais ces concepts semblent étrangement liés quand il est question de guérison. Lorsque je les soumets aux participants à mes ateliers, il s'ensuit des discussions enflammées. Je réserve ces thèmes pour l'après-midi, au cas où certaines personnes auraient tendance à la somnolence après leur repas.

Penchons-nous d'abord sur le choix. Une des plus grandes problématiques actuelles liée à la culpabilité porte sur ce concept, et ce, depuis un bon bout de temps. Je ne prétends pas ici en faire un examen approfondi, mais j'aimerais vous donner suffisamment d'information pour vous amener à comprendre de quoi il retourne. Furetez un tant soit peu dans une librairie ésotérique ou après une conférence dans ce même domaine. Vous remarquerez que lorsqu'une conversation a trait à la santé défaillante d'une personne, quelqu'un viendra tôt ou tard s'immiscer dans ladite conversation, en général avec un ton de voix voulant prétendre à une sagesse sans défaillance, et lancera : « Je me demande un peu ce qu'elle a fait pour s'attirer ça ? », les autres acquiesçant de la tête d'un air entendu et qui sait tout.

Nous avons tous vu quelque chose du genre. Le ou la pauvre malade en a déjà assez sur les bras sans qu'en plus un groupe de « commères ésotériques » essaient de se sentir supérieures à ses dépens. Et la conversation continue : « Bob (ou Marie ou qui que ce soit) devrait simplement choisir de guérir. Il faut voir l'impact que cela a sur ses enfants. » La prétention spirituelle est si épaisse que vous pourriez la trancher d'un coup de baguette de cristal.

Si nous pouvions effectuer nos choix de vie aussi facilement que nous pouvons sélectionner une chemise ou une pizza, je choisirais certainement d'être heureux et en santé, d'avoir une relation amoureuse harmonieuse avec une partenaire qui comblerait chacun de mes désirs, et de réussir dans la carrière de mon choix. Et pendant que j'y suis, pourquoi ne pas choisir d'être beau ! Je sais pertinemment qu'un grand nombre d'entre vous opteraient en faveur de tout cela, sinon d'une partie. Je sais aussi que s'il existait une pilule pouvant magiquement nous donner tout cela, chacun de nous ferait la queue chez le docteur pour qu'il lui dresse une ordonnance.

Alors, pourquoi ne manifestons-nous pas tous dans notre vie autant de choses que nous le voudrions ? Parce que la partie de nous qui choisit n'est pas celle qui, comme nous aimerions le penser, choisit effectivement. Ce n'est pas la partie consciente de nous qui décide de prendre la chemise bleue ou la pizza aux fruits de mer. C'est celle qui voit l'ensemble des choses et de notre vie. C'est la partie qui sait comprendre que nous sommes sur terre pour tirer des leçons de nos expériences et qui sait aussi que ces dernières doivent se jouer en fonction de certains paramètres. Et nous avons fort probablement choisi ces paramètres avant de nous incarner dans cette vie-ci. Suis-je sûr de cela à cent pour cent ? Non. Cela a-t-il du sens ? Oui.

Donc, Bob (ou Marie) ne peut simplement pas se donner la commande de guérir instantanément. Et l'accuser de ne pouvoir le faire ou d'être tombé malade en premier lieu ne rend service à personne. Alors qu'un nombre grandissant de gens pourront désormais voir les choses en fonction d'une perspective élargie, ceux d'entre nous qui veulent vraiment le bien infligeront de moins en moins de souffrance aux autres.

Qu'est-ce que tout cela a à voir avec le fait de demander la permission d'une personne avant de procéder à une séance de guérison sur elle ?

Demander la permission à une personne qui s'est rendue jusqu'à votre cabinet et qui est allongée sur votre table à massage est une tautologie, pour dire les choses poliment. (Mais j'ai déjà vu des guérisseurs le faire.) Si vous sentez que vos poils se hérissent, relisez les quelques paragraphes précédents sur le choix en prêtant particulièrement attention à la partie en vous qui effectue un choix, parce que c'est celle qui accorde la permission.

Imaginons que vous ayez un beau petit garçon de cinq ans prénommé Jérémie et qu'il soit malade depuis l'âge d'un an et demi, vivant quotidiennement dans la douleur. Il perd ses cheveux, et ses médicaments lui donnent la nausée. Il passe donc la plus grande partie de ses journées dans sa chambre et dans la salle de bain. Il est beau et stoïque et vous est précieux.

Puis, un beau jour, vous entendez parler d'un guérisseur formidable, un moine qui vit dans les montagnes de l'Himalaya. Vous entrez en communication avec lui et prenez des dispositions pour le faire venir chez vous parce que Jérémie est trop faible pour quitter son lit. Vous installez le moine dans un bel hôtel, et après qu'il a pris une bonne journée de repos, vous passez le prendre et le ramenez chez vous, jusqu'à la chambre de votre fils. Après quelques minutes d'échanges, il est évident que le moine et l'enfant se sont liés d'amitié. Puis, avec un air grave et empreint de respect, le moine se penche vers votre fils et lui demande : « Jérémie, me donnes-tu la permission de te guérir ? » Ne pouvant imaginer la vie sans douleur et associant donc la guérison à une vie plus longue avec plus de souffrance, Jérémie réfléchit un instant ou deux puis, d'un air sombre et la voix basse, il répond : « Non. » Qui voulez-vous étrangler en premier ? Jérémie ou le guérisseur ?

Jérémie n'a pas accordé son consentement parce qu'il ne pouvait entrevoir rien d'autre au-delà de sa situation présente. Sa décision fut donc fondée sur une absence d'information et son consentement, refusé en l'absence de connaissance de cause. Combien d'entre nous connaissent vraiment toutes les réponses ? Combien d'entre nous peuvent prévoir ce que le futur leur réserve ?

Même si certains voudraient qu'il en soit autrement, on ne peut qu'offrir une séance de guérison, pas l'infliger. Par conséquent, la demande de permission fait intrinsèquement et automatiquement partie de l'offre. Et la guérison qui s'effectue est en elle-même la permission accordée. Que la personne, celle qui a pris rendez-vous avec vous par exemple, bénéficie consciemment d'une séance de guérison ou soit dans l'incapacité de faire un choix conscient, il est toujours à propos d'offrir une séance de guérison, verbalement ou silencieusement en pensée. L'acceptation de recevoir et la forme que prend cette séance de guérison correspondent à ce qu'il y a de mieux pour la personne en question.

Qu'est-ce qu'une guérison réussie ?

Qu'est-ce qui fait qu'une guérison a lieu ? Est-ce le fait qu'une personne se lève de son fauteuil roulant et se mette à marcher ? Ou qu'une maladie disparaisse ? Ou encore que l'ADN soit transformé et restructuré ?

Ou la vie est-elle une maladie et la mort, une guérison ?

Un jour, un cancérologue m'appela pour me demander si je pouvais voir une de ses patientes. J'acceptai sur-le-champ. Comme la femme en question ne pouvait quitter sa chambre d'hôpital, je me rendis sur place en compagnie de son mari, tard un soir. À notre arrivée, elle était endormie. J'entamai donc une discussion avec son mari, puis commençai la séance de guérison. Quelques instants plus tard, elle ouvrit les yeux. Son mari nous présenta, et pendant toute la séance le couple entretint une conversation animée et joyeuse. Les effets de la chimiothérapie et d'autres traitements étaient évidents. Pourtant, une étincelle de beauté transparaissait dans le sourire et les yeux de cette malade.

Mari et femme étaient tous deux dans la jeune trentaine. Lorsqu'ils se parlaient, leurs regards s'enlaçaient, comme ceux de jeunes amoureux qui viennent d'être réunis après une longue séparation. Il était évident qu'ils s'appréciaient énormément l'un l'autre et qu'ils étaient très amoureux. Elle parlait, il écoutait. Il parlait, elle écoutait. Ils se mirent à rire et m'invitèrent à me joindre à leur conversation comme si j'étais un ami de longue date. Ils me racontèrent diverses choses qu'ils avaient accomplies ensemble, me parlèrent de leurs voyages et des gens qui faisaient partie de leur vie.

Tout d'un coup, la femme eut une envie folle de crème glacée ! Trois parfums différents ! Même si cela faisait longtemps que je me trouvais à l'hôpital, je leur proposai quand même de rester un peu plus longtemps pendant que le mari irait chercher la glace. Au moment où ce dernier allait partir, la femme décida qu'un gâteau

au fromage blanc serait aussi le bienvenu. Même s'il était 23 h,
rien n'aurait pu rendre cet homme plus heureux que d'aller
chercher ces friandises et de les ramener à sa femme. Il promit
donc de revenir le plus vite possible, tout le monde sachant que
cela signifiait au minimum 45 minutes. Ce furent les 45 minutes les
plus longues de ma vie parce que, dès que la porte se referma
derrière son mari, la femme se tourna vers moi et me dit : « Je vais
partir maintenant. »

« Vous allez quoi ? » m'écriai-je. Je savais ce qu'elle entendait par ces mots, mais je ne pouvais le croire.

« Je vais partir maintenant », répéta-t-elle.

« Tout de suite ? » lui demandai-je.

Elle acquiesça de la tête.

J'étais un peu sonné. L'expression et le comportement de
cette femme ne laissaient aucun doute quant à ce qu'elle me disait : elle avait vraiment l'intention de mourir immédiatement. Elle
avait envoyé son mari lui chercher des friandises pour s'assurer
qu'il ne serait pas présent alors.

« Oh non, vous n'allez pas partir », répliquai-je.

Je n'avais aucune intention de le voir revenir les bras chargés
de victuailles et de me trouver assis à côté de sa femme morte.

« Je vais partir maintenant », répéta-t-elle.

« Vous allez rester ici jusqu'à ce que votre mari revienne »,
lui intimai-je en réponse à son troisième avertissement tout en
jetant un coup d'œil à l'horloge qui ne semblait pas avancer. Une
chose était claire pour moi : elle aurait pu s'en aller au moment où
elle le disait. La seule façon de l'en empêcher était de la faire
parler. Je savais pertinemment que si je ne la tenais pas occupée à
parler, elle lâcherait tout et partirait.

Je lui fis remarquer que si elle avait pris cette décision, son
mari voudrait certainement lui dire au revoir. Je gardai donc son
esprit actif. À ce moment-là, j'aurais attrapé une guitare et chanté
O sole mio si j'avais pensé que cela aurait pu la maintenir en vie
jusqu'à l'arrivée de son époux. Nous avons parlé. Elle est restée.
Environ 45 minutes plus tard, son mari revint. Il ne fut pas fait
mention de quoi que ce soit. Ils reprirent la conversation comme si
de rien n'était. Mon cœur battait encore la chamade pendant que la

femme dégustait de la glace. Ils m'en proposèrent, mais l'appétit n'y était pas. Je leur souhaitai une bonne nuit et partis sans traîner. Le mari me téléphona le lendemain pour m'apprendre que sa femme était décédée. Je le savais déjà. Il me raconta que depuis plus de deux mois, avant ma visite, elle avait toujours été endormie ou incohérente. C'était la première fois qu'elle avait été lucide plus d'une minute. Il me remercia de lui avoir rendu sa femme pour cette dernière soirée.

Qui profita d'une guérison dans cette situation, et comment ? Eh bien, tous les deux. Cet homme avait eu besoin, après deux mois, de revoir sa femme une dernière fois pour lui faire ses adieux et la laisser partir. Elle avait eu besoin de le revoir pour s'assurer qu'il s'en sortirait après son départ. Tous les deux avaient donc eu ce dont ils avaient besoin.

Les gens meurent et nous poursuivons notre route. Cela fait partie de notre expérience cosmique.

Quand une personne meurt, cela ne veut pas dire qu'il n'y a pas eu guérison chez elle. Sa guérison aura peut-être été d'avoir pu effectuer sa transition dans l'autre monde avec grâce, de recevoir la paix avec votre aide et d'avoir l'occasion de sourire et de dire le dernier « Je t'aime » à une personne qui avait besoin de l'entendre. En somme, il ne faut pas interpréter, analyser. Il faut simplement être et savoir que le don de guérison est en vous, sous quelque forme que ce soit.

ÉPILOGUE

Le miracle de toute cette situation

Dans cet ouvrage, il a été question de découvrir la guérison, de la théoriser et de la pratiquer. Et pour finir, j'aimerais mettre l'accent sur le fait que la guérison est un miracle. Par miracle, je veux vraiment dire miracle, c'est-à-dire un événement merveilleux qui se manifeste comme un acte surnaturel divin. Bien sûr, dans un univers de quarks, de trous noirs et comportant onze dimensions, le terme surnaturel ne désigne plus la même chose. Et le mot Dieu non plus.

Pourtant, le sens de l'émerveillement et de la béatitude qui survient lorsque l'impossible se présente à soi ne fléchit jamais. Voyez-vous, lorsque vous permettez à ces énergies de passer, non seulement vous aidez une personne à guérir, mais vous introduisez dans le monde une transformation d'une magnitude jamais connue auparavant.

Les gens me demandent si tous ont la capacité de transmettre ces énergies et de devenir guérisseurs. Je leur réponds par l'affirmative, car je pense que tout un chacun peut y arriver. Mais l'aveuglement est grand et seuls certains osent ouvrir les yeux. Et ceux qui osent le faire sont éblouis par ce qu'ils voient.

Lorsque Deepak Chopra m'a invité à rester innocent comme un enfant, c'est selon moi à ce sens de l'émerveillement qu'il faisait référence. Les enfants s'émerveillent de tout et voient chaque jour comme un monde totalement nouveau. Comme ils ne sont pas dotés de cadres limités dans lesquels tout ordonner, rien de ce qu'ils voient ne les aveugle. Dépourvus de peur, ils n'ont pas besoin de se limiter par les « je devrais » et « je ne devrais pas », par les rituels et par le sérieux. Tout appartient au merveilleux univers qu'ils sont venus habiter.

Et c'est ce même genre d'enthousiasme que je ressens quotidiennement. Chaque fois que j'entreprends mon travail de guérison, j'adopte une attitude de découverte et de nouveauté sans cesse renouvelée, comme si je faisais cela pour la première fois. Et je sais que c'est ce qui se passera également pour vous. Parce que c'est toujours la première fois avec quiconque. Vous faites apparaître lumière et information vous amenant à devenir de façon unique ce que vous êtes tous deux, Dieu aidant.

Lorsque ce don de guérisseur est apparu, j'étais déjà un praticien de la santé ayant un cabinet très achalandé. C'est ce qui m'a fait supposer qu'il s'agissait d'un don de guérison. Je savais que quelque chose de très grand était en train de se produire : je le qualifiais de guérison parce que je pensais que c'était ce dont il était question (dans le sens élargi du terme où il y a un miracle entre le praticien et le patient) et parce que je voulais qu'il s'agisse bel et bien de cela.

Je constate maintenant que, dès le début, j'avais l'intention que ce don soit un don de guérison. Je voulais le comprendre, le catégoriser, et par la suite l'orienter et l'enjoliver. Ma pratique évoluait dans un contexte de guérison, contexte derrière lequel se cachaient les limitations que j'imposais au phénomène de la « reconnexion ». Je ne les imposais pas intentionnellement, mais simplement parce que j'étais incapable de voir outre, de reconnaître dès le début qu'il s'agissait de quelque chose de beaucoup plus vaste.

J'en suis venu à reconnaître que ce genre de guérison diffère énormément de ce que l'on nous a appris à percevoir, à comprendre, à croire ou même à accepter. Ce genre de guérison advient durant un processus généré par une cocréation s'effectuant au plus haut degré vibratoire d'interaction avec l'univers. J'en suis aussi venu à croire qu'il s'agit en fait d'un processus de restructuration de l'ADN, même si j'ai hésité à l'affirmer au début. Quand nous entrons dans le domaine du « transsensoriel », ou de la transcendance sensorielle (ceci voulant dire le dépassement de nos cinq sens physiques), nous évoluons alors dans un monde où nous entrons en contact avec une présence et une énergie jamais vues jusque-là.

Mon intention première – voir que ce don soit un don de guérison – peut certes m'avoir conduit à faire correspondre ce phénomène nouveau à mes anciennes croyances et opinions. Et même si j'enseigne que nous devons nous ôter du chemin, éviter de diriger les choses et même d'avoir quelque idée que ce soit sur la façon dont la guérison doit se manifester, je prends tout de même conscience d'avoir de l'obstruction dès l'instant où j'ai pris la décision qu'il s'agissait de guérison miraculeuse impliquant seulement le praticien et son patient.

Mais, en fait, le problème n'était pas tant l'intention que la spécificité de l'intention. Par le truchement de mes désirs et de mes intentions, j'ai transposé ma grande expectative en attente.

Deepak Chopra, l'auteur de l'ouvrage que je considère comme étant le plus important que nous puissions lire, *The Seven Spiritual Laws of Success**, explique qu'une des lois de l'intention et du désir consite à renoncer à l'attachement que l'on entretient face au résultat. En d'autres mots, à abandonner l'attachement que l'on a à un résultat particulier et à vivre dans la sagesse de l'incertitude. Et dans une certaine mesure, nous sommes nombreux à le faire maintenant. C'est ce que j'ai fait en renonçant à l'attachement que j'avais quant aux résultats des séances de guérison. Mais, en ne renonçant pas à l'idée que ces séances se traduisaient par une guérison, je me suis tout de même donné des limites.

Toutefois, nous pouvons désormais aller de l'avant. Pour ce faire, nous devons rester conscients de nos intentions, de celles qui sont si subtilement engrammées en nous qu'elles se trouvent pour la plupart juste en dessous du faisceau de notre conscience. Lorsqu'un signal nous avertit de leur présence sur notre écran-radar, il nous incombe de les examiner avec toute la responsabilité dont nous pouvons faire preuve. Nos intentions cachées influencent la direction que nous prenons, et ce, souvent plus fortement que nos

---

* Disponible en français sous le titre *Les sept lois spirituelles du succès*. (NDT)

intentions conscientes. Pourquoi ? Parce que nous ne sommes pas suffisamment conscients d'elles pour les examiner au grand jour. Si nous
ne savons par que la peur nous étreint, comment alors savoir y faire
face ?

L'information que je vous transmets par ce livre vous aidera dorénavant à effectuer une transition dans votre évolution. Vous pouvez à
présent écouter et entendre avec d'autres oreilles, voir avec d'autres
yeux. Vous avez appris à sentir ce que les autres n'ont pas encore réussi
à sentir. En apprivoisant cette nouvelle conscience de la réalité, vous
êtes devenu un être capable de transcendance sensorielle.

Et maintenant, quand ceux qui viennent vous voir pour des traitements entendent quelque chose quand il n'y a rien d'audible pour
les autres, hument une odeur alors qu'ils sont privés du sens de l'odorat, voient des choses alors qu'ils ont les yeux fermés et sentent une
présence alors qu'aux yeux d'un observateur il n'y a personne dans la
pièce, vous savez que vous les accompagnez dans un plan d'existence
situé au-delà de leurs sens. Et le phénomène est aussi surprenant que
lorsque vous l'avez vous-même découvert pour la première fois.

Et que faites-vous d'autre, sinon apporter lumière et information
à la planète ? Et quand il y a lumière et information, il ne peut y avoir
d'obscurité, car par elles viennent la transformation et la guérison.

La guérison n'est pas un « comment » ni un » pourquoi », pas
plus qu'elle n'est une recette. C'est une manière d'être.

Alors, en compagnie de votre peur, entrez dans la lumière et
dans l'information. L'amour devient lumière et information, qui à leur
tour deviennent amour puis guérison. Vous êtes en même temps l'observateur et l'observé, l'être aimant et l'être aimé, le guérisseur et le
guéri.

Vous ne faites plus qu'un avec l'autre. Guérissez-vous. En vous
guérissant, vous guérissez les autres. Et en guérissant les autres, vous
vous guérissez vous-même.

Rétablissez le contact. Guérissez les autres. Guérissez-vous
vous-même.

Certaines choses s'expliquent difficilement et les miracles parlent d'eux-mêmes.

Pour votre protection

Ce livre présente les connaissances requises pour seconder vos débuts en guérison par la reconnexion / *Reconnective Healing*. Néanmoins, la seule lecture de ce livre ne peut faire de vous un thérapeute de cette spécialité ni même un thérapeute en reconnexion / *The Reconnection*. Elle ne vous permet pas d'enseigner la guérison par la reconnexion / *Reconnective Healing*® ou la reconnexion / *The Reconnection*®, ni ne vous autorise à vous présenter à autrui en tant que thérapeute de l'une ou l'autre de ces méthodes ou comme un enseignant de l'une ou l'autre méthode. La condition préalable pour devenir un thérapeute de *Reconnective Healing* ou *The Reconnection*, c'est d'avoir réussi les séminaires dispensés par Eric Pearl.

À l'heure actuelle, Eric Pearl est le seul instructeur autorisé et qualifié pour enseigner le *Reconnective Healing* et *The Reconnection*. Eric offre désormais des stages en vue de former des instructeurs dans ces approches. Vous pouvez obtenir des renseignements sur les stages de formation d'instructeur en consultant le site Internet d'Eric, ou ses brochures. Ces renseignements sont également disponibles si vous communiquez avec *The Reconnection* à l'adresse de courriel ou aux numéros de téléphone indiqués plus bas. Il est indispensable d'avoir suivi et réussi les deux séminaires de base donnés durant les week-ends avant de passer à la formation de thérapeute diplômé, d'aide-instructeur et de mentor, ou encore pour vous inscrire au programme de formation d'instructeur. D'autres conditions préalables peuvent s'appliquer et changer de temps à autre.

Pour votre protection, veuillez communiquer avec nous par courriel à info@TheReconnection.com ou par téléphone au 1-323-960-0012 ou 1-888-ERIC PEARL (1-888-374-2732) avant de vous inscrire à un séminaire qui prétend offrir une formation en guérison par la reconnexion / *Reconnective Healing* ou en reconnexion / *The Reconnection* et qui serait dispensé par toute autre personne que Eric Pearl. Nous serons ainsi en mesure de vous préciser si l'instructeur du séminaire en question est authentique ou non.

Dans le but de vous renseigner au sujet des conditions requises pour devenir thérapeute en *Reconnective Healing* ou Reconnection, thérapeute diplômé, aide-instructeur ou mentor, ou encore pour vous inscrire au programme de formation d'instructeur ou simplement préserver votre réputation de thérapeute, veuillez communiquer avec nous à l'adresse de courriel indiquée plus haut ou par téléphone aux numéros également indiqués. Nous serons heureux d'accueillir vos commentaires ou de répondre à vos requêtes.

Pour rejoindre Eric Pearl et The Reconnection

Dr. Eric Pearl
c/o The Reconnection
P.O. Box 3600
Hollywood, CA 90078-3600

Site Internet : www.TheReconnection.com
Courriel : info@TheReconnection.com

Pour vous inscrire à un séminaire ou en organiser un dans votre région, veuillez téléphoner au :
1-323-960-0012
ou au
1-888-ERIC PEARL (1-888-374-2732)

Pour vous renseigner sur une séance privée avec un thérapeute, rendez-vous sur le *Online Practitioner Directory*, au www.TheReconnection.com, ou téléphonez aux numéros déjà indiqués.

Veuillez faire parvenir au Dr Pearl tout récit de guérison découlant de la lecture de ce livre, d'une séance privée avec un thérapeute, ou du fait d'avoir assisté à l'un de ses séminaires. Merci d'envoyer ces descriptions par courrier ou par courriel aux adresses (postale ou électronique) ci-dessus. Nous serons heureux de vous lire !

Quelques exemples
de livres d'éveil publiés
par Ariane Éditions

Marcher entre les mondes
L'effet Isaïe
L'ancien secret de la Fleur de vie, tomes 1 et 2
Les enfants indigo
Aimer et prendre soin des enfants indigo
Le futur de l'amour
Série *Conversations avec Dieu*, tomes 1, 2 et 3
L'amitié avec Dieu
Communion avec Dieu
Conversations avec Dieu pour ados
Questions et réponses au sujet de Conversations avec Dieu
Moments de grâce
Le pouvoir du moment présent
Le futur est maintenant
Sur les ailes de la transformation
L'amour sans fin
Le retour
Série Soria :
Les grandes voies du Soleil
Maîtrise du corps ou Unité retrouvée
Voyage
Série Kryeon :
Graduation des temps
Allez au-delà de l'humain
Alchimie de l'esprit humain
Partenaire avec le divin
Messages de notre famille
Franchir le seuil du millénaire